CLAUDE DIGEON

FL

CONNAISSANCE
DES
LETTRES

HATIER 8, RUE D'ASSAS PARIS 6e

Note liminaire

C'est à l'édition Conard des Œuvres Complètes que renvoient les références entre parenthèses. Dans chaque développement consacré à une œuvre de Flaubert, ces références sont données sans autre indication. Par exemple, dans le chapitre sur L'Éducation Sentimentale, *la référence (589) signifie :* p. 589 de L'Éducation Sentimentale, *édition Conard.*

Par exception, dans le chapitre sur Bouvard et Pécuchet, *l'édition utilisée est celle qu'a établie A. Cento (Nizet).*

Pour la Correspondance *les références renvoient à l'édition Conard ; elles désignent le tome en chiffres romains, puis la page. Par exemple (I, 31) signifie : p. 31 du Tome I de l'édition Conard. Lorsqu'il s'agit des quatre tomes de la* Correspondance Inédite, *publiée aux éditions Conard-Lambert, ce Supplément à la* Correspondance *est indiqué par la lettre* S. *Par exemple, (S II, 95) signifie : Supplément, Tome II, p. 95.*

Les abréviations suivantes ont été employées :

(PL) : *pour l'édition de* Madame Bovary, Nouvelle Version *précédée des scénarios inédits, établie par J. Pommier et G. Leleu (chez Corti).*

(NV) : Notes de Voyages *(Conard).*

(ES, *1845*) : L'Éducation Sentimentale *de 1845 (Conard).*

(NAF) : *(Bibliothèque Nationale) Nouvelles acquisitions françaises.*

Dans les citations de textes publiés la suppression d'un passage, ou même d'un seul mot, est indiquée par des points de suspension.

Dans les citations de textes inédits toute suppression est marquée par des points de suspension entre crochets, et la mise entre parenthèses signifie que le passage a été barré par Flaubert.

Si j'ai dû me résoudre à employer ce système d'abréviations, c'est qu'en cette étude j'ai réduit le plus possible la part consacrée à l'homme que fut Gustave Flaubert, à sa biographie, aux ouvrages non publiés de son vivant, afin de réserver le principal de mon effort à ce qui me paraît l'essentiel : le travail de l'écrivain, la création littéraire, les grandes œuvres sur lesquelles il a voulu être jugé. D'où la nécessité de se référer très souvent aux textes eux-mêmes et à la Correspondance.

Couverture : FLAUBERT par F. Sabatier - *Photo Roger-Viollet*

1   1821-1838

« **M**AIS d'abord pourquoi es-tu né? est-ce toi qui l'as voulu?... tu es donc né fatalement parce que ton père un jour sera revenu d'une orgie, échauffé par le vin... » écrit Gustave Flaubert en 1838 dans ses *Mémoires d'un Fou*, et en 1840 il déclare à son ami Chevalier : « Je crois que j'ai été transplanté par les vents dans un pays de boue, et que je suis né ailleurs, car j'ai toujours eu comme des souvenirs ou des instincts de rivages embaumés, de mers bleues » (I, 76). Deux fois, sur la même question, il s'abandonne à sa spontanéité; mais il y a discordance. L'écart entre le sarcasme réaliste et le rêve chimérique, entre la bouffonnerie qui dégrade et la fantaisie merveilleuse, importe plus que le contenu de ces textes. Un futur écrivain y découvre des possibilités ou des tentations contraires, ses divergences intérieures. Visant trop bas, trop haut, il signale et souligne quelque gêne de l'esprit, quelque embarras du caractère, qui l'incitent aux excès rhétoriques, et qu'il lui faudra surmonter. Six ans plus tard il affirme : « Je voudrais n'être jamais né ou mourir » (I, 429). Un tel refus de la vie, sincère, catégorique, demeure vain. Flaubert saura s'inventer sa manière de vivre et il est né, heureusement, de parents unis, riches et considérés, le 12 décembre 1821, à Rouen.

Sur ces premières déterminations d'une vie, la province, la famille, il s'est exprimé avec vigueur et diversement.

Il exècre Rouen, sa « stupide patrie » (I, 131), mais la beauté médiévale de sa ville le charme et il avoue qu'il aurait pu l'aimer s'il n'y était né, s'il n'y avait « bâillé de tristesse à tous les coins de rue » (I, 167). Plus précisément il déteste le spectacle de ses compatriotes, les bourgeois rouennais. Certes, les bourgeois ne constituaient pas une spécialité locale, mais les rouennais sont ceux qu'il a particulièrement éprouvés. Au reste, il peut bien aller à Paris, il regrettera Rouen et ressentira vite de l'animosité contre la capitale, « le pays le plus irritant du monde pour les honnêtes natures » (IV, 173). Alors, agitation parisienne ou enlisement provincial? Flaubert ne choisit pas, refuse, et n'aimera vraiment que la solitude de Croisset où, à l'abri des autres, il se réfugiera dans le travail, qui escamote la vie.

Toutefois, né d'un père champenois et d'une mère normande, il s'est senti, préféré, normand. Son physique de grand blond l'y poussait, qui lui permettait de s'imaginer en Barbare : « J'en ai l'apathie musculaire, les langueurs nerveuses, les yeux verts et la haute taille, mais j'en ai aussi l'élan, l'entêtement, l'irascibilité » (II, 455). Cette idée lui plaisait.

Sur la famille les jugements s'opposent : « quel bourbier! quelle entrave! comme on s'y engloutit, comme on y pourrit, comme on y meurt tout vif! » (S I, 71). Mais aussi : « J'ai goûté plus qu'un autre les plaisirs de la famille » (I, 351). Il se partage, se contredit. C'est que l'affection n'exclut pas les révoltes furieuses et qu'il souffre d'être séparé des siens comme il s'irrite de vivre en leur compagnie.

Il est profondément attaché à sa mère et l'aime intensément. Elle vivra jusqu'en 1872 à ses côtés, imposant sa tendresse anxieuse : « Oh! les tyrannies douces! » (II, 36). De fait, elle peut sembler régner sur lui, même si le père requiert plus ouvertement l'admiration, par le prestige de son autorité à l'Hôtel-Dieu dont il est le chirurgien en chef, et à son foyer. Mais fils et père s'opposent souvent. Le docteur Flaubert goûte peu la littérature et sait railler ce qu'il n'approuve pas. « Il n'entendait rien à mon idiome » (I, 239), déplorera Gustave. Cependant des désaccords parfois vifs n'empêchent pas un respect, un amour filial très profonds, qui plus tard s'exprimeront par un remarquable hommage : le portrait du docteur Larivière dans *Madame Bovary*. A son fils aîné, Achille, le docteur Flaubert enseigne son métier; sur le fils cadet il semble avoir exercé une influence surtout morale, par l'exemple de sa rigueur et de son orgueilleux mépris des honneurs. Gustave déclarera son dédain de la médecine, mais il gardera certains traits distinctifs du milieu : le « coup d'œil médical de la vie », le goût des plaisanteries de carabin.

La réussite du père a déterminé la situation sociale de la famille. La fortune du ménage, minime en ses débuts, grandit au point que le docteur put acheter successivement la belle demeure de Croisset, des terrains et des fermes. Ne faisant partie ni de la bourgeoisie d'affaires, ni de l'aristocratie terrienne, cette famille de notables se trouve occuper, en raison de la profession libérale de son chef, une position particulière dans la société rouennaise. Fort à l'aise, elle ignore les soucis financiers : « Dans quel mépris nous vivions du commerce et des affaires d'argent ! Et quelle sécurité ! quel bien-être ! » (VIII, 201). Ainsi Gustave, dans la mesure où il n'est encore que « le fils Flaubert », porte un nom respecté dans sa ville et fait figure de jeune bourgeois en vue.

Avec son frère Achille, plus âgé de dix ans, il s'entendra mieux de loin que de près, et cherchera ses fraternités véritables ailleurs. En revanche ses lettres à sa jeune sœur Caroline manifestent une compréhension délicate, la joie de cœurs complices qui jouissent gaiement de si bien s'entendre et s'aimer. Elle l'admire, il est sous le charme de cette gentille présence féminine, de son « vieux rat ».

❧❧❧

Sur sa première enfance les *Souvenirs Intimes* de
Mme Commanville et la *Correspondance* fournissent
quelques renseignements précis. De « nature tranquille », « très naïf », lent, il aimait se faire raconter
souvent les mêmes histoires et s'en pénétrer. Or cet
enfant rêveur et qui semble s'absorber en lui-même
va recevoir très tôt du monde qui l'entoure des
impressions singulières. Il vit à l'Hôtel-Dieu, regarde
passer les malades. Tout jeunes, Gustave et Caroline
découvrent la salle où leur père dissèque des cadavres,
et ils contemplent ces corps étalés et d'autant plus
intéressants qu'on prétend leur en interdire la vue.
Flaubert se rappellera ces images d'êtres présents-
absents, mystérieux. Que ces visions aient heurté
sa sensibilité et orienté ses réflexions, ses premiers
écrits le prouveraient, où les descriptions de morts
et les récits d'enterrements reviennent comme un
thème privilégié.

Autre point de fixation : la lecture de *Don Quichotte*
par un ami de ses parents, le « père Mignot ». Gustave
se passionne pour ce roman, satire du romanesque,
dont le héros affolé par les livres demeure grand malgré
son erreur : ainsi plus tard Emma... Ce « curieux
symbolisme », comme aimait à écrire l'auteur de
Madame Bovary, éveille d'autant plus l'attention
qu'un autre phénomène semblable peut être noté,
où paraîtrait le futur auteur de la *Tentation*. C'est
tout enfant qu'à la foire Saint-Romain, dans la
baraque du « père Legrain », il admire un spectacle
de marionnettes : les malheurs de saint Antoine et
de son cochon, que se disputent Dieu et le Diable.
Lui-même, avant ses dix ans, prétend au glorieux
plaisir d'animer une scène de théâtre et rêve d'en-

thousiasmer un public : ce sera sa constante ambition, jamais réalisée, sauf peut-être à cet âge où il réunit ses camarades dans la salle du billard de l'Hôtel-Dieu. Seul, ou avec son ami Ernest Chevalier, il compose et joue des comédies dont les titres révèlent parfois des intentions précises : se moquer des sottises vues et entendues, ridiculiser quelque personne ou des solennités bourgeoises *(Les apprêts pour recevoir le roi)*, présenter une action bouffonne *(L'amant avare,* trompé par son ami). Le goût du comique, poussé jusqu'au scatologique, se remarque dans un *Éloge de Corneille,* qui s'achève par une « belle explication » de la constipation et fut « autographié » par les soins d'Amédée Mignot (1831). Flaubert se plaira toute sa vie « dans les animalités de l'homme » (II, 344) et cette tendance s'exprimera littérairement dans de petits ouvrages non publiés de son vivant, *Jenner, Pierrot au sérail, La queue de la poire de la boule de Monseigneur.* D'autre part il projette alors de composer des romans : certains titres qu'il envisage, « la belle Andalouse, le bal masqué, Cardenio, Dorothée, la Mauresque » (I, 2) évoquent sans doute des souvenirs de lectures, mais aussi des rêveries d'Orient et d'amour qui bientôt se développeront. Il apparaît que l'enfant donne très tôt les preuves d'une remarquable précocité littéraire, que ses premières expériences le marquent, et que ces puérils essais dans l'art d'écrire peuvent être jugés significatifs : ce qu'il a vu, entendu, écrit, se dépose en cet homme de mémoire.

Au cours de l'année scolaire 1831-1832 il entre au collège de Rouen, en huitième. Pensionnaire l'année suivante, il le reste jusqu'en seconde (1838), devient externe libre en rhétorique et peut alors dire « adieu pour toujours aux pions et aux arrêts » : « Je n'en travaillerai pas moins bien, même plus, mais je serai moins tiraillé, moins embêté » (I, 31). Réaction caractéristique ! Il a souffert et s'est fait souffrir des

contraintes de l'internat et de la discipline collective.
Froissé, il se replie sur soi et s'exalte dans l'amertume,
la haine, le rêve. Mais s'il se dégoûte des études qu'on
lui impose, il obtient cependant de bons résultats en
français, en histoire et aime les professeurs qui enseignent ces matières, Gourgaud-Dugazon et Chéruel.
Ces deux hommes surent l'intéresser, le guider et
proposer à cet élève indocile et frémissant ce qu'il
désirait : composer des travaux personnels pour son
libre plaisir, en dehors des tâches scolaires.

En cinquième (année scolaire 1834-1835) il fonde
et rédige un journal de classe, *Art et Progrès*, dont un
numéro, le second, nous est parvenu. Les deux textes
qu'il contient présentent un thème et une scène que
Flaubert retravaillera beaucoup plus tard. Dans le
Voyage en enfer l'auteur s'imagine sur le sommet du
mont Atlas, le Diable survient et un dialogue instructif s'engage, que conclut la formule : « le monde,
c'est l'enfer ». En un style imité de Lamennais c'est
sa révolte que l'enfant de treize ans exprime par cette
vision satanique du monde. Mais ne s'exprime-t-il
pas aussi par la formule d'inspiration très différente
qui conclut le second texte : « une pensée d'amour,
c'est une rose de printemps »? On pourrait voir dans
le bref récit l'ébauche puérile de ces scènes de bal qui
réapparaîtront dans plusieurs œuvres de jeunesse
avant de s'épanouir dans *Madame Bovary* et l'*Éducation sentimentale*.

Entre l'été 1835 et le début de 1836 Flaubert reçoit
de Gourgaud-Dugazon de brefs résumés d'histoires à
développer. Il interprète de façon personnelle le
canevas initial et cherche les effets brutaux. Il ajoute
à la mort du fils celle de la mère dans *Matteo Falcone*.
Dans le *Moine des Chartreux* il insiste sur les tourments et les angoisses de son personnage, comme sur
l'aspect macabre du récit. S'il choisit lui-même le
sujet de *San Pietro Ornano*, on voit qu'il se plaît à

imaginer et décrire le personnage de l'intrépide corsaire qui fait trembler les puissances établies, enlève une pure et noble jeune fille et s'en fait aimer, à Gênes, au xvie siècle ... Cadavres, couleur locale, antithèses dramatiques, ces effets littéraires séduisent un jeune romantique. Mais ces textes peuvent retenir pour d'autres raisons. De curieuses réflexions sur le rêve, la mort et la vie terminent le *Moine*, et l'on sait par ailleurs qu'en 1845 il voudra de nouveau écrire l'histoire de Sampier Ornano et esquissera un « scénario ». Dans ces textes enfantins apparaissent, presque indistincts, quelques signes du futur. Flaubert s'épuisera toute sa vie dans un prodigieux travail de soi sur soi; sa réussite implique le changement, mais aussi la constance. A cette époque il reprend déjà certains passages d'une œuvre pour les utiliser dans une autre, et plus tard il retrouvera pour les traiter à nouveau certaines idées ou des scènes ébauchées dans sa première jeunesse. D'où l'intérêt documentaire de ces œuvres sans valeur esthétique.

Pour le moment l'adolescent se cherche des enthousiasmes, des héros qui l'inspirent. Il admire les « fils du siècle » que sont le conspirateur Lagrange, Napoléon, Victor Hugo (I, 23) et le « bizarre » Byron, dont il fait un *Portrait*. Ainsi le veut l'époque, et Flaubert se rappellera toujours l'engouement de ses camarades pour la littérature, les sentiments, le style de vie romantiques. Nos rêves de collégiens, dira-t-il, « étaient superbes d'extravagance, — expansions dernières du romantisme arrivant jusqu'à nous, et qui, comprimées par le milieu provincial, faisaient dans nos cervelles d'étranges bouillonnements » (VI, 474). Lui-même s'intéresse vivement à l'actualité littéraire. Le romantisme le ravit et l'enfièvre. Il y découvre des incitations intellectuelles en accord avec ses angoisses et ses aspirations : l'orgueil des ennuis magnifiques, les contrastes extrêmes du rêve et du rire, les visions splendides et l'horreur, les évasions imaginaires vers les temps et les pays où la vie était belle ou pourrait le devenir.

A l'instigation de Chéruel il écrit ou commence plusieurs contes historiques en ces années 1835-1836. Dans de pittoresques décors, *La Mort du duc de Guise*, *Deux Mains sur une Couronne*, la *Chronique normande du dixième siècle* mêlent affreusement meurtres, amours, trahisons. Il travaille et se divertit consciencieusement, trouve dans ses lectures la matière de ses créations, passe de la fantaisie historique au fantastique légendaire, comme dans *La fiancée et la tombe* (jeune fille violée, amant assassiné, spectres, danse des démons), et au conte philosophique qui transmettra sa pensée.

Ainsi, en 1836, la préface d'*Un parfum à sentir* explique les intentions de l'auteur : mener une histoire jusqu'à son dénouement « bizarre et amer », puis obliger le lecteur à se demander quelle peut bien être la cause des malheurs décrits. Le texte donne la réponse : c'est la faute de la fatalité. Flaubert révèle bien dans ce récit certains de ses goûts (les baladins), certaines influences subies (Hugo, Balzac), sa double révolte contre l'injustice sociale (enfants riches et pauvres) et contre les « généreux philanthropes » qui vantent naïvement le progrès. La confusion elle-même des idées soutenues n'est pas sans signification : Flaubert en tirera sa complexité. Révolté, mais sceptique, il veut « tonner contre les préjugés », mais par une œuvre « incompréhensible »; car il enseigne la nécessité de ce monde détestable et exprime sa joie à s'en « emparer » pour le résumer en une pensée qui durera toujours.

Jusqu'alors, en dehors de la classe, sa prédilection pour le théâtre contemporain (Hugo, Dumas) et pour l'histoire avait orienté le choix de ses lectures. Or, en avril 1836, dans *Un Parfum* il cite Montaigne et en septembre 1836, dans *Un Secret de Philippe le Prudent*, il citera Rabelais. C'est qu'il étend et approfondit sa culture.

Mais l'expérience principale de l'année 1836 n'est pas livresque. Lors des vacances à Trouville le collégien de quatorze ans rencontre Elisa Foucault, l'épouse — alors la maîtresse — de Maurice Schlésinger, éditeur de musique. L'émotion qu'elle lui fait ressentir et les souvenirs passionnés qu'il en gardera, le travail d'imagination qu'elle déclenche dans son œuvre, des *Mémoires d'un Fou* (1838) à l'*Éducation sentimentale* (1869), prouvent l'importance capitale de la rencontre. L'apparition de cette brune au visage régulier, au teint mat, à la peau ambrée, et dont les yeux le brûlent, fixe un de ses types féminins d'élection, en littérature. Elle impose à l'adolescent une image fascinante de femme (au bain), de mère (allaitant sa fille), d'épouse (d'un jovial et vulgaire compagnon). Elle lui paraît tout à la fois désirable, idéale et défendue.

En 1836 il découvre l'amour et la surprise de son cœur. Plus tard il déclarera en avoir été « ravagé ». D'après ses écrits ce n'est pas en 1836, mais ensuite seulement, par le jeu cruel des souvenirs, que l'expérience prolonge ses effets et produit ses ravages. Deux autres femmes, dans les années suivantes, en 1845 et en 1851, lui feront aussi connaître de brusques éblouissements ; mais il ne réagira pas de la même façon. Elisa Schlésinger fut la première et la dernière parce qu'elle signifia sa découverte de l'amour, parce qu'elle l'inspira littérairement dès 1838, parce qu'il devait la revoir. D'autre part sa jeunesse, sa timidité, la différence d'âge (onze ans), lui font penser qu'il vit un rêve irréalisable. Son amour prendra la forme d'une « adoration » mystique susceptible d'exclure ou tout au moins de dévaluer toute autre passion : celle-là restera l'unique. Si l'image idéalisée de cette épouse et mère ne détermine pas en Flaubert la théorie de la séparation du désir physique et de l'amour idéal, elle pourra la favoriser, comme le mythe de l'unique passion pourra constituer une défense supplémentaire contre d'autres entraînements sentimentaux.

Après ces mémorables vacances il revient au collège, à ses camarades, à leurs ennuis, à leurs gaietés. Et voilà que surgit, à la même époque, à côté de l'idéalisation sublime, une belle figure de grotesque : le Garçon fait son entrée, fracassante, dans sa mythologie personnelle.

Ce personnage hilare, tonitruant et vicieux est la création collective de Flaubert et d'un petit groupe d'amis. Il ne nous est parvenu, à son sujet, que de rares et brèves allusions. C'est un commis voyageur. Son rire le signale à l'attention des initiés. Une force corporelle énorme, des gestes d'automate, une perversité géniale en font un être comique et scandaleux. Son histoire, ses exploits infâmes le montrent méchant avec profondeur, sournois quand il convient, ignoble avec joie. Sous des apparences bourgeoises, il défie la morale des bourgeois et c'est son premier mérite, mais non le plus important. Les Goncourt écrivent qu'il représentait « la blague du matérialisme et du romantisme, la caricature de la philosophie d'Holbach ». De fait, ses créateurs l'ont doté d'aptitudes intellectuelles diverses et fort remarquables, puisqu'il leur était prétexte à faire parade de leur propre esprit. Qu'il écrive un drame et ce sera la quintessence du drame; qu'il compose un discours et son éloquence éclate dans la parodie de causes célèbres; qu'il développe sa pensée et, selon ce texte des Goncourt, il soutient avec aplomb des théories opposées. Le Garçon fournit à ses inventeurs le moyen de se moquer de tout et se révèle donc à la fois constant dans sa scélératesse et inconstant dans ses opinions. Ce cynique ne doit pas être embarrassé par une logique

trop stricte. Qu'il singe le bourgeois ou combatte
violemment les idées reçues, le méchant drôle se doit
d'aller trop loin et de réjouir par sa démesure. Ce
farceur vaniteux et péremptoire remplit alors sa
mission : attaquer ou défendre en toute mauvaise
foi les bonnes ou les mauvaises idées. Voilà bien le
pire fils du monde, celui qui révèle comiquement le
grotesque universel. En 1838 Flaubert déclare n'estimer « profondément que deux hommes, Rabelais
et Byron, les deux seuls qui aient écrit dans l'intention
de nuire au genre humain et de lui rire à la face »
(I, 29). Le Garçon, cette création rabelaisienne de
jeunes romantiques, satisfait ce double désir.

Les contes que Flaubert écrit en 1836-1837 montrent
à la fois la persistance de certaines prédilections et des
indices de changement. D'une part *La peste à Florence, Bibliomanie* et surtout *Rage et Impuissance*
(une sorcière, des crimes, un enterré vivant) doivent
faire frémir « les nerfs sensibles et les âmes dévotes »
par la vertu de l'horrible et du macabre; de telles
intentions ne sont pas nouvelles. D'autre part Flaubert
entreprend pour Chéruel des études particulières
(*Influence des Arabes d'Espagne sur la Civilisation
française du Moyen Age*), et ces recherches semblent
le détourner un temps du conte historique. En 1837,
il compose *La dernière Heure* et *La Main de fer* qu'il
intitule « contes philosophiques », puis *Rêve d'Enfer*,
un conte fantastique. Ces opuscules présentent diverses
illustrations, très romantiques, de hautes et confuses
pensées sur le destin de l'âme, l'existence douteuse de
Dieu et la puissance certaine du Diable; ils ne marquent pas de changement d'orientation. Mais avec
la publication d'*Une leçon d'histoire naturelle : genre
commis*, Flaubert aborde un genre très différent, la
physiologie, cette parodie littéraire d'études scientifiques. Son portrait satirique de petit employé
implique une observation précise. La description

caricaturale, un peu simpliste, du commis, de son accoutrement, de ses manies, laisse apercevoir une esquisse juvénile des grandes créations futures et en particulier de Bouvard et de Pécuchet.

L'évolution de Flaubert à cette époque est déterminée en grande partie par ses lectures. Entre 1836 et 1838, il s'intéresse toujours beaucoup à l'histoire et il lit avec joie les grands écrivains romantiques, Byron, Lamartine, Hugo, Vigny, Musset, Balzac, Michelet et George Sand. Montaigne, Rabelais, les *Confessions* de Rousseau, le *Faust* de Gœthe, l'*Ahasvérus* de Quinet l'enthousiasment. Des emprunts, des imitations stylistiques, certaines inflexions de la pensée, bientôt même l'ambition de rivaliser avec ces illustres modèles (Gœthe et Quinet) montrent qu'il utilise promptement ses lectures pour enrichir ses propres créations.

Plus encore que les livres, ses conversations avec Alfred Le Poittevin vont l'amener à traiter volontiers et longuement de questions philosophiques. A partir de 1836 une amitié fervente unit les deux jeunes gens. Leurs caractères diffèrent et Flaubert peut critiquer la mollesse, l'apathie morbide de Le Poittevin; mais tous deux se sentent frères en esprit. Le plaisir de s'analyser et de se désillusionner, la haine romantique des bourgeois, la jouissance de leur ennui, la passion des époques révolues et de l'Orient lointain, un même pessimisme, une égale aptitude à grimper vers les hauteurs de l'Idée et à redescendre sans transition vers les joies de la bouffonnerie les font s'accorder merveilleusement. Or Le Poittevin, plus âgé de cinq ans, semble traverser alors une crise religieuse et possède une culture philosophique assez solide; son ascendant s'exerce sur son ami; il le renforce dans son scepticisme et lui ouvre de nouvelles perspectives intellectuelles.

Cependant Flaubert affirme en divers genres ses

progrès. En octobre 1837 il écrit *Quidquid volueris*, terrifiante histoire inspirée par une récente lecture, d'un homme-singe que la conscience douloureuse de sa monstruosité et la souffrance de ne pouvoir être aimé déterminent au crime. Plus encore que l'idée fantastique et tout autant que l'aspect sadique de certaines évocations (un viol, un assassinat), les confidences indirectes que Flaubert glisse dans cette œuvre retiennent l'attention. En effet, la description d'une promenade solitaire après un bal laisse transparaître une semblable expérience de Flaubert, vécue lors de sa visite de septembre 1837 au château du Héron, chez le marquis de Pomereu. Sous le masque d'un monstre, qui lui semble convenir à son propre personnage de « pauvre fou », il revit en imagination les sentiments poignants qu'il avait alors éprouvés, il les adapte à une situation romanesque, et écrit une scène que le souvenir persistant d'une émotion exceptionnelle lui fera réimaginer sous un masque plus séduisant, celui d'Emma se promenant dans le parc de la Vaubyessard (PL, 215-217).

Passion et Vertu (décembre 1837) offre un autre exemple, plus curieux, du même processus; ce n'est pas seulement une scène isolée, mais la conception d'un personnage féminin et de son amant qui évoquent, de loin, *Madame Bovary*. En octobre 1837 un article du *Journal de Rouen* fournit à Flaubert le compte rendu d'une affaire criminelle : une femme adultère, après avoir empoisonné enfants et mari, se suicide. Comment avait-elle été entraînée au crime? « C'est ce qui ne sera donné à personne d'analyser », écrivait le journaliste. Flaubert, peut-être incité par cette remarque à tenter l'aventure d'une telle analyse, garde fidèlement le schéma du récit, mais manifeste son originalité par la signification qu'il prête à l'histoire. A la femme coupable par amour il substitue une héroïne capable de vivre sa passion jusqu'au crime. Mazza Willer aime « la poésie, la mer, le théâtre, Byron ». Un Don Juan moderne, Ernest Vaumont, cœur sec, esprit froid, la rencontre, déclare : « C'est une sotte, je l'aurai », la séduit et l'abandonne. Désespérée, elle empoisonne époux et enfants pour recouvrer la liberté, puis, apprenant qu'Ernest se marie, elle se tue. Cette criminelle meurt victime d'une passion sincère. « Quel trésor que l'amour d'une telle femme », commente Flaubert, qui présente un plaidoyer pour son héroïne et un réquisitoire contre le mari et surtout l'amant, le grand coupable. Ainsi se retourne la morale bourgeoise du *Journal de Rouen*. A quinze ans, Flaubert compose la dramatique histoire d'une femme qui se suicide parce que son amour fut trop grand, son époux indifférent, son amant cynique et veule. Des rapprochements précis que l'on a faits entre ce récit et *Madame Bovary* font apercevoir des situations semblables et certaines parentés des personnages. Mais les contrastes évidents entre les intrigues, entre la leçon simpliste, l'héroïne frénétique de *Passion et Vertu* et la signification complexe de *Madame Bovary* enseignent sans doute davantage que leurs ressemblances. Que signifie pour Flaubert ce conte, regardé non plus à la lumière du futur chef-d'œuvre, mais dans la pénombre des essais de jeunesse? L'épigraphe : « Peux-tu parler de ce que tu ne sens point » pourrait évoquer une gageure tenue. (Ce qui, paradoxalement, ferait encore songer aux efforts qu'il s'imposera pour écrire la *Bovary*). Mais ce sont des idées fort romantiques qui inspirent alors Flaubert. Il les développe en s'attachant à bien définir et ordonner l'évolution sentimentale de son héroïne. Il perfectionne sa technique de la description par les correspondances qu'il institue entre paysages et états d'âme. Ce faisant il pose un premier jalon sur la longue et sinueuse route qu'il se fraiera pour arriver à *Madame Bovary*.

Les ouvrages de l'année 1838, *Louis XI* (mars), *Agonies* (avril), *La Danse des Morts* (mai), *Ivre et Mort* (juin) montrent dans leur diversité avec quelle obstination passionnée l'adolescent renouvelle ses efforts, comme il se cherche, se leurre, mais sait aussi progresser. Il aime l'histoire et depuis 1830 veut écrire pour le théâtre : il compose un drame, *Louis XI* (assez bonne documentation, succession de tableaux pittoresques, thèse du roi cruel et bon défenseur du peuple, cocasses trouvailles de style), sa dernière œuvre historique de jeunesse. Il aime s'analyser et se raconter à lui-même : *Agonies*, « pensées sceptiques », œuvre « bizarre et indéfinissable comme ces masques grotesques qui vous font peur », dira le désespoir, les désillusions d'une « vie morale bien hideuse et bien noire » et le plaisir qu'il ressent à dénoncer, avec une ironie emphatique et à force d'antithèses dramatiques, la vanité de tout; un passage, où se transcrit peut-être une expérience personnelle, la visite chez un prêtre plus soucieux de ses pommes de terre qui brûlent que d'une âme en perdition, s'ajoute à la liste des scènes promises à un avenir meilleur : auprès du curé Bournisien, Emma connaîtra la même déception. Avec *La Danse des Morts*, Flaubert reprend le thème de *La femme du Monde* (1836) et du *Voyage en Enfer*, mais avec une ampleur de moyens (chœurs alternés, etc.) et une grandiloquence qu'explique son admiration pour Quinet. L'important est que cette suite de tentatives fixe nettement une des directions de sa vie d'écrivain, celle qui doit le conduire jusqu'à la troisième version de la *Tentation de Saint Antoine*. Enfin *Ivre et Mort* se signale par son mélange de farce rabelaisienne et de descriptions réalistes; mais le comique et l'observation n'y sont point accordés, et ce serait un échec si l'on devait ici considérer autre chose que les promesses et les progrès d'un futur écrivain.

De treize à dix-sept ans Flaubert cherche ses voies et ses possibilités en fonction des lectures qui l'émeuvent et donc, principalement, du romantisme. Lorsqu'il écrit, il entend à la fois s'exprimer et s'impressionner, il vise à l'effet selon les recettes à la mode; il donne une forme dramatique à son inquiétude et grotesque à sa gaieté. Anxieux de se surpasser, il s'évertue à l'originalité et tout naturellement rencontre l'artifice. Or il sait aussi se juger, dans la *Correspondance* et dans ses *Souvenirs Intimes* : « Je suis toujours le même, plus bouffon que gai, plus enflé que grand » (I, 36). Si ses exercices littéraires favorisent le désaccord intérieur dont il prend conscience, accroissent le contraste dont il souffre entre sa vie et ses rêves, il y trouve aussi le moyen de s'expliquer à lui-même. C'est en particulier ce qu'il va faire en 1838 quand il entreprend les *Mémoires d'un fou* et se propose d'écrire l'histoire de sa vie. Ses souvenirs lui fourniront la matière nouvelle, la substance d'une création véritablement personnelle.

❧❧❧

Les *Mémoires d'un Fou* sont une œuvre composite. Flaubert a écrit et abandonné un premier texte puis, « après trois semaines d'arrêt », il se remet à la tâche et commence alors « vraiment les mémoires », où il introduit un récit antérieur, celui d'un amour d'enfance pour une jeune Anglaise, Caroline Heuland.

Pourquoi ce titre? Des confidences remarquables sur cette période de sa vie éclairent l'appellation de fou que se décerne l'auteur : « Je m'étais donc faussé le goût et le cœur, comme disaient mes professeurs, et parmi tant d'êtres aux penchants si ignobles, mon indépendance d'esprit m'avait fait estimer le plus dépravé de tous; j'étais ravalé au plus bas rang par la supériorité même. A peine si on me cédait l'imagination, c'est-à-dire, selon eux, une exaltation de cerveau voisine de la folie ». D'où la revendication orgueilleuse de cette « folie » dont on prétend l'accabler. L'enfant que possèdent ses rêves des « siècles qui ne sont plus », de l'Orient, de l'amour, de la poésie, et que révoltent les camarades, la discipline et les maîtres, jouera littérairement le rôle du fou qui sait railler, amuser et dire la vraie sagesse, la folie du monde.

Mais le jeu de la « folie » cède la place à celui de la sincérité lorsque commencent les pages consacrées à la rencontre de Mme Schlésinger, puis aux conséquences de la séparation. Deux ans se passent avant que l'auteur revienne à Trouville. Le présent fugace s'est transmué en un passé lancinant, pathétique. D'où le retour sur soi : « Je ne l'aimais pas alors, et en tout ce que je vous ai dit, j'ai menti; c'était maintenant que je l'aimais, que je la désirais; que, seul sur le rivage... je me la créais là, marchant à côté de moi, me parlant, me regardant... Ces souvenirs étaient une passion ». Or il n'y avait point mensonge dans les pages qui racontaient la brusque irruption de l'amour. Mais la re-création de l'amour par la mémoire manifeste une vérité supérieure, essentielle : l'émotion est devenue souvenir et l'éloignement lui donne pureté et puissance poétiques.

En raison de leur genèse, de nombreuses digressions, des ruptures dans le développement, les *Mémoires d'un Fou* sont fort mal composés. Il n'importe guère. En se retournant sur son passé, Flaubert écrit quelques pages autour desquelles peuvent s'ordonner le récit de son enfance et cette résurrection douloureuse et hallucinante du passé.

L'autobiographie va lui offrir, pour un temps, les ressources de l'expérience authentique et de l'idéalisation possible. Son premier essai dans ce genre, maladroit encore, émeut parce que pour la première fois il trouve une forme de sincérité littéraire.

À la rentrée scolaire de 1838, Flaubert, rhétoricien tout heureux de n'être plus pensionnaire, se proclame décidé à peu se soucier du monde, spectacle ridicule. Pourtant quelques mois plus tard il s'inquiète. L'avenir, qu'autrefois il souhaitait comme une délivrance, lui devient « ce qu'il y a de pire dans le présent » (I, 40), une menace, parce qu'il pose la question de la carrière à choisir. « Mon existence que j'avais rêvée si belle, si poétique, si large, si amoureuse, sera comme les autres, monotone, sensée, bête » (I, 42). D'avance il se tourmente et réagit, dans ses lettres à Chevalier, sur le mode rabelaisien : « j'aime... l'ignoble pour l'ignoble. C'est une pose tout comme une autre et que je sens mieux que qui que ce soit » (I, 43). Et de critiquer « la jeune génération des écoles », blasée, byronienne !

Il achève en avril 1839 la rédaction de *Smarh*, un « mystère » où s'entremêlent le dialogue et la narration. Satan séduit l'ermite Smarh, l'emporte au ciel et le ramène sur la terre, dont il lui dévoile les misères et les tristesses ; il lui fait éprouver les passions des hommes, la volupté, l'ivresse des conquêtes guerrières, jusqu'au dégoût. Smarh revoit alors tout ce qu'il vient de vivre (106), et il évoque la candeur de son enfance. Puis il ressent une ambition nouvelle, devient poète et s'éprend d'une femme, mais Yuk, le « Dieu du grotesque » la lui arrache : elle symbolisait la Vérité.

Quinet, Byron et Gœthe ont inspiré la conception de cet ouvrage. Mais Flaubert a créé un personnage

original, Yuk. Le 26 décembre 1838 il avait écrit :
« quand enfin j'ai découvert la corruption dans
quelque chose qu'on croit pur, et la gangrène aux
beaux endroits, je lève la tête et je ris ». Son personnage, Yuk, rit toujours, d'un rire qui serait celui du
Garçon devenu dieu, et il triomphe. Alors que Satan
régnait sur le monde, dans le *Voyage en Enfer*, maintenant le grotesque l'emporte.

Quand Flaubert se relira, un an plus tard, il ne
verra que son incapacité à réaliser son ambition de
« petit Gœthe ». Sans doute ... mais en 1839 il trouve
une idée fondamentale (la tentation d'un ermite par
le Diable), imagine un cadre initial (le soir, en Orient,
une cabane), et une scène (dans les airs), qu'il reprendra
dans la *Tentation de Saint Antoine* : son ambition ne
fut point vaine, et l'on admire en *Smarh*, outre
l'ampleur du dessein et le mouvement de certaines
pages, l'exceptionnelle richesse du style.

En 1839 encore il compose, dans le même genre
qu'*Ivre et Mort*, *Les funérailles du Docteur Mathurin*,
histoire d'un philosophe qui s'offre pour suprême
satisfaction de mourir d'ivresse : « entré dans le
cynisme, il y marchera de toute sa force, il s'y plonge
et il y meurt dans le dernier spasme de son orgie
sublime ». La fantaisie, point trop légère, de la scène
et du personnage donne à Flaubert une particulière
liberté, celle dont abuse le Garçon. Il lance des para-
doxes sur la vanité de toutes les convictions politiques, sur la sottise de la morale et l'éternelle fausseté
de n'importe quoi. La dérision matérialiste, certains
détails caractéristiques font bien apparaître et les
excès du Garçon et la sincérité de Flaubert; le témoignage est plus instructif qu'il ne paraît d'abord.

A la rentrée scolaire de 1839, il commence « cette
fameuse année de philosophie » ardemment désirée.
Mais c'était en Rhétorique que la Philosophie était
belle! La classe ennuie Flaubert « au superlatif »,

peu de temps du reste puisque dès le mois de décembre
il doit quitter le Collège pour s'être distingué dans une
révolte d'élèves.

A partir de janvier 1840 il travaille à la maison et
demande à des camarades de lui prêter leurs cours.
Il lit « du Cousin » (mais aussi du Sade). Le 23 août
il est reçu bachelier.

Que va-t-il faire? Des lettres de l'année précédente
(I, 42, 53-54), quelques pages de confession idéalisée
dans *Smarh* (108-116) manifestaient une incertitude
croissante sur lui-même et sa valeur, et sa résignation.
Il irait faire son droit, « ce qui au lieu de conduire à
tout ne conduit à rien », sinon à Paris pour trois ans,
et éloigne l'heure de la décision. Ce dégoût affiché
de toute situation sociale dut inquiéter sa famille et
singulièrement son père. Était-ce un métier que la
littérature? Que promettaient ces ennuis, ces révoltes,
ces théories bizarres, cette faconde théâtrale, et en
particulier ce don étonnant d'imitation parodique?
Au moins, pour le récompenser de son succès au bac-
calauréat, fut-il décidé que Gustave accompagnerait
un excellent ami de la famille, le docteur Cloquet,
dans son voyage en Espagne.

Et Flaubert de se lancer aussitôt dans l'étude de
l'Espagne et même de tenter une démarche assez
curieuse auprès de son professeur Chéruel. Celui-ci
écrit en effet à son maître Michelet le 14 août 1840 :
« Un de mes amis va faire, selon toute probabilité, un
long voyage en Espagne. C'est le fils du premier
médecin de Rouen, M. Flaubert; il y passera quatre
ou cinq mois uniquement dans le but d'étudier le
pays. Il m'a demandé si vous auriez besoin de quelque
recherche, il s'en chargerait avec plaisir. C'est un
jeune homme plein d'ardeur et d'intelligence, mais
peu instruit, comme tous ceux qui sortent des classes,
et se croyant plus de moyens encore qu'il n'en a.
Ce travers à part, c'est un excellent jeune homme et

qui serait enchanté d'avoir à travailler dans un pays curieux comme l'Espagne. Si son projet se réalise, il se propose de se rendre à Paris et m'a demandé une lettre pour vous, afin de prendre vos commissions dans le cas où vous auriez à lui en donner pour l'Espagne. Je prendrai la liberté de vous le recommander sachant avec quelle bonté vous accueillez la jeunesse »[1].

Chéruel n'écrit pas pour la postérité sur la jeunesse d'un grand homme. Il juge en 1840 un garçon (peu enclin au respect!) qu'il connaît depuis plusieurs années et signale sa prétention. Il ignore le travail véritablement original de Flaubert, la recherche et le développement progressif d'une personnalité d'écrivain, mais il nous donne une note critique intéressante sur l'élève.

Le projet espagnol ayant été modifié, Flaubert, dûment accompagné, partit pour Bordeaux, Biarritz, le Languedoc, la Provence et la Corse. Pour la première fois il gagne le Sud et s'en va découvrir la Méditerranée, et pour la première fois aussi compose un récit de voyage.

Ce récit est continu. Flaubert enchaîne évocations de paysages, anecdotes, descriptions de monuments, rencontres typiques et réflexions personnelles; il se raconte à lui-même comment il a vu et réagi; plutôt que des renseignements, il donne ses impressions et il analyse avec plus de précision qu'il ne décrit. Déjà lorsqu'il se promène dans Fontarabie et déclare : « je m'ouvrais tout entier aux impressions qui survenaient, je m'y excitais... je me plongeais dans mon imagination de toutes mes forces, je me faisais des images et des illusions et je prenais tout mon plaisir à m'y perdre et à m'y enfoncer plus avant », il annonce sa méthode, sa manière de voir et de se faire voir

---

1. Bibliothèque Historique de la Ville de Paris. Lettres à Michelet, A 4765 (38).

davantage encore. C'est pourquoi sa découverte de la Provence l'entraîne ailleurs, dans l'espace vers l'Orient, dans le temps vers l'antiquité gréco-latine. Le voyage lui apporte « comme un souvenir de choses que je n'avais pas vues » et lui apprend que les pays de ses rêves existent ici, et plus loin. En Corse, où le soleil nimbe les paysages d'une vapeur lumineuse, le golfe de Sagone, contemplé un de ces « jours heureux » où l'âme « se pénètre de rayons, d'air pur, de pensées suaves et intraduisibles », le met en un état de grâce panthéiste : l'émotion qui le saisit lui inspire, comme l'a montré J. Bruneau, sa première transcription littéraire d'une telle sensation extatique, d'une telle union intuitive avec la nature. La plaine d'Aleria lui fait paraître « une de ces cités de l'Orient, mortes depuis longtemps et que nous rêvons si tristes et si belles, y replaçant tous les rêves de grandeur que l'humanité a eus ». Regarder ainsi, c'est imaginer, se perdre en songeries illimitées, éprouver des émotions intemporelles où renaissent les souvenirs de rêve, tandis que se forment les souvenirs futurs. Plus tard une synthèse harmonieuse se dégagera de ce « grand mélange suave de sentiments et d'images ». Car Flaubert aime déjà pressentir que la mémoire les embaumera « de je ne sais quel parfum nouveau qui vous les fait chérir d'une autre manière ».

La mémoire entretiendra également un souvenir que cette relation de voyage ne mentionne pas, la rencontre d'Eulalie Foucaud. Ce fut une expérience sensuelle, brève, brûlante. Flaubert en ressentira la volupté d'autant plus intensément qu'il pourra la croire pure de tout alliage sentimental, et donc très bien adaptée à sa nature « qui, incomplète d'elle-même, cherche toujours l'incomplet » (I, 226). Cela correspond peut-être mieux à une décision de son esprit qu'à la réalité, comme des lettres de 1846 à Louise Colet le suggéreraient. Du moins la rencontre d'Eulalie Foucaud lui fournit-elle en ces années de jeunesse, après l'« adoration » idéale de Mme Schlé-singer, une figure antithétique de passion sensuelle, et les éléments d'une théorie possible de la séparation entre l'amour et l'amour physique, entre deux poésies diverses sur lesquelles joueront l'amertume et l'ironie.

De retour à Rouen, Flaubert conçoit, ébauche peut-être *Novembre* et il ajoute quelques pages à ses très révélateurs *Souvenirs, Notes et Pensées intimes.* Il paraît libre de tout souci. Plus de collège, pas encore de Faculté! Ses parents lui donnent-ils un sursis, dont nous ignorons la ou les raisons? Il répond à Chevalier qui lui a demandé quels étaient ses rêves : « Aucuns. Mes projets d'avenir? Point. Ce que je veux être? Rien... » (I, 77) et annonce qu'il commencera ses études de droit l'année suivante. De fait, en 1842, il achète des livres de droit et prend ses inscriptions à Paris, mais ne s'y installe qu'en juillet. Après deux mois environ de préparation intensive, il ne se présente pas ou bien échoue à l'examen d'août. Il prend alors ses vacances à Trouville. Joie de l'arrivée solitaire de nuit, et bientôt plaisir de fréquenter deux jeunes Anglaises, Henriette et Gertrude Collier, telles sont les impressions durables qui lui demeureront de cet été, celui de ses vingt ans. Il semble qu'il ait été d'abord plus sensible au charme de Gertrude et que plus tard, ayant revu les Collier à Paris, il se soit davantage attaché à Henriette. Elle le fit songer à la tentation du mariage, donc à la menace bourgeoise. Il y fortifiera sa résistance et ne gardera de ces affections que leur charmant et parfois mélancolique souvenir : pas plus.

❦❦❦

En octobre 1842, avant de regagner Paris, il achève *Novembre*. A la différence des *Mémoires d'un Fou,* l'âme, cette fois, n'écrase pas la plume. A partir de souvenirs choisis, l'écrivain compose une œuvre autobiographique et élabore une fiction romanesque.

Il réfléchit à nouveau sur son enfance et sa jeunesse, et ces thèmes rattachent *Novembre* aux *Mémoires;* mais la comparaison révèle comme il a évolué. Disparue Mme Schlésinger, que seule rappelle une phrase moqueuse. C'est l'initiation à l'amour physique qui donne à l'histoire son motif fondamental. Une nouvelle apparition mémorable, celle de Mme Foucaud, explique cette orientation. Mais, au lieu de simplement transcrire comme en 1838 une réalité vécue, Flaubert la modifie. Il sait métamorphoser une personne réelle en un personnage littéraire, celui de la prostituée idéale, de l'impure au noble cœur, selon le schéma romantique, et il interprète ce type littéraire de façon originale. D'autre part, il institue un parallélisme entre ses deux personnages masculin et féminin. Par là *Novembre* n'est plus seulement une confidence lyrique, mais une œuvre méditée et soigneusement composée, même si l'unité de ton n'en est pas assurée, en raison des arrêts et reprises de la rédaction.

Dans un premier mouvement une évocation rétrospective introduit l'action. Le narrateur voit se dresser le fantôme de son passé et savoure sa vie perdue, alors que revient « l'amer parfum des jours qui ne sont plus ». Des aspirations idéales tout à la fois l'emportaient et, refoulées en lui-même, l'étouffaient. Des rêves insensés et magnifiques le tourmentaient. Obsédé par le mystère de l'amour et de la femme, enthousiasmé par la poésie, il se ravageait l'esprit à plaisir, désespérait, voulait mourir. Un jour, cependant, le spectacle de la nature lui a donné l'immense et exquise joie d'un moment d'extase religieuse. Dans le second mouvement, il raconte sa visite chez une prostituée, Marie, qui lui révèle la volupté. Comblé, son rêve le déçoit : « je désirais mon désir et je regret-

tais ma joie ». L'illusion s'est évanouie. « Ce n'était
donc que cela, aimer ! » Mais il retourne chez Marie
qui lui fait le récit de sa vie. Elle aussi fut possédée
par un désir ardent qui l'a conduite des rêves enfantins
à une désillusion immédiate, puis à la recherche de
l'amant idéal, cette « chimère qui n'est que dans mon
cœur et que je veux tenir dans mes mains ». Déterminée, dominée, dégradée par l'exigence de sa sensualité, elle a réellement appris, par les dégoûts de la
vie, comment un désir peut se satisfaire et demeurer
inassouvissable. Sous une forme à la fois schématique
(par la simplicité de son aspiration) et très romantique (par les joies lugubres de ses terribles passions),
Marie laisse bien discerner quelle conception de
personnage féminin invente alors Flaubert.

Après avoir instauré entre les ravages de l'esprit
et ceux de la sensualité un contraste violent, il
découvre, à la fin du second récit, la ressemblance
des deux destinées : « sans nous connaître, elle dans
sa prostitution et moi dans ma chasteté, nous avions
suivi le même chemin, aboutissant au même gouffre ».
La fatalité qui réunit l'homme des rêves et la femme de
désir manifeste la conception d'un créateur qui sait
orienter les sentiments poétiques de l'un vers l'amour
de la femme, parer de poésie les convoitises sensuelles
de l'autre, et montrer, subjectivement pour son héros,
de façon réaliste pour son héroïne, le double déguisement. *Novembre* présente ainsi l'essai d'analyses
neuves, encore vagues dans le premier récit et brutales dans le second, que Flaubert apprendra dans ses
chefs-d'œuvre à nuancer et à varier. Mais il montre
déjà un trait caractéristique de son imagination
créatrice et son progrès : il oppose les personnages,
fait apercevoir sous l'antithèse la similitude, et assure,
avec quelque artifice, la cohérence de son ouvrage.

Marie a prêté son corps, elle offre son amour. Le
narrateur s'enfuit, et, comme au pauvre fou des

Mémoires, le souvenir d'une femme lui devient une passion qui le désole et l'obsède. Il se perd en un ennui plus profond, en des rêves plus vastes... Et — signe très probable de l'ultime reprise du texte — Flaubert termine *Novembre* selon une autre technique. L'ancien narrateur devient « l'auteur »; un ami racontera sa vie émouvante et pitoyable, en toute sympathie puisqu'il s'agit toujours du seul Gustave Flaubert, mais ironiquement. Le narrateur, étudiant en droit, à Paris, est mort « petit à petit, par la seule force de la pensée ». Ce dédoublement, ce passage à la troisième personne, signalent un autre progrès : la capacité d'élaborer à partir de soi un personnage romanesque.

Cette habileté croissante signifierait peu si *Novembre* ne dévoilait une autre maîtrise, celle du style. L'art de fondre analyses psychologiques et descriptions, l'harmonisation des choses et des êtres, se révèlent par d'abondantes métaphores. Certes le style en paraîtra plus tard à Flaubert manquer de « tissu », et la cadence demeure trop souvent oratoire, mais certaines pages témoignent, par la continuité de leur mouvement et la densité des images, d'un tout nouveau pouvoir poétique.

❧❧❧

La fin de *Novembre* présente, comme en un miroir déformant, la vie menée par Flaubert à Paris. Quelques indications peuvent en être retenues, mais elles doivent être complétées et rectifiées, en particulier par la *Correspondance*.

En ces années 1841-1843 il fait son droit, c'est-à-dire qu'il s'exaspère à préparer ses examens lorsque l'échéance approche (en décembre 1842, une réussite) et néglige le reste du temps de suivre les cours. Il enrage de se voir condamné aux études juridiques et cette haine surexcite sa nervosité. Puis la paresse, des

promenades méditatives le calment. Il se peut que
l'auteur de *Novembre* entre dans une église... et nous
savons que depuis 1838 ce « fils de Voltaire » (ou,
moins littérairement, d'un père qui affirmait son
incroyance) aspire aux ravissements de la foi, mais en
imagination seulement. Il va dans le monde, fréquente
des salons amis, revoit les Collier avec plaisir, se fait
régulièrement inviter par les Schlésinger et peut
étudier chez eux son étonnement : comme il garde ses
souvenirs et reconnaît mal leur inspiratrice, comme
un amour unique peut s'altérer en une tendresse
fervente et comme la vie a bien su refuser à deux cœurs
le moment de l'unisson ! A l'automne 1834 il va chez
les Pradier (« une maison tout à fait dans mon genre »).
Il goûtera les conseils du mari, travailleur exemplaire,
artiste indépendant, et s'intéressera d'esprit et de
cœur à sa femme Louise (Ludovica), bel objet d'étude,
riche d'aventures et prompte aux confidences. Enfin
les boulevards parisiens lui offrent d'autres rencontres.
Ces expériences diverses s'accumulent, se mêlent, et
l'instruisent : « le monde n'est qu'un clavecin pour le
véritable artiste » (I, 97), singulièrement pour celui
qui a commencé en février 1843 un roman, l'*Éducation
sentimentale*, et qui trente ans plus tard en recommen-
cera un autre, où sa vie d'étudiant en droit réappa-
raîtra.

Car seule la littérature lui donne la joie, donc sa
raison de travailler. Il s'enthousiasme à lire Ronsard,
ou s'émeut de contempler un jour Hugo chez Pradier.
Surtout il discute avec son nouvel ami, Du Camp,
rencontré en mars 1843. Est-il « gentil » ce Maxime,
et comme ils s'aiment tous deux en ce printemps de
1843 ! Les différences de leurs caractères ne leur
semblent pas trop sensibles, ou les attirent, ou font
naître des différends littéraires qui les unissent encore
davantage, car ils affirment et croient partager une
même passion de l'Art. Sur leurs lectures, sur l'amour,

sur les livres en projet ils se confient *solus ad solum*. Flaubert lit *Novembre* à Du Camp, heureux d'admirer, ravi d'apprendre qu' « enfin un grand écrivain nous est né ».

Échec à la session d'août 1843, vacances à Nogent et à Rouen, retour à Paris en novembre. En janvier 1844 il rejoint sa famille, et un soir, près de Pont-l'Évêque, au fond du cabriolet qu'il conduisait, il se sent « emporté tout à coup dans un torrent de flammes », et tombe « comme frappé d'apoplexie ». C'est la première attaque, que d'autres vont suivre. A partir de février 1844 Flaubert est un grand malade, toujours menacé. La « guérison est si lente à venir... qu'elle est presque imperceptible » (I, 159) un an plus tard. Son père le soigne à la maison.

Du Camp, dès 1881, révéla ce mal au public et le nomma : l'épilepsie. Du vivant de Flaubert, amis et gens bien informés portaient le même jugement. Les affirmations de Du Camp parurent longtemps réfutées par les belles études de R. Dumesnil, elles-mêmes aujourd'hui remises en question. S'agit-il d'une forme particulière de l'épilepsie, que le progrès des connaissances médicales permettra peut-être de définir précisément? On se contentera de noter que Flaubert lui-même a décrit plusieurs fois ses « attaques de nerfs », « congestion au cerveau... comme une attaque d'apoplexie en miniature, avec accompagnement de maux de nerfs » (I, 147) et qu'il a évoqué l'épilepsie dans sa *Correspondance* (I, 362, 432) sans crainte et même en plaisantant, mais que son frère Achille a, dans une lettre de 1860 à Cloquet, mentionné les « accidents épileptiformes ».

L'auteur de *Novembre* demandait aux tempêtes du Nouveau Monde de l'emporter. C'est une autre tempête, intérieure, qui survient et le laisse immobile. Mais l'horrible épreuve supprime l'obligation de choisir une carrière. Lorsqu'il ne sera plus strictement soumis à une surveillance médicale, Flaubert se retrouvera libre de vivre à sa guise, c'est-à-dire de travailler comme il l'entend. La maladie le contraint à la solitude et l'aisance familiale lui fournit son cadre. En 1844 le docteur Flaubert achète une belle demeure du xviiie siècle sur les bords de la Seine, à Croisset. C'est là que bientôt son fils va résider et consacrer sa vie à l'Art.

Les mois qui suivent les premières attaques de nerfs précipitent ses réflexions. Deux ans plus tard, le 27 août 1846, il écrit à Louise Colet : « Celui qui vit maintenant et qui est moi ne fait que contempler l'autre, qui est mort. J'ai eu deux existences bien distinctes; des événements extérieurs ont été le symbole de la fin de la première et de la naissance de la seconde; tout cela est mathématique. Ma vie active, passionnée, émue... a fini à vingt-deux ans. A cette époque j'ai fait de grands progrès tout d'un coup; et autre chose est venu ». En fait le changement ne se produit pas « tout d'un coup ». Néanmoins, l'idée que Flaubert se fait de son évolution et de sa vie reste très vraie. En 1844-1846 les crises nerveuses, puis la mort de son père et celle de sa sœur marquent bien le moment où sa jeunesse s'achève : « La maladie de nerfs qui m'a duré deux ans en a été la conclusion, la fermeture, le résultat logique » (I, 229-230). Il prétend alors s'entourer d'un « mur stoïque », décide qu'il trouvera son bonheur dans la stagnation et dit à la « vie pratique » un irrévocable adieu. Il exclura de sa vie l'amour et les ambitions mondaines, ces tentations auxquelles il avait aimé rêver : qu'elles demeurent la part de la seule imagination! C'est un « système particulier fait pour un cas spécial. J'avais tout compris en moi, séparé, classé, si bien qu'il n'y avait pas jusqu'alors d'époque dans mon existence où j'aie été plus tranquille, tandis que tout le monde, au contraire, trouvait que c'était maintenant que j'étais à plaindre » (I, 230). Mais quel usage faire de cette tranquillité enfin acquise, de ce présent inespéré, empoisonné, que lui offre la vie?

Il le dira dans l'*Éducation sentimentale*. En effet il reprend en mai 1844 cet ouvrage qu'il a commencé l'année précédente et le termine en janvier 1845.

Il avait d'abord eu l'idée de conter l'histoire d'un personnage, Henry. Mais bientôt des considérations techniques sur « la nécessité d'un repoussoir » lui firent préférer un roman à deux personnages principaux, l'un et l'autre du même âge, le sien. Il apparaît qu'après l'autobiographie simple des *Mémoires d'un Fou*, puis le dédoublement théorique tenté dans les dernières pages de *Novembre*, Flaubert engage dans une action (double) deux héros. Il les fera contraster, il les entourera des personnages secondaires. Une maîtrise croissante, une plus grande richesse de souvenirs, d'observations, de projets lui permettront ces exercices plus complexes où des expériences personnelles s'objectivent en des créations véritablement romanesques.

Deux jeunes provinciaux sont liés par une tendre amitié. L'un, Henry, vient faire à Paris ses études de droit; l'autre, Jules, demeure prisonnier de sa famille et de son milieu. Henry s'installe dans une pension, tenue par le ménage Renaud, et Mme Renaud devient sa maîtresse. Les deux amants partent pour l'Amérique, se lassent l'un de l'autre, reviennent en France, se séparent. L'éducation sentimentale d'Henry lui sera profitable. Il saura se jouer des femmes et faire un superbe mariage : « l'avenir est à lui ». Son ancienne « moitié de lui-même », Jules, ne peut opposer à cet apparent triomphe qu'un apparent échec. Passionné de théâtre, il s'éprend d'une actrice qui le berne et s'enfuit, le laissant désespéré. Il méditera ce désespoir. L'étude, l'idéal de l'Art le détachent de sa souffrance et la lui font voir comme une expérience nécessaire.

Il surmontera son épreuve en s'astreignant à tout comprendre, en aspirant à tout traduire en style. Il contemple le monde et reste à l'écart : « sa vie est obscure... mais elle resplendit, à l'intérieur ».

Les deux hommes si proches jadis vont s'écarter progressivement. L'un cultive son esprit et l'autre son ambition, et tous deux réussissent. Mais il est accordé à Henry de vivre un grand amour de son début à sa fin. L'expérience le fortifie, fait de lui un bourgeois supérieur, comique sans doute, mais apte aux réussites mondaines. Il gagne, et c'est sa (mal)chance. A Jules il est refusé de connaître la décevante réalité de l'amour. Il apprend la vérité de l'Art et c'est sa chance : il devient pur.

Un antagonisme profond s'est donc développé « dont le principe sans doute était en eux à leur naissance, mais qui avait grandi comme ils grandissaient et s'était développé comme eux-mêmes » (293). Cette idée qu'il formule, Flaubert, plus tard, dans une lettre à Louise Colet, regrettera de ne l'avoir pas mieux mise en valeur. « Les causes sont montrées, les résultats aussi; mais l'enchaînement de la cause à l'effet ne l'est point » (II, 344). De fait, dans les dernières pages de l'*Éducation sentimentale*, il analyse les causes et montre les résultats de ces deux évolutions divergentes, mais de façon théorique, parce qu'il n'a pas écrit « un chapitre qui manque, où l'on montrerait comment fatalement le même tronc a dû se bifurquer ». En 1852 Flaubert, composant la *Bovary*, peut bien exprimer ce regret. Mais en 1843-1844, n'a-t-il pas voulu mettre en lumière causes et effets, distinguer nettement ce qu'ensuite il devait juger souhaitable de mieux unir? En 1844 sa vie et ses réflexions lui fournissent deux types humains, dont la confrontation lui pose un problème personnel. Leur vérité romanesque naît de cette réalité humaine de leur créateur, à ce moment de sa vie. Par leurs éducations sentimentales fictives, il se propose à lui-même une leçon. En particulier, dans le dernier tiers du roman, il prête à Henry un style de vie qu'il déteste, tandis que Jules devient l'homme qu'il décide alors de devenir. La perspective change : Flaubert, qui s'était représenté dans ses deux personnages, se déclare finalement en un seul, qui lui figure son projet de vie. Il oppose le bon et le mauvais sujet. Dans son premier roman, et pour la dernière fois, il conclut.

Écrit en une période de crise morale, ce livre en acquiert, comme témoignage, plus d'intérêt et de richesse; mais comme œuvre littéraire, il manque de rigueur. Flaubert entremêle le genre épistolaire et le récit, introduit des dialogues de comédie et déguise à peine l'exposé d'idées personnelles. Néanmoins il réussit à composer son livre assez fermement pour que la divergence des deux vies soit marquée par des événements tout contraires (échec ou réussite en amour), par des correspondances entre les phases de leurs évolutions (dernier jour de passion d'Henry, dernier jour de pathétique de Jules), par des analyses contrastées de leurs sentiments ou de leurs idées. D'autre part, s'il n'a pas encore conquis son style de romancier (l'imparfait de style indirect libre n'apparaît qu'occasionnellement), ni vraiment imposé à sa matière une forme originale, il parvient pour la première fois à constituer un monde romanesque, et utilise certains modes de présentation qui annoncent sa future manière. En particulier, il réunit à certains moments choisis plusieurs personnages en des « scènes » et fixe ainsi l'intérêt du lecteur sur un ensemble caractéristique où faits, gestes, propos échangés prennent une valeur particulière. Toutefois ces progrès remarquables s'effectuent encore dans la confusion. Au cours de son récit l'écrivain change de perspective parce que son roman, terminé à une époque cruciale de sa vie, lui devient, par-delà la fiction, une œuvre de critique prospective où il établit le programme de son avenir.

Ce dessein s'affirme dans la dernière partie. L'avenir s'ouvre devant Jules, l'écrivain, à qui Flaubert prête ses idées sur l'art et sur l'artiste, et le livre s'achève sur l'affirmation d'un idéal fondamentalement optimiste de travail et de création.

Parti du « désespoir réfléchi » Jules arrive à une conception nouvelle de l'existence. De sévères réflexions sur son malheur et sur l'exaltation littéraire des souffrances personnelles le conduisent à un « stoïcisme surhumain », à un détachement complet de soi, à l'oubli systématique de ses propres passions. Un jour, se promenant dans un paysage dont chaque détail lui évoque son passé, il comprend que l'orgueilleuse insensibilité à laquelle il est parvenu suppose en fait et logiquement sa sensibilité de jadis; qu'un déterminisme relie des états d'âme si divers; que l'art seul pourrait donner conscience de la vérité, mais à condition que l'artiste sorte du cercle où ses préoccupations personnelles risqueraient de l'enfermer. Les émotions qu'il a successivement éprouvées et rejetées, ces douleurs anciennes et cette insouciance nouvelle doivent être mises à leur place, dans une synthèse idéale, celle de l'art. Or la nature lui offre l'image réelle de cette synthèse : « le monde entier lui apparut reproduisant l'infini et reflétant la face de Dieu ».

Cette expérience enthousiasmante, qui fait échapper Jules à lui-même, est suivie d'une expérience vertigineuse qui va le faire redescendre dans ses abîmes intérieurs. Il rencontre un chien pitoyable et effrayant qui s'obstine à le suivre et le fascine étrangement, telle une réalité mystérieuse ou une illusion obsédante. Si la nature lui a enseigné Dieu, la bête affreuse lui rappelle l'homme qu'il fut et les épisodes les plus cruels de son ancienne passion. Elle l'avertit, après ses transports exaltants, de ne point négliger la réalité et singulièrement sa propre réalité intérieure, son passé toujours présent en lui. L'homme et la bête se regardent et s'étonnent. Par leur confrontation hallucinante, Flaubert, qui peut-être transpose ici quelque aventure vécue, signifie le « naturalisme mystérieux que l'intensité de la pensée fait épancher au dehors vers les phénomènes qui le reproduisent » (I, 402). Jules en éprouve une impression si forte et si déchirante qu'elle lui fait découvrir « une réalité d'une autre espèce et aussi réelle que la vulgaire cependant, tout en semblant la contredire ». Il arriverait presque à douter de la réalité sensible, à n'y voir que la superficie et comme l'illusion des choses. Mais l'indiscutable présence du fait s'impose : lorsque, revenu chez lui, Jules tente à nouveau le vertige et ouvre sa porte, « le chien était sur le seuil ».

Ces deux expériences, l'illumination extatique et la peur superstitieuse, l'une et l'autre réelles et surréelles, se sont complétées et opposées. Jules saura tirer les conséquences profondes de la première, immédiates de la seconde : « ce fut son dernier jour de pathétique ». Désormais il étudiera.

Il discerne aussitôt la fausseté des images ou idées littéraires que les modes du temps lui avaient fait chérir. Il s'exerce à passer d'une école à l'autre et se forme un idéal de style qui unisse leurs caractères variés et soit moderne. Il apprend à mépriser toutes les poétiques : tout ce qui tend à définir, exclure ou éliminer, dans l'art ou dans la critique, dénature et fausse. Chaque œuvre d'art est une création seconde et possède « sa poétique spéciale, en vertu de laquelle elle est faite et elle subsiste ». Personne ne peut régler « la règle suprême », qui gouverne et la création et l'art. Il n'y a, « quant à l'art, rien en dehors de ses limites, ni réalité ni possibilité d'être ». Il faut étudier l'histoire et le monde moral, y chercher d'un même

effort leur variété et leur harmonie, y découvrir tout
à la fois la complexité des époques ou des cœurs et
l' « égalité continuelle de l'homme ». Il faut que
l'artiste accepte le fantastique, « développement de
l'essence intime de notre âme » et les formes étranges
que l'imagination humaine lui conféra. Car ces formes
extraordinaires expriment « quelque chose ». Mais ce
quelque chose doit rentrer dans l'ordre universel.

Jules voit dans le monde « une synthèse immense »
et il respecte « chaque partie par amour de l'ensemble »;
il admire que l'œuvre des plus grands artistes, Homère
et Shakespeare, soit « comme la conscience du monde,
puisque tous ses éléments s'y trouvent rassemblés
et qu'on peut les y saisir ». Quant à lui-même, il sait
que pour reproduire, en son temps, selon le caractère
particulier de son talent et sous une forme concrète
unique, « ce qu'il y a de général dans le monde et dans
la nature », il devra chercher méthodiquement la
vérité dans les livres, dans le monde, en lui-même. Il
analyse ses propres sentiments et ses souvenirs, pour
son instruction personnelle. Il les considère en tant
qu'objets d'étude et du coup s'en détache. En lui
l'artiste conclut : « l'inspiration ne doit relever que
d'elle seule » et non d' « excitations extérieures ». Il
mène donc une vie obscure, mais il « concentre dans
son âme toutes les richesses du monde ».

Cet exposé d'idées pourrait être mis en relation
avec le caractère de Flaubert (panthéisme, volonté
de détachement, tendance à la dépersonnalisation,
recherche de l'obstacle); avec ses idées antérieures et
son évolution future (éloignement du romantisme,
recours à des modèles de valeur universelle); avec ses
lectures philosophiques (Spinoza, Hegel, *Cours* de
Cousin). On notera en particulier que cette esthétique
refuse toute « poétique », mais se présente comme une
philosophie générale de la nature et de l'art, de la
réalité existante et de la vérité à faire exister.

Plus tard Flaubert saura discerner dans l'*Éducation sentimentale* un effort inconscient de fusion entre ses tendances antagonistes au lyrisme et au réalisme (II, 344), un « essai » de ses possibilités, et il dénoncera son échec. En effet la façon dont il décrit et fait parler ses personnages secondaires prouve ses capacités d'observateur « réaliste » et il est ému par une sympathie « lyrique » en faveur de son héros représentatif. D'autre part il se déclare à lui-même ses ambitions littéraires : mais précisément il les annonce plutôt qu'il ne les réalise. Remarquable document sur les idées de Flaubert à un moment particulier de sa vie, ce roman propose finalement une éducation artistique. Mais c'est son éducation technique que l'écrivain devra parfaire pour être enfin celui qu'il projette de devenir.

3 1845-1851

Au printemps de 1845, Caroline s'étant mariée, toute une escorte familiale accompagne le jeune ménage en Italie et Flaubert se plaint, vigoureusement, de voir la Méditerranée « en épicier ». Mais en fait son voyage ne fut pas « brute sous le rapport poétique », comme le prouvent ses *Notes* et ses lettres à Le Poittevin. On y voit comme il repense à sa première expédition dans le Midi et goûte cette surimpression du passé sur le présent. On voit aussi comme certains rappels historiques lui permettent de mieux prolonger encore ses sensations, de conférer à de fugaces moments une densité temporelle. Devant le Rhône, « fleuve d'Annibal et de Marius », au théâtre antique d'Arles, où il se sent « écrasé par l'histoire », à la vue de la Méditerranée, que son immobilité semble « rendre éternelle et toujours jeune » et qui murmurait avec le même bruit « à la proue de la galère de Cléopâtre ou de Néron », l'antique paraît dans l'actuel et Flaubert « commence à s'identifier avec la nature ou avec l'histoire » (I, 166).

Il note, plus précisément que dans le *Voyage* de 1840, quelles silhouettes ou figures le frappent au hasard des rencontres ou dans les musées. En particulier il définit les sensations complexes que produisent des qualités contraires, intimement mêlées par la nature ou l'artiste, et dont la réunion étonne ou suspend le jugement. Il remarque dans tel portrait l' « ardeur sous le calme » et dans telle esquisse de Vinci une « passion énorme dans la candeur apparente ». Il observe sur un visage bien réel un « ensemble d'intelligence, de volupté, de férocité et de douceur ». Ou bien encore le paysage contemplé de la Villa

Serbelloni lui semble d'une grandeur shakespearienne parce que « tous les sentiments de la nature s'y trouvent réunis ». Ces rares assemblages lui plaisent. Ces « ironies ingénues de la vie » et ces constructions savantes de l'art présentent ce que le théoricien de l'*Éducation sentimentale* aimait découvrir : la variété d'un ensemble.

Aussi bien est-ce à la littérature qu'il rapporte fréquemment ses impressions. Lorsque dans des églises il évoque Don Juan « respirant la femme et l'encens », et devant un tableau songe à son ancienne idée d'écrire la « belle histoire » de Judith et d'Holopherne; lorsqu'à Gênes, au Palais Balbi, la *Tentation de Saint Antoine* de Breughel le fascine, ce sont des ambitions littéraires qu'il se rappelle ou va se proposer. Nous les reconnaissons. Mais comment savoir si d'autres impressions notées, comme le « singulier amour » d'un homme pour une perruche, ou le visage de cet « homme dégoûtant passant sa tête par la portière » d'une diligence, prennent place, ou non, dans la prodigieuse mémoire de l'homme qui écrira *Un cœur simple*, et qui dans *Madame Bovary* fera surgir par le vasistas de l'*Hirondelle* la face hideuse de l'Aveugle?

A Le Poittevin il se dit alors « écarté de la femme ». Que l'une pourtant, « la plus belle... que j'aie vue », paraisse, et elle le trouble profondément : à son émotion il oppose une réaction de défense, la peur de pouvoir en devenir amoureux. De même, au retour, une visite chez les Collier lui révélera le « défaut de la cuirasse » de son âme, moins dure qu'il se la figurait. En revanche combien plus assurée son observation lorsqu'il revoit Mme Pradier, séparée de son mari : « La poésie de la femme adultère n'est vraie que parce qu'elle-même est dans la liberté au sein de la fatalité »! Il aime étudier Ludovica, et cette pensée qu'elle lui inspire mérite attention.

Ayant retrouvé son « antre » de Croisset, Flaubert reprend une fois de plus l'étude du grec, ses lectures de Shakespeare, et il analyse le théâtre de Voltaire. Il se persuade que sa propre éducation sentimentale s'achève et qu'enfin, dans la stagnation d'une vie régulière, il connaîtra son bonheur.

Mais son père meurt en janvier 1846, et sa sœur en mars, après la naissance d'une fille, Caroline. Les douleurs répétées s'enfoncent dans son cœur, « âcres et dures ». Les sensations d'arrachement lors des veillées funèbres et des inhumations se gravent en l'esprit, tandis qu'affluent les souvenirs et que se fortifient les résolutions : il ne s'étonnera point, la vie confirme le dégoût qu'il pressentait déjà tout jeune, c'est l'ennemie. Personne n'échappe à la souffrance. Il s'éprouve dans ses malheurs : « sans rien ôter à la sensation, je les ai analysés en artiste. Cette occupation a mélancoliquement récréé ma douleur » (I, 201), écrit-il à Du Camp.

Dans cette même lettre il s'émeut de sentir des résistances qui grandissent en lui et l'embarrassent : « Je deviens d'une difficulté artiste qui me désole; je finirai par ne plus écrire une ligne ». Il avait envisagé de faire un « conte oriental », puis d' « arranger pour le théâtre la *Tentation de Saint Antoine* ». Il rêve, il lit, il reporte à plus tard la réalisation de ses projets. Ses lectures orientales le plongent en méditations : « je deviens brahmane, ou plutôt je deviens un peu fou » (Cf I, 173, et 203).

Ces élancements spirituels demandent leur contre-partie. Avec Du Camp, avec Bouilhet, ancien camarade de collège qu'il retrouve alors, Flaubert décide de composer au printemps de 1846 *Jenner ou la Découverte de la Vaccine*, tragédie classique « où les choses ne seraient jamais appelées par leur nom » (nous rapporte Du Camp). Leur joyeuse émulation produisit une parodie égrillarde et de style périphrastique. Mais

l'important alors, c'est que Bouilhet survienne juste
quand Le Poittevin annonce son prochain mariage,
donc se perd aux yeux de Flaubert qui souffre de cet
embourgeoisement comme d'une trahison de l'amitié
et de l'Art.

Lui-même d'ailleurs nourrissait quelques illusions
sur sa capacité de résistance aux tentations et s'en
aperçut en rencontrant Louise Colet chez Pradier. Il
fut conquis et la conquit très vite (août 1846). Il
entre ainsi dans la longue série de ses amants; mais,
seul entre tous, il lui vaut dans l'histoire littéraire une
place méritoire : elle inspira les plus belles lettres de
l'admirable *Correspondance*. Plus âgée que lui d'une
dizaine d'années, cette blonde aux formes plantureuses,
au fin visage, se donne sans arrière-pensée à ce jeune
homme inconnu, et lui sacrifie son habituel souci des
liaisons avantageuses. Quant à Flaubert, il noue cette
liaison alors qu'il vient de se constituer une doctrine
bien raisonnée, sinon raisonnable, sur les femmes et
l'amour. « Je m'étais entouré d'un mur stoïque; un
de tes regards l'a emporté comme un boulet » (I, 237).
D'emblée, avec une franchise provocante, il déclare à
sa maîtresse sa surprise et ses défiances de l'avenir,
et cette correspondance amoureuse ne tire pas tant
sa valeur de l'exaltation sentimentale que du conflit
entre les sincérités inégales de l'amant et de l'artiste.
Flaubert y épanche son cœur avec d'autant plus
de vivacité qu'il accepte assez rarement de faire une
escapade à Mantes ou Paris pour rencontrer Louise;
mais il fait ardemment et candidement le procès de
la commune hypocrisie sentimentale qu'exige l'âpreté
féminine, qu'utilise l'habileté masculine. Il lui prouve,
explique-t-il, son estime en se confiant à elle comme
à un homme. Il la souhaitera « hermaphrodite » pour
lui dispenser les joies de la chair et de l'esprit. Il voit
dans l'amour « quelque chose d'indépendant de
l'extérieur et des accidents de la vie » (I, 397), « d'indé-

pendant de tout, et même de la personne qui l'inspirait » (I, 432). C'était trop demander à la belle qui se plaint et bientôt récrimine. Alors elle l'assomme et il se répète une pensée chère : « Je ne suis fait ni pour le bonheur, ni pour l'amour » (I, 400). Quoiqu'il ait très bien organisé sa liaison pour ses convenances personnelles, cette expérience lui apporte donc plus de motifs de se confirmer dans son idéal, pas trop tendre, que de raisons d'en changer. Cette première époque de leur liaison durera jusqu'en mars 1848.

La « Muse » interrompt quelque peu le travail de son amant en 1846; mais il continue d'ordonner sa vie selon les règles qu'il fixait à Jules dans l'*Éducation sentimentale*. Il poursuit ses lectures d'écrivains français, de Shakespeare, d'auteurs latins (Virgile, Horace, Quinte-Curce, Plaute, saint Augustin). Une fois encore, il s'est remis au grec (Homère, Hérodote, Aristophane, Théocrite). Il approfondit son amour de l'Antiquité, sa vieille prédilection pour la décadence romaine, sa connaissance de l'Orient. C'est que son « conte oriental » le préoccupe toujours; il établit ses plans, et recule devant l'exécution. Mais l'étude de l'Inde, la lecture de la *Sakountala*, de la *Bhagavad-Gîtâ*, etc. (I, 313) l'éblouit; celle de l'*Historia Orientalis* d'Hottinguer ou de l'*Introduction au Buddhisme Indien* de Burnouf montre qu'il s'intéresse non plus seulement au pittoresque étrange, mais plus sérieusement aux religions et philosophies orientales. Certes « l'étude, au bout du compte, ajoute peu; mais elle excite » (I, 355) et cette excitation entretient le rude plaisir de lire jusqu'à quinze heures par jour. Ces lectures lui serviront pour la première *Tentation*. L'œuvre cependant demeure un projet. Plus il étudie, plus il éprouve aussi de craintes à l'idée d'entreprendre.

Au moins réalise-t-il son projet de voyage avec Du Camp, en Bretagne; sa mère y consentit. Le long des rivages bretons, à pied, en carriole, en bateau, ils

connurent alors les plus belles heures de leur amitié.
Dans la fatigue des marches et l'allégresse des discussions, Flaubert oublie les étouffements de la vie ordinaire et toutes ses préoccupations, littérature exceptée.
Car les deux compagnons prennent des notes et,
après leur retour, ils composeront *Par les Champs et
par les Grèves* dont Flaubert écrit les chapitres impairs,
difficilement (II, 384).

Il avait préparé avec conscience ce voyage, et
utilise sa documentation livresque pour décrire
châteaux (Blois, Clisson, Amboise) ou monuments
(la Vénus de Quinipily). Il se fonde sur des écrits
antérieurs, guides ou études savantes, et nourrit sa
relation de commentaires historiques ou archéologiques (Carnac). Mais l'essentiel fut pour les deux
« contemplateurs humoristiques » et « rêveurs littéraires » de donner à l'œil ses orgies et à l'idée ses
réjouissances. Si les portraits pittoresques, les disser-
tations furibondes sur la sottise des bourgeois, les
remarques amusantes sur les gravures des chambres
d'hôtel donnent à l'humour sa place, les descriptions
de nature (cf. en particulier les pages sur Belle-Isle)
montrent l'intensité de certaines émotions et comme
Flaubert sait maintenant préciser la valeur sensorielle
ou symbolique d'un paysage qu'il dépeint, donner à
voir et à rêver, donc mieux rendre « l'effet » que lui-
même ressent.

Il s'attache particulièrement à certaines choses vues.
Des tableaux du musée de Nantes, l'enterrement
d'un marin à Carnac, le cimetière de Quiberon l'impressionnent, excitent son imagination, provoquent
une observation attentive. Souvent il confirme ses
idées ou ses goûts, et par exemple son amour du
« pathétique intime » que satisfont divers spectacles de
saltimbanques. Surtout il aime que la contemplation
se prolonge en rêveries, car « une rêverie, si vague
qu'elle soit, peut vous conduire en des créations

splendides quand elle part d'un point fixe ». Si, à Clisson, il se complaît à regarder les arbres dans les ruines, c'est qu'il y trouve le rire éternel de la nature sur le squelette des choses. Certains sujets favorisent des méditations, qui montrent les intérêts constants de son esprit et la pente de son imagination. Ainsi la religion : le catholicisme des Bretons, parce qu'il exprime une foi profonde, l'émeut, et plus encore le culte des dieux morts (153). Ainsi l'histoire : elle est, comme la mer, belle par ce qu'elle efface (16), elle transmet l'éternelle énigme et complète la vie par la mort. Ainsi la nature : elle fait rentrer les monuments dans sa matière, emporte l'homme en rêveries fécondes sous le soleil, et l'envahit la nuit jusqu'à l'épouvante (336). Ainsi le problème des monstres (60, 263) : quelles peuvent être les lois mystérieuses de « cet art inconnu » et ces formes inquiétantes qui renvoient l'esprit à l'origine des choses, semblent la négation et sont peut-être le corollaire de notre monde? Un tel univers monstrueux n'aurait-il pas sa beauté, son idéal? Flaubert repose les questions déjà traitées dans l'*Éducation sentimentale* et bientôt essaiera d'y répondre, littérairement.

La littérature en effet reste toujours présente à l'esprit du voyageur : celle du passé (Montaigne, Mme de Sévigné), celle du présent (Blois et Hugo, la Touraine et Balzac, et surtout Combourg et Chateaubriand), celle d'un avenir, le sien. Lorsqu'il rêve, à Blois, devant les « paisibles demeures, quelque profonde et grande histoire intime, une passion maladive qui dure jusqu'à la mort, amour de vieille fille dévote ou de femme vertueuse », l'on songe à l'avant-projet de *Madame Bovary*. D'ailleurs où qu'il aille et quoi qu'il contemple, il n'oublie pas sa vocation. N'y a-t-il pas partout des « tableaux tout faits? il s'agit de les voir » (275). Il s'entraîne à voir et au retour il va s'exercer à faire voir.

La difficulté d'ordonner, d'unifier une matière si variée, la stylisation de ces notes fragmentaires, complétées par de nouvelles lectures, la recherche de la précision et de l'image juste, le désir de conserver aux impressions leur vivacité et de donner à ses tableaux un vernis d'art expliquent sans doute en partie que la rédaction de *Par les Champs et par les Grèves* lui ait demandé tant d'efforts.

L'ouvrage achevé, il faut déterminer le choix de l'œuvre future. C'est le souvenir de Breughel, de sa *Tentation de Saint Antoine*, qui fournira le point fixe d'où son imagination prendra son essor. Grâce à ce tableau Flaubert définit alors son sujet majeur, auquel il reviendra en 1856 et en 1869, ou plutôt il fixe son désir de traiter un tel sujet sur un nom (saint Antoine), une époque (le IVe siècle), un pays (la Thébaïde). Il reprend et développera l'ambitieux projet de *Smarh;* il se tourne vers l'histoire et appliquera les récentes théories esthétiques de l'*Éducation sentimentale*. L'ouvrage qu'il décide de composer peut le tenter pour de nombreuses raisons. Écrire *Saint Antoine*, c'est s'inspirer de ses songeries personnelles (la belle insolence de se faire camaldule), de ses rêves de foi, d'Orient, d'antiquité; opposer à l'irrationnelle et invincible patience du solitaire des argumentations logiques et y faire transparaître certaines de ses discussions métaphysiques avec Le Poittevin; transposer le monstrueux désordre breughelien dans l'histoire religieuse et évoquer ces croyances anciennes et étranges dont l'étude le passionne; donner au fantastique et au monstrueux une place justifiable. Ce drame de la ferveur et de l'ahurissement, ces douteux triomphes de la folie et de l'ascèse lui proposent un monde d'images et de pensées qui l'enthousiasme et charme son goût du « grotesque triste ».

Distrait par la révolution de février 1848 à laquelle il assiste en compagnie de Maxime Du Camp, accablé par la mort d'Alfred Le Poittevin en mars, Flaubert commence la *Tentation de Saint Antoine* le 21 mai 1848 et se donne jusqu'au 12 septembre 1849 des « éperduements de style ». Mais ce délire poétique n'exclut ni le travail acharné de composition, que certifient les brouillons, ni l'utilisation précise de documents.

La conjonction de l'enthousiasme et d'un long travail préalable explique en effet que cette première version (541 feuillets) ait été écrite dans l'allégresse, en moins de seize mois. Mais quatre ans plus tard Flaubert, convaincu d'avoir échoué, va se reprocher amèrement son aisance : « De ce que j'avais beaucoup travaillé les éléments matériels du livre, la partie historique je veux dire, je me suis imaginé que le scénario était fait et je m'y suis mis. *Tout dépend du plan. Saint Antoine* en manque; la déduction des idées sévèrement suivie n'a point son parallélisme dans l'enchaînement des faits. Avec beaucoup d'échafaudages dramatiques, le dramatique manque» (II, 362). Il est vrai que le héros de la représentation paraît souvent le simple enjeu d'une lutte que se livrent les puissances supérieures, et semble parfois le spectateur d'une action construite à grand renfort d' « échafaudages dramatiques ». Certes il provoque cette action, mais elle se déroule selon une logique qui le dépasse. D'autre part Flaubert affirme : « J'ai été moi-même dans *Saint Antoine* le saint Antoine et je l'ai oublié. C'est un personnage à faire » (II, 362). Il estime que le personnage n'a pas été « fait » parce que lui-même adhérait si précisément à sa création, s'identifiait si bien au personnage, qu'il aurait annulé le visionnaire au profit des visions. Ces reproches que s'adresse un écrivain déçu lui serviront à corriger son œuvre lors des reprises ultérieures; ils pourraient être discutés ou nuancés, mais ils montrent bien comment Flaubert s'est vu, après coup, composant sa première *Tentation*.

Saint Antoine est tenté, mais ces tentations viennent d'abord de lui-même, comme l'indique au début la Voix de conscience qui lui rappelle ses faiblesses (la fille de Martiallus, morte, si belle et désirable), et comme à la fin le lui signifie magistralement le Diable (494) : le « véritable enfer » se trouve dans le cœur d'Antoine. Cependant l'action démoniaque s'organise contre lui, qui reste passif. Flaubert fait intervenir successivement des personnages allégoriques, les sept péchés capitaux, la Logique et la Science, la Mort et le Diable; convoque les Hérésies et ménage des épisodes ou des visions dramatiques (Apollonius, Montanus, Hélène, la Reine de Saba, le festin de Nabuchodonosor); fait surgir les Monstres et défiler les Dieux. On distinguera les discussions philosophiques et les visions.

Flaubert, théoriquement à la place de saint Antoine, exprime en fait le plus souvent ses idées personnelles par le truchement des esprits tentateurs, la Logique, la Science et le Diable. Dans la première partie, la Logique soumet à sa critique rationaliste les croyances chrétiennes et enseigne à l'ermite que « l'esprit de Dieu, qui gravite au sein des mondes et rayonne dans les étoiles, palpite dans [son] cœur ». Ainsi s'esquisse une argumentation qui sera développée dans la troisième partie, *Dans les Espaces*, où le Diable découvre à saint Antoine la petitesse de l'homme et l'immensité divine. Partout, dans « le plus imperceptible des brins de la matière » et dans « l'ensemble des choses créées », il y a l' « insaisissable infini qui les lie d'une vie commune et les fait pareils tous deux; or il n'y a pas deux infinis, deux dieux, deux unités; il y a *lui*, et puis c'est tout ». Le Diable apprend à l'ermite, consentant et bientôt ébloui, les émotions et les doutes philosophiques de Flaubert lui-même : d'abord un panthéisme très romantique où se transcrivent des expériences vécues et, entre autres influences livresques, celle de Spinoza; puis un scepticisme radical. Saint Antoine, enthousiasmé à l'idée d'être « Substance ... Pensée », est ensuite désillusionné : si son « âme pose tout et que cette âme soit mensonge, où est la certitude de ce qui est posé?... et si ce monde lui-même n'est pas, si cet esprit n'est pas? ah! ah! ah! » Le Diable conclut donc l'exaltante découverte de l'Unité infinie et éternelle en formulant l'hypothèse contraire du néant. Son rire final marque son triomphe de n'avoir tant révélé que pour mieux confondre, et d'avoir si bien agencé son dramatique exposé qu'il l'achève en le niant. Saint Antoine succombe et n'est sauvé que par un accident, évidemment nécessaire (423).

Ce n'est pas la première fois. Avant de s'envoler dans les espaces célestes il avait voulu descendre dans l'animalité, «être matière... pour savoir ce qu'elle pense » (409). Ce désir panthéiste, provoqué par le défilé des monstres, termine la seconde partie : les visions fascinantes avaient amené cette significative défaite dont Flaubert fera la conclusion de la troisième *Tentation* (1874).

Parmi les visions qui assaillent le bienheureux Antoine l'on peut, schématiquement, distinguer trois séries principales : les Hérésies, les Monstres, les Dieux.

Introduites par l'Orgueil, conduites par la Logique, les Hérésies opposent leurs doctrines passionnées et diverses à la foi simple d'Antoine. Ophites, manichéens, sectes gnostiques se succèdent auprès du solitaire. Simon le Magicien lui présente la beauté antique, Hélène, en ses métamorphoses; Montanus paraît accompagné de Maximilla et de Priscilla « délirantes... à cause de cet amour qui n'a pas de nom sur la terre »; Apollonius raconte en un subtil dialogue avec Damis ses aventures miraculeuses. Hérétiques et thaumaturges font ainsi voir les puissances furieuses de l'esprit et des sens, les inventions frénétiques et les accomplissements pervers de l'exigence religieuse : ce « faisandage moral » que goûtait Flaubert en ces siècles où meurt l'Antiquité, où se développe le christianisme alexandrin.

C'est à force de recherches érudites qu'il a préparé ses « éperduements » lyriques. En consultant des études savantes (recueils, ouvrages de Tillemont, de l'Abbé Fleury, Beausobre, Matter), en lisant des textes originaux (*Vie d'Apollonius* de Philostrate, saint Épiphane, Tertullien, saint Augustin) il a précisé ses exposés de doctrines et découvert les étrangetés révélatrices de ces visions qui prolifèrent, tourbillonnent autour de son personnage et l'affolent.

Tandis qu'Antoine désespère, le cochon parodique se vautre dans l'ignoble avec une truculence lyrique. Flaubert cultive un parallélisme ironique. Par ces équivoques similitudes de la bestialité et de l'idéalisme, il applique à sa façon la règle romantique du contraste entre grotesque et sublime. Il mêle étrangement dérisions dramatiques, poésie, érudition. Les exposés contradictoires se succèdent, le saint se fouette avec une ardeur où le Diable trouve son compte, les visions étonnantes surgissent. La prestigieuse reine de Saba clopine; dans un palais splendide, Nabuchodonosor festoie, beugle et tue; la Chimère tente vainement de s'unir au génie du mystère et de l'éternité, le Sphinx. Et Antoine s'ébahit devant les surprises voluptueuses ou horrifiantes, sans cesse renouvelées.

Le défilé des Monstres laisse paraître quelques intentions allégoriques (Phénix) et satiriques (Nisnas et Pygmées), mais pour l'essentiel ces « rafales d'anatomies merveilleuses », ces animaux féeriques et légendaires (Licorne, Griffon), ravissants et terribles (Sadhuzag), leur grouillement et leurs fascinations hideuses (Basilique, Catoblépas) enseignent les lointains mystères de la nature et de la vie et inspirent à saint Antoine la tentation du retour à l'animalité, l'envie de se perdre en la matière originelle. Ces monstres que l'imagination de Flaubert emprunte à des traités spéciaux (Elien, le *Hiérozoicon* de Bochart, les *Traditions Tératologiques* de Berger de Xivry) révèlent sous notre monde, selon les idées exprimées dans *Par les Champs et par les Grèves*, la légitimité de l'immonde et distillent une poésie très élaborée venue des bestiaires fantastiques.

Enfin passent les Dieux, monstrueux et poétiques aussi. A grands coups de fouet, la Mort les fait parader une dernière fois, splendides et tels que les adoraient leurs fidèles, formes vidées de leur substance et tels que les abandonne l'histoire. Ce thème littéraire de la vie et de la mort des Dieux, Flaubert avait pu le trouver dans des ouvrages de Michelet, de Quinet. Il s'en était sans doute entretenu avec son ami Le Poittevin. Mais si le sujet est d'époque, il le traite après une étude personnelle des textes anciens (Hérodote pour l'Égypte; Hésiode, Homère, Pausanias, Lucien, Apulée, Lucrèce pour les dieux antiques; la Bible), après avoir étudié la *Bibliothèque Orientale* de d'Herbelot, le *Zend Avesta* (dans Anquetil-Duperron), et surtout s'être documenté grâce aux *Religions de l'Antiquité*, la célèbre *Symbolique* de Creuzer, traduite par Guigniaut. C'est dans ce livre, en regardant ses gravures, qu'il a découvert nombre d'idées, de faits, d'images : la matière de son imagination littéraire.

Isolés ou groupés en séries homogènes, les idoles, puis les dieux du Gange, du Nord, d'Orient, d'Égypte, de la Grèce et de Rome, enfin Jéhovah, défilent; et le Diable annonce la venue du futur Antéchrist. Un progrès se dessine, qui va de la barbarie primitive et simple à la merveilleuse barbarie à venir, lorsque « le rêve du mal s'épanouira comme une fleur de ténèbres plus large que le soleil ». Entre ces deux limites les visions se sont pressées, et les figures monstrueuses (Cybèle), admirables (Muses) et grotesques (Crepitus, maintenu par Flaubert malgré les conseils éclairés de Baudry et de Maury), ont toutes un moment ressuscité les cultes et la foi des civilisations disparues, proclamé leurs dogmes, vanté leurs exploits, et, fantômes délicats ou fantoches ridicules, pleuré sur leur prestige évanoui. Alors les terreurs vertigineuses et les charmes diaboliques des précédents épisodes cèdent la place à une séduction plus contraignante : la preuve historique qu' « on a adoré tout cela, pourtant », et que ces dieux, « puisqu'ils sont passés tous, le tien... » Mais saint Antoine refuse de se laisser persuader que les religions sont mortelles. Sa foi l'emporte sur l'histoire, la Logique, son enfer intérieur. Elle le garde en Dieu. Et le Diable rira et le saint continuera sa prière.

Pour figurer littérairement cette somme de rêves, d'idées, d'observations et de science, Flaubert a écrit une œuvre souvent admirée, non un chef-d'œuvre consacré. On y loue, à juste titre, les prouesses stylistiques, le déferlement oratoire des images, la souplesse et l'assurance des rythmes. Mais, après Flaubert, on regrette qu'à tant de perles manque un fil. Un ordre statique, classement plutôt que véritable progression dramatique, paraît imposé à ce perpétuel mouvement. Plus d'un lecteur, entraîné de tableaux en tableaux, séduit par les riches détails d'une ornementation surabondante, transporté très haut pour retomber très bas, surpris de la passivité opposée à de telles fureurs, hésite et critique. Les formules ostentatoires, des beautés rares voisinant avec des absurdités puériles, lui font un ouvrage stupéfiant et ennuyeux... Ces hésitations se comprennent. Telle une grande église baroque, la première *Tentation* prodigue à foison ses contrastes : puissance et délicatesse, exaltation sensuelle de l'esprit et pompe macabre. Elle déconcerte et éblouit. C'est la plus complète, mais non la plus pure expression artistique de soi que Flaubert ait inventée.

Du Camp et Bouilhet furent invités, entendirent et condamnèrent. Flaubert confirme que ses amis lui portèrent un « coup affreux » (II, 237). Il méditera ce jugement qu'il n'estimera pas injuste, mais léger (II, 365) et il approfondira cette critique : quant à l'œuvre, pour la corriger, quant à lui-même, pour chercher le sujet qui lui permettrait enfin de donner sa mesure.

❧❧❧

Depuis mai 1849 il avait été décidé que Flaubert accompagnerait Du Camp en Orient. Mme Flaubert, sollicitée par son fils, conseillée par le docteur Cloquet, rassurée par Du Camp, donna son accord et l'argent nécessaire (27 500 F d'après une note de sa main). A la fin d'octobre 1849 les deux amis partent pour l'Égypte (novembre à juin 1850), la Palestine et la Syrie (juillet à septembre 1850), Rhodes, la Turquie et la Grèce (octobre à février 1851), l'Italie (jusqu'en mai). Flaubert retrouve Croisset vers la fin de juin 1851.

Pendant vingt mois, loin de sa « triste patrie », il réalise le rêve d'évasion orientale qui avait enfiévré son imagination et inspiré tant de pages ardentes à sa jeunesse. Il part déçu par l'échec de la *Tentation* et à son retour choisit d'écrire la *Bovary*. D'où, pour l'étude de son œuvre, le double intérêt de ce voyage : l'expérience réelle de l'Orient, la maturation littéraire.

Ils étaient deux. Du Camp, nature « nette et précise », voyageur conscient et organisé, sut photographier les ruines, se renseigner avec méthode, s'affairer intelligemment; il ne perdit pas son temps. Au reste il se montra le meilleur ami du monde; mais plus d'une fois Flaubert le surprit et l'irrita (II, 321). Ce long voyage apprit aux deux hommes leurs dissidences : moins accentuées qu'entre Jules et Henry parcourant ensemble l'Italie à la fin de l'*Éducation sentimentale*, mais de même type : Flaubert les avait devinées et préfigurées (cf. II, 343).

Sur le chemin du retour il confie à Ernest Chevalier qu'à voyager « on s'embête parfois, c'est vrai; mais on jouit démesurément » (II, 309). Les *Notes* et la *Correspondance* signalent quelques remarquables émotions (les Pyramides, Karnak, Thèbes, la colonnade de Baalbeck, le Parthénon, Delphes) et les impressions vertigineuses qu'il ressentit à la vue du Sphinx et lorsque surgit cette caravane fantomatique croisée, en pleine tempête de sable, dans le désert de Kosseir. Ce furent là quelques moments extraordinaires. Mais, dès son arrivée « solennelle et inquiète » sur la terre d'Égypte, Flaubert s'émerveille d'une sensation qui sera constamment renouvelée, celle de la lumière orientale. Il jouit de se donner « une ventrée de couleurs », il s'absorbe par exemple jusqu'à en être « remué comme d'une aventure » devant la Mer Rouge et la perpétuelle variation des couleurs qui s'y fondent et chatoient (II, 209). Dans les *Notes* il s'exerce à rendre ces jeux de lumière (« Axiome : c'est le ciel qui fait le paysage », *NV* II, 19); admirant un site montagneux il distingue les plans successifs, il note précisément comme en un relevé topographique imaginaire les mouvements du sol (*NV* II, 161). La Grèce, vue en hiver, le surprend moins, mais le passionne continûment. Il étudie œuvres et monuments, goûte en particulier le réalisme de l'art grec, s'enthousiasme pour tel mur de l'Acropole, telle sculpture de bas-relief...

Certes, tout au long du voyage, il traîne en Orient ses « normandismes » indéfinis, ses brouillards d'ennui. « On s'embête parfois » aussi bien devant les temples égyptiens que devant les cascades pyrénéennes ou les églises de Bretagne. Et il écrira par exemple cette réflexion mélancolique en quittant Le Caire : « Je sens par la tristesse du départ la joie que j'aurais dû avoir à l'arrivée ». Mais justement, de telles mélancolies « sont peut-être une des choses les plus profitables des voyages » (II, 210) ; on jouit plus cruellement, on grave un souvenir plus profond en soi, quand on sait unique et à jamais accompli le charme d'une vision. Parfois aussi la nouveauté même peut rappeler les anciennes amertumes. Au cours de la nuit passée auprès de l'almée Kuchuk-Hânem Flaubert se livre « à des intensités rêveuses pleines de réminiscences » ; cette expérience réveille un de ses phantasmes (Judith et Holopherne) et un souvenir tenace (le lendemain du bal au château du Héron). Certains moments lui concentrent ainsi mélancolie, plaisir, rêves et souvenirs, alors qu'en général le changement perpétuel de décor menace de distraire et disperser l'attention. C'est pourquoi le voyage lui paraît aussi la débauche la plus nuisible à la tranquillité de l'esprit et il déclare à Bouilhet : « Tu auras gagné par la solitude et la concentration ; j'aurai perdu par la dissémination et la rêverie » (II, 210).

Lui-même toutefois garde son souci de « gagner » littérairement. Il songe à ce qu'il a fait et peut-être fera. Les paysages qu'il contemple lui rappellent ses descriptions de *Saint Antoine*, et, quand il les découvre, il pense les reconnaître : « on *retrouve* encore bien plus qu'on ne trouve » (II, 149). Il ressent fréquemment cette impression caractéristique de « souvenir renouvelé », de « vieux rêves oubliés », de fusion entre ce qu'il a imaginé et ce qu'il voit ; il écrira même à Bouilhet : « nous sommes trop avancés en fait d'Art pour nous tromper sur la *nature* » (II, 240).

Le temps s'abolit dans cet Orient où la Bible demeure, devient, actuelle (II, 150). Flaubert s'informe

particulièrement des coutumes et croyances religieuses.
Il admire en Syrie la multiplicité et la persistance des
religions et se souvient de ses études pour la *Tentation;*
le voilà dans son « centre » (II, 250). Cependant le
voyage le confirme dans son agnosticisme. C'est que
le spectacle de la religion contemporaine gâte et
empêche les émotions attendues. « Le mensonge est
partout et trop évident » (II, 233). Un portrait en
pied de Louis-Philippe décorait le Saint-Sépulcre !
« O grotesque... ta lumière étincelle jusque dans le
tombeau de Jésus ! » (*NV* I, 297). Il lui faut relire
dans l'évangile de saint Mathieu le Discours sur la
montagne « avec un épanouissement de cœur virginal »
pour calmer ses aigreurs. Qu'un lieu de pèlerinage doit
pouvoir démoraliser un croyant ! — Conclusion
personnelle : « J'y allais de bonne foi et mon imagination même n'a pas été remuée » (II, 231).

Ailleurs, partout, il constate la présence du bourgeois et l'éternel grotesque humain. Curieusement,
voilà ce qu'il ne « retrouve » pas et n'aurait pas soup-
çonné : « le côté psychologique, humain, comique...
On rencontre des balles splendides, des existences
gorge-pigeon très chatoyantes à l'œil, fort variées
comme loques et broderies, riches de saletés, de
déchirures et de galons. Et, au fond, toujours cette
vieille canaillerie immuable et inébranlable. C'est
là la base » (II, 253). Une leçon de mépris serein,
heureux, s'en dégage, que du début à la fin du voyage
il apprend à savourer : depuis son premier « étonnement
énorme des villes et des hommes » (II, 119) jusqu'à
cette conclusion. Mais sa conclusion définitive, il
la formulera deux ans plus tard dans une lettre à
Louise Colet, en distinguant l'Orient byronien, cruel
et voluptueux, et sa nouvelle conception. Dans
l'Orient grandiose la beauté des formes résulte
peut-être de l'absence de toute passion; sentiment de
fatalité, conviction du néant de l'homme, immense

ennui, soleil enfin produisent « cette grandeur qui
s'ignore, et cette harmonie de choses disparates...
c'est la grande synthèse » (III, 136), celle qui mêle
à l'enthousiasme la désolation.

Conception neuve d'un voyageur qui mûrit certaines prédilections, et admire là-bas « cette égalité
continuelle » de l'homme que les études historiques
avaient enseignée à Jules dans l'*Éducation sentimentale*. Mais ce qu'il s'étonne d'apprendre est peut-être
ce qui aurait dû moins le surprendre, et ce qu'il
estime conforme à ses prévisions, c'est au contraire
ce qu'il avait le plus instamment demandé à connaître
du rêve.

Il insiste sur un point : après le voyage, il ne changera pas son mode de vie, il ne commettra jamais
l'apostasie du mariage. Il faut ajouter que l'affection
spécifique contractée au Liban à la fin de septembre 1850 et dont J. Pommier a montré les conséquences littéraires renforce sans doute cette décision
de refuser les bonheurs communs.

Cependant le 15 avril 1851, à Rome, il aperçoit
une femme : belle, pâle et comme venant d'un autre
monde, son calme regard le stupéfie et il a « envie,
tout de suite, de la demander en mariage... » Une fois
de plus, le hasard lui présente une figure de rêve;
mais comme elle est réelle, il l'abandonne aussitôt.
Et ce sont des tableaux, à Rome la *Vierge* de Murillo,
à Venise celle du Titien, qui lui donneront l'impression
la plus vive d'amour. De même un autre peintre,
Fra Angelico, lui paraîtrait le « plus propre à rendre
dévot... à souhaiter ces joies, à s'y perdre l'âme
d'aspiration » (*NV* II, 271). Ah! quel gouffre
représente le mot « amour » et comment se figurer
« ce que ce serait — si c'était possible » (II, 231).
Seul l'art en unissant l'imaginaire et le réel peut en
donner l'idée et satisfaire vainement, parfaitement.

Son propre avenir artistique préoccupe d'autant

plus Flaubert qu'il se trouve d'abord accablé par l'échec de *Saint Antoine*, « sans plan, sans idée, sans projet » (II, 201) et s'interroge sur ce manque « d'innéité » et d'audace. Enfin, le 14 novembre 1850, il envoie à Bouilhet une lettre décisive ; il songe à trois sujets « qui ne sont peut-être que le même », sa *Nuit de Don Juan*, *Anubis* et son « roman flamand ». Il se met à rédiger une esquisse du premier, le second le conduira à *Salammbô*, le troisième à *Madame Bovary*. Les sujets qu'il évoque sont apparentés et tous trois mixtes en ce sens qu'ils unissent et opposent deux formes, l'une mystique et l'autre terrestre, de l'amour inassouvissable. Or cette idée s'ébauchait dans les œuvres de jeunesse, en particulier dans *Novembre*, et il apparaît même que ces trois projets devaient être déjà connus de Bouilhet. Flaubert ne les a donc pas conçus en Orient, mais il les a médités, creusés au cours de son voyage. A la fin de 1850 il a trouvé un schéma romanesque susceptible de variations multiples, et il définit si clairement l'idée fondamentale de sa future création qu'il s'inquiète de sa « netteté métaphysique » !

Reste à choisir et à faire une œuvre, moderne ou historique, qui dure. Le même jour, 14 novembre 1850, il écrit à sa mère qu'il sent que se prépare en lui quelque chose de nouveau, « une seconde manière peut-être », et il donne à Bouilhet son avis motivé sur la littérature contemporaine : « Il faudrait des Christs de l'Art pour guérir ce lépreux ».

Restent aussi dans les *Notes de Voyages* quelques indications qui peuvent donner à rêver, comme par exemple le souvenir d'une soirée au théâtre de Constantinople où l'on jouait *Lucie de Lammermoor* (*NV* II, 40), ou ces réflexions : « Combien il y a sur la terre d'existences enfouies ! » « Combien n'y a-t-il pas de marquises nées, qui pataugent nu-pieds dans la crotte ! » (*NV* II, 23 et 153).

4   MADAME BOVARY

Lorsque, la trentaine approchant, Flaubert regagne Croisset, il se prépare à prendre une décision capitale pour son avenir littéraire : choisir le sujet de roman qui lui fera connaître sa « mesure », sa valeur réelle. D'où l'importance de ces mois d'ultimes hésitations, entre juillet et septembre 1851.

Les trois sujets qu'il a définis sont proches par leur thème, mais ils proposent à l'imagination des époques, des lieux, des personnages principaux fort différents. En fin de compte Flaubert aurait opté pour le « roman flamand » et moderne. En effet, dans une lettre du 30 mars 1857 à Mlle Leroyer de Chantepie, il déclare à propos de *Madame Bovary* : « l'idée première que j'avais eue était d'en faire une vierge, vivant au milieu de la province, vieillissant dans le chagrin et arrivant ainsi aux derniers états du mysticisme et de la passion *rêvée* ». Mais l'on sait par ailleurs que le 23 juillet 1851 Du Camp lui écrit : « Que fais-tu... As-tu pris un parti? est-ce toujours *Don Juan*? Est-ce l'histoire de Madame Delamarre [sic] qui est bien belle? » Voici qu'un élément nouveau intervient. Une histoire « bien belle » et bien réelle aurait recouvert un projet fondamental et infléchi l'idée primordiale de telle sorte que la Normandie va remplacer la Flandre. Cette rencontre d'une intention première et d'un récit adventice conduirait à la décision finale : le 19 septembre 1851 Flaubert commence *Madame Bovary*.

Lorsque Du Camp écrit dans ses *Souvenirs littéraires* que l'histoire des Delamare (qu'il appelle Delaunay) est à l'origine de *Madame Bovary*, il ne ment donc pas. Mais il (se) trompe en affirmant que Flaubert décida de développer cette histoire dès 1849. En outre, dans sa formule : « ce drame intime... est devenu *Madame Bovary* », le verbe « devenir » importe beaucoup et demande à être expliqué. Plus le roman devenait *Madame Bovary*, plus aussi l'histoire Delamare se réduisait à ce qu'elle fut, le grossier canevas où s'exécute une somptueuse tapisserie.

Il est vrai que les deux vies de Charles Bovary et d'Eugène Delamare (officier de santé, successivement installé au Catenay puis à Ry, deux fois marié, mort en décembre 1849 quelques mois après sa seconde femme, née Delphine Couturier) se correspondent en leurs moments principaux. On ne peut affirmer beaucoup plus. Les anciennes enquêtes faites auprès des « témoins », la recherche sur place des rapports entre Yonville-l'Abbaye et Ry ont connu de trop heureux succès. D'étonnantes, de miraculeuses concordances furent établies entre la réalité et la fiction. A tant faire, c'est le roman qui redevenait le « drame intime » !

La comparaison entre l'histoire des Delamare et les premiers brouillons du livre, plus proches de cette source, révèle à la fois des similitudes et des différences. Elle prouve que Flaubert a construit le développement d'une action romanesque et ne fut pas tenu par la relation d'une chronique locale. Inversement une allusion de la *Correspondance* à la « réalité » (IV, 70) avertit que la référence à l'histoire Delamare demeura présente à l'esprit de l'écrivain. Mais ce ne fut pas la seule « réalité » dont Flaubert s'inspira, comme des recherches plus récentes le montrent.

Car d'autres enquêtes ont produit d'autres rapprochements curieux (l'affaire Loursel—de Bovéry en 1845) et suggéré de nouvelles pistes (les relations de Flaubert et de Mme de Grigneuseville). En particulier les recherches sur l'hypothétique localisation de Yonville-l'Abbaye ont attiré l'attention sur Forges-les-Eaux (études sur le trajet de la diligence, église, traînées ferrugineuses de la Côte Saint-Jean). Il apparaît pourtant que Yonville-l'Abbaye, ce pays « oublié dans toutes les géographies du monde » (PL, 239), a reçu de plusieurs bourgs normands (Forges, Buchy? Ry?) ses halles, son église ou sa place. Les croquis successifs dessinés par Flaubert montrent qu'à partir d'une idée première il a modifié son schéma pour ses fins romanesques. De même, l'on ne peut croire que des personnages comme Léon ou Rodolphe représentent un seul clerc, un seul hobereau ; si « l'histoire Delamare » a fourni une donnée première, c'est par un intense travail que Flaubert est arrivé à les créer littérairement. L'origine « réelle » étant admise, il importerait d'apprendre sur quels témoignages l'écrivain s'est appuyé, afin de mieux discerner sa méthode de travail.

D'où l'intérêt exceptionnel du « document Pradier », que Mlle Leleu a découvert et commenté. Il s'agit là d'un texte consulté et médité par Flaubert. On y voit les précisions abondantes que les aventures amoureuses et financières d'Emma doivent à la vie de Ludovica, Mme Pradier. Des épisodes (le vol d'argent au mari, la demande de procuration, les refus des anciens amants priés d'accorder un secours lorsque l'huissier menace), la constante imbrication des affaires de cœur et d'argent menant à une saisie judiciaire correspondent à leurs transpositions romanesques. L'on aperçoit alors avec quels soins scrupuleux, mais aussi avec quelle liberté Flaubert utilise un document. Dans un milieu social très brillant et dont Emma va rêver, la Parisienne, qui avouait « n'avoir jamais pu résister », s'offre des amants beau-

coup plus nombreux que son émule de village et,
après une catastrophe financière autrement reten-
tissante, ne se suicide pas. Les contrastes sont patents.
Or Flaubert a systématiquement étudié Ludovica et
voyait en elle « le type de la femme avec tous ses
instincts, un orchestre de sentiments femelles » :
Ludovica ne fut pas pour autant le seul « modèle »
de Madame Bovary. Louise Colet, rebelle à l'idéal
d' « hermaphrodite *nouveau* » (I, 343) prôné par son
amant, dut lui fournir de multiples occasions d'étudier
certains « sentiments femelles ». Et combien d'autres !
Du Camp promet à son ami des renseignements sur ses
affaires de cœur et Bouilhet en donne. Les mentions
d'Edma Roger des Genettes et de son ménage dans
la *Correspondance* de cette époque peuvent faire
penser à Emma, dont la beauté doit certains traits
à Mme Schlésinger, à telle inconnue rencontrée, à
tel tableau. Ce type physique, cette conception de
la femme idéalisent littérairement des observations
venues de loin ou de très près, réclamées et utilisées
par une imagination soucieuse de ne pas faire pleurer
la Bovary dans un unique village de France.

La part des sources réelles dépasse sans doute de
beaucoup ce que nous pouvons affirmer d'après les
documents, parce que la méthode de Flaubert exige
cette surabondance d'informations; il la lui faut pour
présenter enfin un personnage qui lui soit, selon le
mot de Taine, une hallucination vraie (cf. S II, 91).

Et pourtant, quelle que soit l'importance des
renseignements, observations et petits faits vrais
collectés par l'écrivain, l'origine de son livre ne se
trouve pas ailleurs qu'en lui-même. S'il peut, lorsqu'en
1850 il envisage de traiter un tel sujet, être surpris de
formuler si nettement sa pensée, c'est qu'il y parvient
après une longue préparation. Il a progressivement
élaboré une idée directrice, celle de « l'amour inassouvissable », mystique et sensuel. Surtout il a, dans

ses œuvres de jeunesse, déjà tenté quelques esquisses de son héroïne et de son histoire. C'est pourquoi le personnage de Mazza Willer dans *Passion et Vertu* (1837), un court récit évoquant le mariage d'Aglaé et d'un médecin de campagne à la fin de l'*Éducation sentimentale* (1845) et en 1847 quelques remarques de *Par les Champs et par les Grèves* (à l'étape de Blois) paraîtront autant de signes prometteurs de la future création, une fois les promesses accomplies. La décision d'écrire *Madame Bovary* fera retrouver à Flaubert certaines intentions créatrices et certains éléments de ses premiers ouvrages. Mais une ambition nouvelle et cinq ans de travail acharné vont les métamorphoser.

Son choix se fixe sur un sujet, l'adultère, banalisé par les écrivains de la génération précédente, et l'amène à donner, après quel illustre prédécesseur, une étude de « mœurs de province ». Il choisit donc le plus difficile : renouveler un lieu commun littéraire. Le 20 septembre 1851, un jour après s'être mis au travail, il écrit : « J'ai peur... de faire du Balzac chateaubrianisé ». La phrase donne à penser. Chateaubriand l'a passionné et Balzac instruit : il veut être nouveau, à leur exemple, malgré leur influence.

Or, pour cet homme de trente ans, qui a beaucoup lu et beaucoup retenu, le même problème peut se poser aussi, en termes variables, à propos de nombreux autres écrivains. Sa méthode, au fond, l'exige : « tout est là, tirer de soi. Maintenant par combien d'étude il faut passer pour se dégager des livres, et qu'il en faut lire ! » (II, 409). Les souvenirs de lectures doivent abonder dans *Madame Bovary*, mais Flaubert a longuement peiné pour les approprier à son œuvre. Certaines de ses admirations les plus vives, celle de Cervantes, celle de Shakespeare, n'exercèrent-elles pas les effets les plus profonds, les moins visibles ? On sait par exemple qu'il dit s'être dans sa jeunesse

« bourré l'imagination » de Gautier et que des images ou des idées du bon Théo (cf. *Fortunio*) peuvent se retrouver sous sa plume. En lisant, avec une idée préconçue, *Mademoiselle de Maupin* on y repérera plusieurs passages qui « ont dû » beaucoup frapper l'esprit de Flaubert, et même on notera quelques rapprochements possibles, curieux, avec *Madame Bovary*; de semblables curiosités ne font pas preuve.

Aussi bien, un roman moderne présentera presque nécessairement des scènes, des situations, des types sociaux d'époque, que d'autres écrivains peuvent avoir évoqués. Quand *Madame Bovary* déclenche scandale et procès, le défenseur de Flaubert, Me Sénard, bien documenté par son client, fait pour les besoins de la cause quelques comparaisons suggestives (Mérimée, Sainte-Beuve, Monnier). Des parallèles intéresseront dans la mesure où ils permettent de discerner une influence ou de définir une originalité. Ainsi J. Pommier a-t-il précisément mis en lumière ce que le souci de marquer des « phases » successives dans l'évolution d'Emma pouvait devoir à la lecture de la *Physiologie du Mariage*, et le thème de « la femme mal mariée » à une autre œuvre balzacienne, *La Muse du Département*. Le personnage d'Homais mérite de ce point de vue une attention particulière. Un ami de Flaubert, Louis de Cormenin, l'appelait un « Prudhomme de village » et il est assuré que la création flaubertienne peut être rapprochée de celle de Monnier. Toutefois un passage de la *Correspondance* (III, 237-238) certifie qu'une phrase attribuée au très anticlérical Homais fut prononcée par un curé de Trouville ! Et combien de pharmaciens normands ont pu d'emblée se reconnaître en Homais (Cf. VI, 107) ! Des enquêtes ultérieures ont fixé en divers endroits le « véritable » Homais et la mieux fondée, celle de Gérard-Gailly, conduit à Veules. Ceci n'exclut pas qu'une personnalité rouennaise connue par Flaubert l'ait très tôt intéressé.

Expériences, observations, renseignements, souvenirs de lectures, servent et fournissent telle attitude à Emma, telle réplique à Léon ou sa chanson à l'aveugle de la Côte du Bois-Guillaume. Un ardent besoin de documents réels ou livresques, de confirmations authentiques, détaillées, répétées, exige tant de matériaux pour que se forment les phrases personnelles, pour que s'accomplisse l'effort de généralisation et simultanément d'individualisation, jusqu'à ce qu'enfin cette banale histoire et ces personnages, si réels qu'on doive les retrouver toujours ailleurs, soient « totalement inventés »!

Flaubert rédige la majeure partie de *Madame Bovary* à Croisset ; jusqu'en 1854, il ne fait que de brefs voyages à Mantes ou Paris. A partir d'octobre 1854, il a son domicile parisien et y séjourne plus longuement, en hiver ; la fin du livre y fut sans doute écrite. Les événements notables de sa vie à cette époque sont la reprise, en 1851, de sa liaison avec Louise Colet, la rupture en 1854-1855 (dernière lettre le 6 mars 1855) et de nouvelles liaisons, plus discrètes, avec Béatrix Person et Juliet Herbert.

❧❧❧

Flaubert, qui s'était systématiquement entraîné à composer avec Bouilhet des plans de pièces de théâtre, va commencer par établir des « scénarios » (cette pratique peut l'induire à composer aussi son roman par « scènes »). Aux scénarios qui présentent toute l'action du nouveau livre succéderont des « esquisses », des « plans », plus détaillés. C'est qu'il a besoin de revenir plusieurs fois sur la même matière pour la « serrer », pour la rendre à la fois plus riche et plus nette. Il recopie inlassablement. Ces reprises multiples, cette progression faite de recommencements semblent une nécessité caractérielle puisque, du plan général à la rédaction des phrases, la méthode ne change pas.

En 1851 il cherche d'abord à bien concevoir l'ensemble de son futur roman, car selon le mot de Gœthe qu'il aime citer : « Tout dépend de la conception ». Quant au plan, on remarque entre autres particularités de ces scénarios que les trois parties définitives ne furent pas immédiatement distinguées (et l'on sait que la division en chapitres est postérieure à l'achèvement du texte). Si, en sa première forme, l'intrigue paraît plus compliquée (voyage à Paris, double retour de l'héroïne à Rodolphe et à Léon), du moins la ligne générale de l'action et les caractères des principaux personnages sont déjà nettement fixés.

Quant à l'idée du personnage principal, il apparaît dans les brouillons primitifs que Flaubert ne garde du sujet originel, la vierge flamande, qu'un aspect : la sensualité, et qu'il ne fait pas contraster amour mystique et amour terrestre, mais distingue simplement les sens et le cœur, comme si l'intention de « faire un livre raisonnable » (II, 322) avait réduit ses premières ambitions. La future Emma « aime d'abord son mari... ses sens ne sont pas encore nés » (PL, 3), puis Rodolphe « l'empoigne » et, quand elle revient à Léon, Flaubert note : « vide de cœur pour son amant à mesure que ses sens se développent » (PL, 4). Dans un autre scénario il écrit : « le sentiment l'a portée aux sens. Les sens la portent au sentiment » (PL, 9, cf 17), etc. Un « coup d'œil médical de la vie » discerne ces alternances de « sentimentalité passionnelle » et de satisfactions sexuelles et détermine une évolution psychophysiologique. Les tendances mystiques d'Emma, remarquables dans le texte définitif, semblent ne se faire jour qu'après élucidation et approfondissement de son caractère; les « idées religieuses » (PL, 17, 29) apparaissent incidemment, comme si Flaubert n'était pas parti de son projet initial, mais s'en était rapproché. Emma « n'est pas mystique, mais po-é-tique (et sensuelle plus tard) », note-t-il (PL, 42) lorsqu'il prépare au début de mars 1852 son chapitre sur les « rêves de jeunes filles ».

Sa méthode lui fait concevoir et ordonner avec une précision minutieuse un roman dont le texte final ne laissera pas facilement distinguer un ordre fixé *a priori*. Si l'on tente d'apercevoir le plan de *Madame Bovary* selon l'idée du créateur, il convient de placer la scène des Comices au centre de l'œuvre. Ce choix se justifie par la valeur générale et par la signification dramatique de ce chapitre. Flaubert écrit en effet : « j'y ai *tous* mes personnages de mon livre en action et en dialogue, les uns mêlés aux autres, et par là-dessus un grand paysage qui les enveloppe. Mais, si je réussis, ce sera bien symphonique » (III, 335) et « *Il faut que ça hurle par l'ensemble,* qu'on entende à la fois des beuglements de taureaux, des soupirs d'amour et des phrases d'administrateurs » (III, 365). D'autre part il voit dans cette scène « le nœud d'où tout dépend » (III, 365), puisqu'il y place la rencontre décisive pour l'avenir d'Emma. Le livre tout entier s'ordonne alors par rapport à cette « symphonie » bien flaubertienne où s'impose d'abord la cacophonie, où tant de grotesque (discours, cérémonial, fausse poésie sentimentale) s'épanouit sur les réalités naturelles et humaines du paysage et du bétail, du « demi-siècle de servitude » et du désir. La *Correspondance* montre que pour Flaubert la « préparation » s'étend jusqu'au moment où survient Rodolphe (176). Puis les épisodes de la saignée du domestique, des Comices, de la promenade dans la forêt se succèdent et amènent « insensiblement le lecteur de la psychologie à l'action, sans qu'il s'en aperçoive » (IV, 52). Après quoi commence « la partie dramatique et mouvementée » qui aboutit à la conclusion ou catastrophe, la mort et l'enterrement d'Emma, et au bilan final.

Cette disposition de l'œuvre lui pose plusieurs

problèmes, l'un général, celui de la « proportion *matérielle* » (III, 247), et les autres particuliers, les transitions. Il s'inquiète de ce que la part de l'action lui paraît d'abord insuffisante, mais il se réconfortera : « J'ai suivi, j'en suis sûr, l'ordre *vrai*, l'ordre naturel. On porte vingt ans une passion sommeillante qui n'agit qu'un seul jour et meurt. Mais la proportion esthétique n'est pas la physiologique. Mouler la vie, est-ce l'idéaliser? Tant pis si le moule est de bronze ! » (III, 202). L'œuvre devant constituer « une biographie plutôt qu'une péripétie développée », il importe que ne soit pas rompu son mouvement, cette lente croissance suivie d'une rapide décadence. Flaubert entend assurer une continuité parfaite : « La prose doit se tenir droite d'un bout à l'autre... et que, dans la perspective, ça fasse une grande ligne unie » (III, 264). D'où le problème des transitions.

L'exemple central des Comices montre comment il procède. L'apparition de Rodolphe marque le début de l'action, mais en idée seulement (« Je l'aurai »); puis, dans la grande scène des Comices, il parle, et « leurs doigts se confondirent »; enfin dans la forêt, Emma s'abandonne. Alors, selon les scénarios, elle atteint un bref moment d'équilibre et son précaire bonheur : « dans l'amour de Rodolphe intersection rapide des deux cercles, qui ne peut durer » (PL, 10). Son rêve sentimental vient se confondre avec la réalité, qui va lui faire découvrir l'universel mensonge. Flaubert est ainsi passé d'une lente « préparation », où « les faits manquent », à l'action, par paliers successifs. Dans la suite les faits ne manqueront plus et alors il devra, inversement, faire en sorte que l'élément dramatique soit bien « noyé dans le ton général du livre ». L'effort de l'écrivain s'exerce ainsi dans deux directions contraires : toujours fixer les plans, marquer les phases, les périodes, et toujours dissimuler, décaler, « dévisser » ce qu'il a si bien serré.

Ainsi définie, l'ordonnance de l'œuvre resterait encore une disposition externe de sa matière. C'est par d'autres procédés que sera assurée la cohérence interne. Une perpétuelle recherche d'effets et de contre-effets manifeste le souci de lier entre eux les personnages ou les moments de l'action, d'équilibrer par l'agencement systématique de contrastes l'ensemble et les détails du livre, de varier et d'unifier. Ces contrastes sont très divers. Évidents (Charles/ Emma; Homais/Bournisien), nuancés (Léon à Yonville-l'Abbaye/à Rouen), subtils (Léon et Charles d'abord se ressemblent), immédiats (agonie d'Emma/ chanson de l'aveugle) ou lointains (rappels du passé à la fin du livre) ils découvriront des similitudes (mariage/adultères), et les plus éclatants peuvent montrer une identique aspiration (amour/religion) ou dégradation (Bournisien et Homais réconciliés dans le sommeil). Les changements de lieux (Tostes/Yonville-l'Abbaye) ou d'amants (Rodolphe/Léon) mettront en valeur de semblables réactions d'Emma et le rythme de sa vie sentimentale (rêves/dégoûts). Des épisodes semblables et opposés (bal à la Vaubyessard/ bal masqué à Rouen) marquent une première victoire apparente et la défaite finale et réelle. Au début du livre Flaubert annonce dans l'éducation d'Emma ce qu'il développera par la suite, et dans la dernière partie il rappellera de plus en plus nombreuses images du passé. Le système de corrélations diverses que révèle le progrès de l'histoire donne au récit son unité organique.

L'écrivain veut faire du « réel écrit »; c'est-à-dire que sa construction si minutieuse doit rester secrète. Il faut que l'allure de ce livre paraisse libre, mais de telle façon qu'une suite de scènes, d'épisodes et d'événements fasse reconnaître la « faute de la fatalité ». Et « cette vieille fatalité ironique, qui accouple toujours les choses pour la plus grande harmonie de

l'ensemble et le plus grand désagrément des parties »
(II, 325), l'ironie de l'artiste la recrée dans son œuvre.
Il sait lui prêter diverses façons d'agir : hasards
dirigés, interventions des personnages secondaires
(Charles, Rodolphe, Lheureux, etc.), mais surtout
nécessité intérieure que dévoilera l'évolution d'Emma.

Le livre est ainsi construit que l'histoire de Charles
encadre celle d'Emma. Flaubert introduit d'abord
l'homme que l'ironie du sort doit unir à cette femme
pour leurs communs désagréments, et à la fin, par-delà
la mort d'Emma, il ne resterait encore que Charles,
corrompu par son persistant amour, si le triomphe
d'Homais n'éclairait de son imbécile splendeur la
moralité d'une biographie exemplaire. Car le monde
sur lequel se détache la figure d'Emma continuera,
une fois punie la femme excentrique qui n'a pas
observé son ordre.

Lorsque Flaubert conçoit son personnage, il a déjà
esquissé dans *Novembre* et dans certains passages de
la première *Tentation*, une théorie des femmes assez
proche de celle qu'il exposera, le 18 février 1859,
à Mlle Leroyer de Chantepie : « elles sont toutes
amoureuses d'Adonis. C'est l'éternel époux qu'elles
demandent. Ascétiques ou libidineuses, elles rêvent
l'amour, le grand amour; et pour les guérir (momen-
tanément du moins) ce n'est pas une idée qu'il leur
faut, mais un fait, un homme, un enfant, un amant.
Cela vous paraît cynique. Mais ce n'est pas moi qui ai
inventé la nature humaine. Je suis convaincu que les
appétits matériels les plus furieux se formulent
insciemment par des élans d'idéalisme, de même que
les extravagances charnelles les plus immondes sont
engendrées par le désir pur de l'impossible, l'aspiration
éthérée de la souveraine joie » (cf. aussi III, 23-24).

C'est au couvent que certains déguisements (modernes et vulgaires) de ce désir émerveillent Emma.
Vagues rêveries, sensualités douceâtres de la religion,

lectures romanesques lui proposent sur fond de piété quelques images prestigieuses de « *messieurs* braves comme des lions, doux comme des agneaux », de grandes dames et d'amours magnifiques. Ainsi sont fixées des orientations décisives. Cependant « cet esprit, positif au milieu de ses enthousiasmes » refuse les mystères de la foi comme la discipline de la vie conventuelle et « tout ce qui ne contribuait pas à la consommation immédiate de son cœur ». Elle sera heureuse de regagner la maison paternelle, puis se dégoûtera de la campagne et regrettera le couvent. Lorsque se termine cette période de sa vie, la jeune fille a contracté pour toujours certaines illusions et accompli sa première expérience de l'enthousiasme et de la déception; elle peut devenir femme.

Car les femmes ! « On leur conte tant de mensonges !... Ce que je leur reproche surtout, c'est leur besoin de poétisation... elles ne voient pas le vrai quand il se rencontre, ni la beauté là où elle se trouve. Cette infériorité (qui est, au point de vue de l'amour en soi, une supériorité) est la cause des déceptions dont elles se plaignent tant ! Demander des oranges aux pommiers leur est une maladie commune » (II, 400). Cette méconnaissance de la vérité, cette supériorité sentimentale, ces déceptions nécessaires, la vie de Madame Bovary les illustrera.

La première réalité qu'elle rencontre, c'est le mariage, avec Charles. Bientôt les habitudes, les gestes, la seule apparence de cet homme lui feront sentir l'insupportable malheur de l'avoir épousé. Dans un brouillon Flaubert avait noté : « ... il était bon pourtant; elle ne savait à quoi s'en prendre, ni que lui reprocher positivement, et c'était [là] qu'était la fatalité » (PL, 299); la phrase, qui sans doute marquait nettement une intention d'auteur, fut supprimée. La fatalité aurait été évoquée trop tôt; elle ne fait encore qu'indiquer ses premières ironies par cette parfaite incompatibilité de deux êtres et la constante exaspération d'Emma.

La vulgarité de Charles, la présence de Léon, son amour timide et attentif accroissent les souffrances d'Emma et son envie d'être ailleurs, avec un autre : « l'adultère est en elle, d'autant plus fort qu'elle ne l'a pas encore mis en pratique » (PL, 28), écrit Flaubert dans un scénario. Survient alors Rodolphe, qui lui apporte la revanche de tous ses chagrins, les séduisants mensonges du cœur, la vérité des sens. Dans l' « harmonie du tempérament avec les circonstances » Emma connaît un épanouissement passager; elle satisfait son désir et croit réaliser ses chimères. Mais Rodolphe ne comprend pas les sentiments excessifs et refusera de partir pour les pays de rêve. Laissant Emma désespérée et tentée de mourir, il lui laisse aussi des tentations plus tenaces; elle a pris l'habitude du plaisir et celle des dettes. Qu'elle rencontre à nouveau Léon, enhardi par son séjour parisien, elle cède aussitôt. Elle dominera ce nouvel amant par la force de sa passion, jusqu'à ce que « quelque chose d'extrême, de vague et de lugubre » se glisse entre eux, jusqu'à ce que d'autre part la saisie judiciaire devienne imminente. Une double fatalité fait sentir sa puissance : celle d'une femme qui exige de vivre son rêve d'amour et celle de l'argent qui manque. Le jour vient où l'éternel prêteur, Lheureux, réclame son dû et scelle le destin de Madame Bovary. Et pourtant il est vrai qu'après l'ultime visite à Rodolphe « elle ne se rappelait point la cause de son horrible état, c'est-à-dire la question d'argent. Elle ne souffrait que de son amour ». Vérité? Illusion encore? — C'est affaire de perspective. En fait, le renouvellement des échéances et les machinations usuraires de Lheureux présentent bien une forme moderne, ignoble, de la divine fatalité antique. Mais aussi Flaubert institue des correspondances entre l'exaltation d'Emma et la bassesse de ceux qui exploitent ses vagues rêveries et ses convoitises précises. Victime d'un faux idéal, l'héroïne s'abaisse tandis que s'élèvent ceux qui savent ne point s'exalter. Flaubert harmonise ironiquement ces mouvements contraires.

Le désir passionné d'Emma la mène où les circonstances le permettent. Pour satisfaire ses envies de luxe, Lheureux lui vend sa pacotille ; pour orienter ses ferveurs religieuses, Bournisien lui offre ses pitoyables manuels ; et pour remplacer les évasions lointaines, la diligence la transportera vers une chambre d'hôtel. Elle pourra bien se tuer : tout suicide, note Flaubert, « est peut-être un assassinat rentré » (III, 242).

Mais cet idéal, qui l'a séduite et corrompue, elle y croit et meurt (aussi) victime de sa chimère. Sa sincérité dans le faux lui donne sa pauvre grandeur. Voulant sortir du commun elle a subi une loi commune, celle des idées reçues. Pratiques édifiantes, images de convention, absurdes histoires d'amour ont façonné cette aspiration ; l'écrivain en dénonce le conformisme prétentieux et y discerne une réalité fondamentale, le désir. Emma n'est pas destinée à rencontrer le merveilleux amour, mais l'homme réel, cynique ou tendre, qui satisfera ce désir. C'est pourquoi ses « poétiques » conversations avec Léon, avec Rodolphe (avant l'adultère) révèlent une « sous-conversation » plus profonde, la réalité authentique d'une attirance réciproque. Mais Emma fait de ces beaux mensonges sa vérité, recherche passionnément le mirage, et meurt d'une illusion supérieure. Il est admirable de justesse, le diagnostic immédiat de Rodolphe : « Ça bâille après l'amour » ; mais tout aussi remarquable ensuite son erreur : « Il ne distinguait pas, cet homme si plein de pratique, la dissemblance des sentiments sous la parité des expressions ».

La poétique de l'amour qu'adopte Emma est fausse,

comme toutes les poétiques; et elle dégrade. Mais cette erreur devient pathétique et elle correspond à une juste haine de la vie ordinaire et médiocre. Flaubert, qui, si souvent, si précisément, prête à Madame Bovary ses propres sensations (vertiges, parfums, confusion du temps) et son « insupportation » de l'existence, paraît donc, à force d'imagination, s'être rapproché de son personnage au point de se retrouver en lui. Si l'on pense à certaines confidences (« autrefois, j'ai cru à la réalité de la poésie dans la vie, à la beauté plastique des passions », II, 463) et à ses œuvres de jeunesse, on ne s'étonne point des souvenirs personnels qui apparaissent dans les brouillons de la première partie et encore dans le texte définitif (« Et vous y étiez aussi, sultans à longues pipes... »). En une certaine mesure il revit, à travers la création de son héroïne, l'expérience dominante de sa jeunesse, l'enthousiasme qui l'a fait croire aux grandes passions romantiques, à leur vérité plus vraie que nature. En analysant son personnage, Flaubert le particularise autant qu'il le peut : par la mémoire, d'après lui-même. En même temps il vise à la généralité : par sa théorie critique de la femme amoureuse d'Adonis. Il n'est pas surprenant que son Don Juan soit féminin, puisque Flaubert affirme, avec condescendance, la supériorité sentimentale des femmes, ni non plus que Madame Bovary ait pu sembler quelque peu virile (à Baudelaire), puisque l'auteur se confond souvent avec son personnage.

Flaubert entreprend son roman à un moment particulier de son évolution, après avoir médité la critique de *Saint Antoine* par ses amis et décidé de traiter un sujet très contraire à ses goûts et à ses tendances littéraires. Si l'élaboration de *Madame Bovary* marque une étape décisive de sa vie et de son art, c'est qu'il veut lui-même changer, faire justice de son passé, selon des principes nouveaux. Il marchera sur ses propres traces, mais pour les effacer. Sa recherche du personnage signifie donc une recherche de soi, effectuée par un esprit qui se veut et se sait différent de ce qu'il fut. Et l'on pourrait compléter le mot connu : « Madame Bovary, c'est moi » par la formule célèbre de Rimbaud : « Je est un autre ». Flaubert a conclu sa jeunesse en affirmant que la recherche de l'amour et du bonheur ne menait à rien qu'à la nécessaire déception, à l'échec fatal. Il prétend vivre à part, à l'abri, dans la solitude, pour se consacrer à l'art : absence réelle au monde et minimum de présence apparente. Mais il imagine un personnage qui vivra en toute sincérité une erreur chère à sa propre jeunesse; Madame Bovary sera lui-même et le regard critique qu'il porte sur soi.

D'où la valeur ambiguë de cette création. Tout à la fois Flaubert sympathise avec Emma et la rejette; elle témoigne d'une aspiration qu'il partagea, et de sa volonté de dénoncer les mythes et les « blagues » de certain romantisme auquel il avait été particulièrement sensible. Elle sera pathétique par sa sincérité et ses souffrances, comique par sa croyance aux idées et à la poésie reçues du romantisme. Cette alliance de compassion et de moquerie, Flaubert l'a voulue : « Ce sera... la première fois que l'on verra un livre qui se moque de sa jeune première... L'ironie n'enlève rien au pathétique; elle l'outre au contraire » (III, 43).

Thibaudet, qui a remarquablement mis en lumière la « nature fondamentale de Flaubert », nomme « pleine logique artistique de la vision binoculaire » cette aptitude à considérer les choses ou les êtres selon des perspectives opposées, cet effort pour créer une réalité qui acquiert son autonomie et échappe à tout jugement simple. C'est le goût, le besoin d'une nature « bouffonnement amère ». Ce goût avait été affermi et comme systématisé par le romantisme lui-même; lorsque, par exemple, Flaubert admire le

grotesque et le pathétique d'un enterrement, il estime
que « décidément le bon Dieu est romantique; il
mêle continuellement les deux genres » (III, 239).
C'est aussi la culture d'un esprit qui s'exerce à voir
le vieillard dans l'enfant, l'Orient à Trouville, la
poésie biblique devant les filles du Boulevard. Dans
son art un effort semblable doit conférer à un personnage choisi une réalité ambivalente, énigmatique et
qui fasse « rêver » comme la nature elle-même. Par-delà
les antithèses simples de sa jeunesse, Flaubert voudra
désormais construire une harmonie où se fondent les
contraires et où, comme dans la vie, la réalité repré-
sentée provoque et dépasse le jugement, le suspende
et, à la limite, « ébahisse ».

Il prétendra donc ne pas juger son héroïne, mais
il la fera juger, diversement, par les personnages
secondaires. Il a supprimé dans son texte définitif,
ce « mot profond » de la belle-mère : « Elle était née
pour être à Paris une femme entretenue » (PL, 633),
intervention d'auteur trop précise. Mais il peut
traduire sa propre opinion en langage bourgeois, en
expressions grotesques, appropriées à chaque personnage : Emma n'aurait certes pas été « déplacée dans
une sous-préfecture » (Homais) et Mᵐᵉ Bovary mère
a-t-elle absolument tort de penser que ses « vapeurs »
lui viennent d'un tas d'idées qu'elle se fourre dans la
tête en lisant de « mauvais livres »? Ces jugements
toujours grotesques ne sont donc pas toujours
absurdes; Homais, la belle-mère entrevoient comiquement des lueurs de vérité. Mais ils ne peuvent saisir
la vérité supérieure que Flaubert met en relief :
Emma dérange leurs habitudes, ils sentent en elle
un goût de l'exceptionnel qu'ils ignorent, ne comprennent pas et donc méprisent. Et Flaubert lui-même,
analysant, imaginant ce personnage qui lui révèle sa
propre présence à soi, peut bien être effrayé de devoir
« marcher droit sur un cheveu, suspendu entre le

double abîme du lyrisme et du vulgaire » (II, 372). Il peut bien refuser de condamner son héroïne. Mais il condamne l'erreur qui la perd et se venge ainsi des prestiges qu'il a subis : c'est une femme de « fausse poésie »; elle croit au « cœur ».

Ainsi lui donne-t-il, par l'ironie, une nouvelle et subtile séduction, celle du « clinquant ». « J'admire autant le clinquant que l'or. La poésie du clinquant est même supérieure, en ce qu'elle est triste » (I, 225). L'illusoire supériorité d'Emma lui fait dépenser ses richesses sentimentales en rêves ineptes, gâcher sa vie en mésaventures amoureuses jusqu'à ce que sa passion ait tari « toute félicité à la vouloir trop grande », lui ait rendu sensibles « cette insuffisance de la vie, cette pourriture instantanée des choses où elle s'appuyait ». Alors l'usure fatale du sentiment, le dégoût final lui feront acquérir « cette suprême poésie du *néant-vivant* » (III, 215), celle du temps qui passe et défait une vie, celle de la passion qui brûle et meurt.

A la poésie complexe de la protagoniste correspond le « grotesque triste » de ses antagonistes, les personnages secondaires. A son insatisfaction répond le chœur des satisfaits. Actifs comme Rodolphe ou Homais, passifs comme Charles, ils constituent cet ordre social auquel est opposé le « désordre supérieur » d'Emma. Flaubert varie la relation entre leur caractère et leur rôle social, entre ce qu'ils sont et ce qu'ils font. Ces équilibres divers donnent à chacun sa particularité plus ou moins réjouissante et à tous la faculté de penser bassement. Ce serait une folie pour Rodolphe de s'expatrier et ce sera la sagesse de Léon que d'épouser Léocadie Lebœuf. On notera cependant deux exceptions significatives : le docteur Larivière (portrait-médaillon offert par la piété filiale) et Justin (souvenir des tendresses amoureuses de l'adolescence?); mais le docteur Larivière ne participe pas à l'action et Justin est promis à l'épicerie.

Dans les scénarios ces personnages secondaires paraissent imaginés à peu près tels qu'ils sont devenus. Rodolphe, « type du brac », ne devait-il pas être plus vulgairement drôle? Charles, d'abord « assez beau garçon — bien fait et bellâtre », semble supérieur à ce qu'il devint, et du coup Léon lui ressemble moins que prévu. Ce sont là des changements mineurs. En revanche les brouillons montrent que Flaubert a fortement réduit la place (mais non l'importance) de certains personnages au profit de sa figure centrale, Emma. En particulier il a supprimé de longs passages relatifs à Charles et à Monsieur Homais. Tout un travail de réduction du texte et de concentration des effets leur donne un relief plus accusé, des contours plus fermes. Ils s'intègrent plus nettement dans ce monde clos du roman, dans cet ensemble significatif, où chaque être, chaque événement renvoient à d'autres, semblables, contraires, différents, en un jeu de reflets ou d'échos artificiellement ménagés.

Au commencement il y a Charles, et sa casquette, une de ces pauvres choses « dont la laideur muette a des profondeurs d'expression comme le visage d'un imbécile ». Sa fonction esthétique consiste à servir de repoussoir universel : à Emma, puis à Léon, puis à Rodolphe et encore à Léon, et aussi à Homais, et même à Canivet. Sa fonction dramatique consiste à se précipiter magnifiquement au devant de sa fatalité. Insistant pour que sa femme veuille bien monter à cheval avec Rodolphe et écrivant à celui-ci qu'elle est « à sa disposition », heureux qu'elle consente à prendre des leçons de piano chaque semaine à Rouen, la suppliant d'accepter la procuration qui le ruinera, il montre évidemment une simplicité énorme... Pourtant l'intention de son créateur n'est pas simple. Quand la vie lui offre un spectacle semblable, Flaubert déclare aimer le « mari aux dehors non poétiques, ayant au fond des goûts plus propres que Madame »

(II, 433). Dans un scénario il se promet de « bien faire voir » en Charles l'homme qui « aime le plus » Emma (PL, 21). Car les affections qui suintent goutte à goutte valent mieux que les torrents qui emportent le cœur (cf. II, 347); telle est la vérité flaubertienne que sans doute les brouillons mettent mieux en valeur, mais que les dernières pages du livre découvrent assez romantiquement. Lorsque le souvenir d'Emma excite Charles et le corrompt, quand il réunit les preuves des adultères, son amour insensé l'emporte sur sa jalousie rétrospective. Alors cet homme « farouche et qui pleurait tout haut en marchant », et par ailleurs si veule et grotesque, pardonne à Rodolphe, émerveillé par le visage qu'elle a aimé, et meurt possédé par sa passion : « Il tenait dans ses mains une longue mèche de cheveux noirs ». Lui seul aura connu le grand amour, « la passion vide d'orgueil, sans respect humain, ni conscience » (PL, 641); humilié et bafoué, naïf et sincère, stupide.

Si Charles reste presque toujours extérieur et opposé à son créateur, la relation entre l'écrivain et Rodolphe ou Léon devient plus complexe. Car l'antipathie peut dissimuler certaines connivences, ou une vieille familiarité venue des souvenirs que des amis (Chevalier, Du Camp) ou sa vie personnelle lui fournissent. A cet égard Léon peut intéresser. Flaubert le présente double : Léon à Yonville-l'Abbaye (cf. les brouillons qui peuvent évoquer au lecteur prévenu Frédéric Moreau et Mme Arnoux), Léon à Rouen. Du conformisme de l'amour poétique, Léon passe au conformisme de la maîtresse bourgeoise et enfin à celui du mariage. Il apprend à Paris ce qu'il sied à un étudiant de savoir (comme Chevalier, II, 270); à Rouen il va renoncer « à l'imagination » et apprendre de Maître Dubocage qu'un futur notaire ne doit pas craindre de tuer en soi le poète. En abandonnant Emma il achèvera son éducation sentimentale. Demisincérité, demi-volonté, demi-passion (cf. III, 299) lui font un demi-caractère de jeune bourgeois convenable.

La *Correspondance* montre que Flaubert se préoccupe de ne pas forcer ses effets. Il ne faut pas que la lâcheté de Léon paraisse excessive ni que Rodolphe devienne odieux; chacun dans son genre doit rester l'exemple médiocre d'un certain type humain. Rodolphe sera l'égoïste, qu'un accès de sensibilité peut émouvoir, mais à qui la nature (« moi, je ne peux pas pleurer ») et une longue expérience ont donné sa « supériorité de critique ». «Archipositif », prévoyait Flaubert dès le premier scénario, Rodolphe, « lassé sensuel », fait « voir un peu la vie telle qu'elle est » à sa maîtresse; puis il « finit par en être assommé et peu à peu l'envoie promener » (PL 17). Il ne comprendra pas du tout le trouble qu'introduit Emma « dans une chose aussi simple que l'amour ». Il est lui-même relativement simple.

M. Homais occupe une position exceptionnelle dans le roman. Tout juste mentionné (« le pharmacien ») dans le premier scénario il prit au cours de la rédaction une telle extension qu'il menaçait l'équilibre de l'œuvre. Flaubert se complut tant à l'imaginer que la joie de cette invention comique aurait pu l'entraîner trop loin, vers la charge énorme ou la farce. Il existe un projet d'épilogue (PL, 129) significatif : Homais a reçu la croix, il se regarde dans une glace et, affolé par sa décoration, en arrive à douter « de sa propre existence (délire, effets fantastiques...) ». Ce tableau final où le personnage, tel Pierrot au sérail, manque crever de dilatation ferait aussi bien songer aux excès du Garçon. Mais justement le romancier entendait garder la mesure du vraisemblable; en M. Homais le grotesque sera plus profond, plus commun. D'autre part Flaubert devait insérer le personnage dans le détail de l'action. Avec son à-propos coutumier, M. Homais saura conseiller l'opération du pied-bot à Charles, le théâtre à Emma et lui signaler où se trouve l'arsenic; il se rend indispensable...

C'est là son moindre mérite. M. Homais, spécimen caractéristique de « toute l'ineptie d'un bourgeois au xixᵉ siècle » (PL, 636), atteint en effet la puissance d'un type humain. Son ineptie n'est point générale et neutre, mais agressive et particularisée. Dans le trésor commun des idées reçues, M. Homais choisit, avec le discernement d'un être supérieurement adapté, les sottises qu'il proférera : les neuves. Il représente ainsi, dans le Genre Bourgeois, une espèce avancée. Il exprime l'esprit du siècle et, au terme de son développement, il en vient à rougir d'être bourgeois.

Dans le monde romanesque de *Madame Bovary* le pharmacien est présenté en contraste avec le curé Bournisien, et Yonville-l'Abbaye verra s'affronter la religion et la libre pensée anticléricale. Les disputes du pharmacien et du curé dévoileront le « comique extrinsèque » des deux adversaires; ils se feront valoir l'un l'autre et l'écrivain opposera, annulera les affirmations antagonistes de la bêtise humaine. En fait cette intention se réalise imparfaitement parce que le combat est inégal. Devant Homais le curé Bournisien, un lourdaud, fait piètre figure. Brave homme, il s'apitoie à l'occasion sur les « saintes » ouvrières des villes, qui manquent de pain, et dans les brouillons il lui est même attribué un « cœur véritablement évangélique » (PL, 540). Mais il ne montrera de lui-même que le rustre trop grossièrement incapable de comprendre Emma. Il rabâche son catéchisme tandis que son rival annonce l'Avenir, en préparant le sien.

M. Homais peut être vaniteux, timoré, âpre au gain, féroce même quand son intérêt l'exige, mais il affiche des dehors bonhommes, de grandes vertus domestiques et son indépendance d'esprit. En ce bourgeois exemplaire, bassesse et prétention de la pensée, nature et artifice s'harmonisent merveilleusement et lui valent un juste triomphe et son « comique intrinsèque ». C'est par la parole et par l'écrit qu'il requiert l'admiration publique. Déjà dans l'arrière-boutique où il donne illégalement ses consultations, il fascine la clientèle par son « robuste aplomb ». Cette réussite matérielle ne peut apaiser sa rage de paraître. Enfermé dans son « capharnaüm », M. Homais se trouve homme de science : cette science n'ira pas sans conscience de soi, de son importance, de sa mission. Glissant dans la conversation quelques termes latins ou techniques, il évoque ses communications savantes, pérore sur tout avec suffisance et impose sa banalité péremptoire. La perfection de sa mimique, son aptitude à trouver des « expressions congruantes à toutes les circonstances imaginables », la justesse de son jeu lui confirment dans la comédie sociale sa propre dignité et le respect d'autrui. Il joint à ses connaissances spéciales et positives une culture générale puisée aux « meilleurs auteurs ». Cependant le « penseur » chez lui n'étouffe pas « l'homme sensible », et s'il peut disserter gravement, il lui arrive aussi de donner dans le « genre folâtre ». Mais qu'il s'emporte ou plaisante, qu'il soit bref ou abondant, il se prononce, ou se dénonce, infailliblement : il révèle le grotesque.

Apôtre de la philosophie des lumières, il lutte pour le progrès. C'est-à-dire qu'à Yonville-l'Abbaye il vendra ses trouvailles pharmaceutiques et répandra, contre Bournisien, la bonne parole. Mais son action civilisatrice s'étend plus loin. Il collabore au *Fanal de Rouen*, où il rapporte les faits divers et exprime les idées généreuses de son temps. Par le journal il fait, il devient l'Opinion. Or il déteste les prêtres. Il se peut que cette haine ne soit pas tout à fait pure; si la soutane l'irrite, c'est aussi qu'il s'effraie du linceul. Au reste il sait observer les convenances et Flaubert pensa même lui faire avouer qu'il faut une religion pour le peuple (PL, 325). Publiquement

M. Homais affirme son anticléricalisme et s'affirme
ainsi l'homme de la science et de la libre pensée
modernes. Il n'est point, comme Bournisien, le passif
représentant d'idées et de croyances traditionnelles.
Il fustige l'ignorance et le fanatisme des époques
barbares; il propage des vérités nouvelles : elles sont
devenues idées reçues et sottise bourgeoise.

On ne doit pas s'étonner que Flaubert traite inégalement le curé et le pharmacien. Son mépris de
Bournisien l'inspire peu, et mal, parce que le personnage
lui demeure étranger. Tout au contraire il partage
certaines des convictions qu'il prête à Homais et
du coup cette création parodique excite sa verve.
Plus précisément Flaubert admire autant Voltaire
qu'il déteste Béranger ou le bourgeois voltairien
(cf. IV, 364). Or M. Homais croit au Dieu de Voltaire
et de Béranger. D'insignes conquêtes de l'esprit il
tire ses boutades et son emphase, ses conclusions. Et
son détestable aplomb transforme la grande leçon
du xviiie siècle en un rabâchage nouveau. Par son
verbe, ses mœurs, sa croix, il représente bien pour
Flaubert le dernier mot de son siècle et de son livre !

Les autres personnages doivent servir à l'action ou
à la signification globale de l'œuvre. Qu'ils soient à
peine évoqués, comme à Tostes le joueur d'orgue de
Barbarie, apparaissent à intervalles irréguliers, comme
le père Rouault ou l'Aveugle, se trouvent brusquement
mis en lumière comme le notaire Guillaumin, ils
imposent à l'héroïne leur présence, leurs actes, leurs
paroles : ce monde dont elle souffre. Certains seront
rapidement analysés ou décrits; ainsi Mᵐᵉ Bovary
mère sait d'autant mieux haïr Emma que ses propres
illusions ont été déçues, et Lheureux saura comprendre
et exploiter son goût de luxe. D'autres figureront
comme des objets symboliques (le vieux duc à la
Vaubyessard) ou des reflets significatifs (le coiffeur
de Tostes, Félicité). Ils affirment l'ordre établi, les

mœurs communes. Ils sont le nombre et la norme. Dans leur ensemble ils s'accordent contre ce qui les surprend, l'originalité d'Emma, la passion excessive de Charles. Leur satisfaction prouve sainement comme il importe de tuer l'esprit (Bournisien, Homais), le cœur (Rodolphe, Léon), le temps (Binet).

Dans *Madame Bovary* Flaubert donne un extraordinaire relief à deux figures romanesques, Emma et M. Homais. La *Correspondance* pourrait suggérer l'explication de cette égale réussite de deux créations si dissemblables : « Le comique arrivé à l'extrême, le comique qui ne fait pas rire, le lyrisme dans la blague, est pour moi tout ce qui me fait le plus envie comme écrivain. Les deux éléments humains sont là » (II, 407). N'apparaît-il pas que le comique d'Emma « ne fait pas rire » et que dans la création d'Homais la blague atteint quelque profondeur lyrique, ou bien encore que Flaubert corrige, pour Emma, le lyrisme par l'ironie et que pour Homais il le dissimule dans la blague? Dans les deux cas la discipline réaliste lui impose de garder la mesure, qui se trouve être aussi l'accord nouveau de sa personnalité.

En effet le long « pensum » de *Madame Bovary* l'amène, à force de mises au point, à réussir la fusion des « deux tendances », à unir les « deux bonshommes », qu'il distingue en lui-même (cf. II, 343). Il y arrive alors qu'il se contraint à observer minutieusement la réalité, alors qu'il formule dans ses lettres son exaltante théorie de l'Art et de la beauté littéraire.

D'une part il pense « que la réalité vous écrase toujours » (III, 240), qu'elle présente à l'artiste le modèle de sa richesse et de son impassibilité infinies, de ses contrastes et de son ironie supérieure. Lui-même désire la reproduire de façon à « faire sentir presque *matériellement* les choses » (II, 344). D'autre part dans la solitude de Croisset il médite sur les maîtres lus et aimés, Cervantes, Rabelais, Homère, Shakespeare et se convainc que la Beauté fut toujours et partout le même idéal. Les querelles d'écoles signifient peu : « Un bon vers de Boileau est un bon vers d'Hugo. La perfection a partout le même caractère, qui est la précision, la justesse » (III, 249). L'artiste doit consacrer religieusement sa vie à la recherche de cette perfection littéraire, en aspirant au « grand ciel immuable et subtil » du « Verbe caché » (III, 389). Il faut tout élever à l'Art et de ce point de vue tous les sujets se valent. Cependant chaque époque exige de nouveaux « chics » (III, 281). Aussi bien Flaubert estime-t-il qu'il est seul à sentir et pouvoir dire certaines choses, comme le « côté douloureux de l'homme moderne » (cf. II, 363), et son roman montrera la réalité très actuelle d'un Homais. Toutefois le « réel écrit » doit donner l'impression d'une Beauté parfaite, inactuelle.

L'idéal que Flaubert expose alors pourrait être considéré en fonction de son époque et de sa personnalité. On y distingue l'influence de l'esprit scientifique (« ce coup d'œil médical de la vie, cette vue du Vrai, enfin, qui est le seul moyen d'arriver à de grands effets d'émotion » (II, 398), et celle de l'Art pour l'Art. Ainsi, quand il rêve d'écrire « un livre sur rien », un livre « sans attache extérieure, qui se tiendrait de lui-même par la force interne de son style, comme la terre sans être soutenue se tient en l'air » (II, 345), c'est l'enthousiasme de la forme qui le saisit : « Je tourne à une espèce de mysticisme esthétique (si les deux mots peuvent aller ensemble) » (III, 16). Mais il insiste plutôt sur le fait qu'il n'est point de forme sans matière et que précisément l'art opère la fusion merveilleuse de l'idée et de son expression. La volonté de reproduire exactement et l'idéal de la Beauté parfaite se confondront en une seule et même exigence. Représenter la réalité, c'est l'avoir transformée en l'Idée qui en a l'apparence et qui en est la négation (I, 310), c'est la transfigurer en une illusion supérieure et parfaite, celle d'un style qui sera « à lui tout seul une manière absolue de voir les choses » (II, 346).

L'Art confère au réel l'harmonie nouvelle et pure des phrases qui tout à la fois le transcrivent et expriment la personnalité de l'écrivain. Mais le créateur ne devra jamais se montrer dans sa création en tant qu'individu affecté d'opinions ou de sentiments quelconques; il y sera « comme Dieu dans l'univers, présent partout, et visible nulle part » (III, 61-62). Flaubert, qui a décidé de réagir dans *Madame Bovary* contre le lyrisme excessif de la *Tentation de Saint Antoine*, est alors conduit à formuler sa doctrine, son dogme de l'impersonnalité. Le but de l'art étant de refléter le monde et de créer l'illusion d'une seconde nature, toute intervention personnelle de l'auteur a pour effet d'affaiblir la portée de son ouvrage, d'en compromettre et peut-être ruiner une valeur essentielle. C'est en se renonçant que l'artiste peut arriver à tout admettre et tout comprendre : « On doit être âme le plus possible, et c'est par ce détachement que l'immense sympathie des choses et des êtres nous arrivera plus abondante » (III, 328). C'est en disparaissant dans son œuvre que l'écrivain fera paraître une vérité qui le dépasse : « l'impersonnalité est le signe de la force » (III, 383).

Selon ces principes Flaubert s'interdit tout « mouvement », toute réflexion d'auteur (cf. II, 365) et l'ouvrage qu'il compose lui semble très étranger à sa nature et à sa manière (cf. II, 432 et III, 156). A pratiquer la discipline à laquelle il se contraint, il en reconnaîtra les bienfaits : « C'est une délicieuse chose que d'écrire, que de ne plus être *soi* », de vivre en idée plusieurs existences et de se métamorphoser en ses personnages (III, 405). Il pense échapper à sa propre personnalité et reproduire par la « chimie

merveilleuse » de l'art une « réalité » qu'il déteste.
Mais il est clair que sa définition de la réalité contrastée,
impassible et ironique, le définit aussi lui-même dans
sa volonté de détachement et dans ses intentions
d'artiste. Son idéal du « réel écrit », de l'impersonnalité,
de la présence invisible et toute-puissante de l'auteur
dans sa création lui sera le moyen de se trouver le
plus profondément lui-même : par l'art, dans son
œuvre. Telle est bien son expérience alors qu'il écrit
Madame Bovary.

❧❧❧

A l'idéal d'un Art « suspendu dans l'infini, complet en
lui-même, indépendant de son producteur » (II, 379)
correspond l'idée que l'œuvre doit constituer un tout
parfait et significatif.

Flaubert désire que dans *Madame Bovary* la réalité
s'impose « presque *matériellement* » au lecteur, qu'elle
soit particularisée et détaillée comme par une attention
de myope. Mais il veut aussi qu'elle ait valeur générale
et fasse « rêver ». Sa volonté de particulariser et de
généraliser aboutit à la construction d'un roman qui
paraîtra « réaliste » et sera tout plein d'artifices.
Car l'écrivain s'attache à reproduire la « réalité » de
façon à ce qu'elle paraisse plus que ce qu'elle est, et
acquière profondeur et signification. Par ses descriptions ou ses analyses précises il donne aux personnages,
aux événements et aux objets leur caractère unique;
mais des contrastes, des similitudes, tout un jeu
de relations diverses en font un ensemble cohérent.
Étant donné que la *Correspondance* indique les
problèmes que la composition de *Madame Bovary*
suscite à Flaubert, on peut essayer de voir par quels
moyens il a résolu ses difficultés, comment il obtient
la variété dans l'unité, la continuité dans le dévelop-

pement et enfin l'harmonie de l'idée et de la forme qu'il a recherchées.

L'on verra par exemple quelle diversité d'effets il tire des descriptions du cadre dans lequel il place ses personnages. Son originalité consiste à établir entre eux et ce cadre des relations variables. C'est ainsi qu'un même lieu sera regardé par Emma à des moments, en des états d'âme différents. Ou bien, par exemple, le château de Rodolphe, le jardin Bovary seront évoqués, vus, interprétés diversement par Emma, Charles, Homais et se chargeront de signification lorsque l'action avancera. La similitude des lieux accentuera des contrastes psychologiques comme les variations de décor peuvent souligner des ressemblances morales. Des procédés combinatoires multiples visent à produire des effets complexes. Ainsi Charles meurt dans la tonnelle où Léon a fait sa cour discrète, où plus tard Rodolphe et Emma se sont aimés. La nature, ce jour-là, s'épanouit splendidement, et cet homme désespéré, mais « comique » et « un peu vil » quelques lignes plus haut, suffoque « sous les vagues effluves amoureuses ». Est-ce ironie ou accord de la nature ? — Dans une telle scène « ressort le grotesque et le tragique... même masque qui recouvre le même néant, et la Fantaisie rit au milieu » (III, 408). La volonté acharnée d'un créateur constitue un système de corrélations ambiguës et fait jouer la fantaisie de cet apparent hasard. De perpétuelles recherches de correspondances symboliques, de contrastes, d'effets multiples, montrent que Flaubert veut supprimer la possibilité d'une conclusion simple, afin que l'œuvre, comme la réalité, puisse faire hésiter le jugement. Il ne laissera pas, par exemple, deviner quelle est sa « conception » personnelle de la nature, et d'autant moins qu'en fait il n'en a pas (ou en exprime plusieurs, suivant la disposition de sa sensibilité). Fondamentalement la nature est là, telle qu'elle change et demeure. L'écrivain la décrit en variant les points de vue, il organise un réseau de signes, la symbolique interne de son œuvre.

De même pour les objets : ils sont. Mais ils reçoivent du travail de l'artiste leurs qualités romanesques. Ils s'opposent ou conviennent aux sentiments et aux bavardages humains. Ils déçoivent certaines aspirations (la maison de Tostes « juste à l'alignement de la rue »); ponctuent une durée voluptueuse (gouttes sur l'ombrelle d'Emma), monotone (cloche de l'église), exaspérante (le pilon d'Hippolyte; le tintement des gros sous lors de l'inhumation); s'ordonnent luxueusement (la table de la Vaubyessard) ou s'éparpillent lamentablement (le vestibule des Bovary); imposent leurs odeurs (pommades) ou leurs couleurs (velours vert, gants jaunes du chasseur-dandy Rodolphe); demeurent, témoins matériels des amours, puis des désillusions (estampes de la *Tour de Nesle* à l'hôtel de la *Croix-Rouge*); reparaissent (la tête phrénologique), se cassent (la statuette du curé) symboliquement; avertissent hostilement (en arrivant dans sa maison d'Yonville-l'Abbaye Emma sent tomber le froid du plâtre); mettent fin à une hésitation (« l'amazone la décida ») ou à beaucoup d'intrigues (la croix d'honneur). Ils existent simplement, mais prennent un ou plusieurs sens. C'est en particulier leur valeur sociale qui émeut les personnages. La vulgarité des houseaux de Charles, la médiocrité de son ménage choquent Emma, mais le luxe aristocratique de la Vaubyessard la fascine et elle envie le confort bourgeois du notaire Guillaumin. Les choses orientent et précisent ses rêves (le porte-cigares du vicomte), sa haine (le couteau de Charles), son amertume (qui lui semble servie dans son assiette).

Flaubert, conseillé par Bouilhet, a réduit ou supprimé des descriptions qui auraient pu paraître gratuites et faites à plaisir. Ce n'est pas tant l'effet décoratif, à la façon de Hugo, ou explicatif, selon le modèle balzacien, qu'il vise à créer, quoique de telles ressources littéraires ne soient pas négligées (la scène de la noce à la campagne fournit un grand exemple de description pittoresque, et la casquette de Charles annonce un destin). Mais il manifeste son originalité par ces correspondances symboliques qu'il établit entre les choses et les êtres. Par exemple Charles porte au grenier le bouquet de mariage de sa première femme, puis Emma brûlera le sien. Or Flaubert a suggéré qu'il existe une relation entre ces deux événements. Il les met chacun à sa place et tous deux en valeur.

En outre, à mesure que progresse l'histoire, il institue des rapports entre différents moments de l'action. Il peut donner une indication préparatoire, presque indistincte (première venue de Canivet, du docteur Larivière au chevet d'Emma) ou ménager avec quelque artifice un rappel (la veille de son suicide Emma croit reconnaître le vicomte, à Rouen). Il tire de ces rappels des effets variés, allant du parodique (la valse des poupées mécaniques qui fait songer au bal) au pathétique (maladie d'Emma et communion, agonie et extrême-onction). De semblables reprises apparaissent dans les dialogues (conversations « poétiques » de Léon, puis de Rodolphe avec Emma), l'évolution des sentiments (lassitude de Rodolphe, de Léon). Alors que la technique flaubertienne de composition et de rédaction tendait à morceler l'œuvre en « scènes », « mouvements », « tableaux » et paragraphes traités isolément, ces rapports plus ou moins visibles assurent profondément l'unité, mais aussi la continuité du récit.

Flaubert veut en effet écrire une œuvre dont le déroulement soit continu. Il distingue trois parties. Une seule rupture sensible se produit, au début de la seconde partie, quand il entreprend la description d'Yonville-l'Abbaye : elle marque uniquement que le lieu change tandis que se poursuit l'action.

La critique récente a bien mis en lumière certains des procédés qui permettent cette continuité. Par exemple le lecteur ne quittera un personnage A qu'après introduction d'un autre, B. J. Rousset a justement analysé la formule : A voit B, et l'attention du lecteur passe de A en B, puis, éventuellement, à C, D, etc., pour revenir en A (modulation des points de vue). Par le glissement de la vision le créateur invisible se fait présent en l'un ou l'autre de ses personnages et change de perspective par des transitions insensibles. Par ailleurs il peut se faire universel témoin, et considérer à la fois plusieurs personnages. Parfois aussi, dans certains passages, les angles de vision multiples donnent l'impression que les personnages sont parfaitement étrangers les uns aux autres et ne peuvent ni communiquer ni se comprendre.

La continuité de la narration n'implique pas que le progrès de l'histoire soit régulier. Le romancier dispose librement du temps. Flaubert situe son roman sous le règne de Louis-Philippe, mais ne donne guère de références historiques précises. Il ne tient pas rigoureusement compte des impératifs de la chronologie et les brouillons apprennent par exemple qu'il place en des mois différents le début de la grossesse d'Emma. Plutôt que de préciser la suite des années, il se soucie du moment de l'année, de la saison et de sa valeur romanesque. Surtout il fait varier l'allure du récit, et le temps s'écoule plus ou moins vite. Tantôt des périodes de la vie d'Emma seront rapidement résumées, puis une longue scène détache et détaille un épisode dont la signification est grande, mais dont la durée réelle serait brève.

D'où une structure de roman nouvelle, qui constitue une des originalités majeures de l'art de Flaubert. Dans les « scènes » il emploie, comme l'a bien montré

J. Bruneau, différents moyens techniques, récit, description, dialogue, analyse; il accumule alors divers effets, afin de créer une impression d'ensemble. L'analyse psychologique éclaire le changement révélateur d'une âme (scène de l'Opéra), l'action progresse (Comices), un cadre nouveau fournit son décor exceptionnel (le château de la Vaubyessard), des groupes de personnages anonymes interviennent (la noce). Tous ces effets se retrouvent dans les scènes les plus importantes. Mais de nombreux petits « tableaux » sont comme les ébauches de ces grandes scènes; à un moment significatif Flaubert laisse un ou deux instruments esquisser ce qu'il orchestre dans les « symphonies ».

En écrivant une scène il distingue avec soin ses « plans », à la façon d'un peintre. L'on pourrait aussi remarquer de sensibles variations de la distance à laquelle l'auteur se place pour considérer ses personnages. Un art très conscient diversifie les modes de présentation. Entre les brouillons et le texte définitif par exemple l'écrivain corrige sa première vision de Charles Bovary, repousse le personnage, l'éloigne.

D'autre part son souci de s'effacer dans sa création l'a conduit à paraître supprimer cette distance, à redécouvrir et exploiter systématiquement un procédé syntaxique, l'imparfait de style indirect libre. Par cette innovation, que Proust a magistralement commentée, Flaubert apporte à la littérature un moyen de suggérer et d'exprimer davantage, une technique d'appréhension de la réalité qui permet de présenter simultanément un esprit et le monde qu'il réfléchit. Cette conquête stylistique se prête, par sa souplesse et son ambiguïté, à ces gradations et à ces transitions qu'il recherche et trouve en passant d'un temps verbal à un autre, et par exemple d'un imparfait de style indirect libre à un imparfait de style direct, à un passé simple, à un présent, etc.

C'est un moyen d'atteindre l'un des buts qu'il se propose : immobiliser une réalité mouvante en une forme stylistique exacte, définitive, mais où se sente encore la vibration de la pensée. Il y parvient, par d'autres moyens, lors même que le problème posé semble presque devoir exclure la possibilité d'une solution d'art. Que l'on songe à ces dialogues où il s'acharne à faire ressortir la banalité du banal, où le sentiment s'altère en sentimentalités. Il a choisi observations, modèles, documents, pour en exprimer le substantifique grotesque. Il fait surgir une réalité artistique qui n'est point neutre, mais tout à la fois affirmation et négation. C'est en particulier dans le pastiche de certaines formes de langage qu'il montre cette volonté de reproduire et de détruire par une imitation un peu trop parfaite. Et ce « *motus animi continuus* » qu'il goûte dans le lyrisme (III, 282), il le retrouve sous forme parodique dans le discours de Lieuvain ou l'article d'Homais.

Il réalise bien alors la fusion des « deux éléments humains ». Il donne à son œuvre sa richesse et sa densité, son apparente impassibilité et son ironie, sa profondeur. À force de travail il a satisfait sa double postulation. Mais s'il se tourmente dans « les affres du style », c'est qu'il lui est dur de s'arracher les phrases dont l'harmonie doit être conquise sur ses dissonances. Car il résout aussi les problèmes de sa personnalité complexe cependant qu'il les transmue en problèmes d'art, en invention de techniques nouvelles, en style.

Dans la *Bovary* « il me semble qu'il n'y aura pas *une* phrase molle » (III, 99). Flaubert définit à plusieurs reprises son idéal de prose en ces années 1851-1856. Comme déjà dans la première *Éducation* ses formules frappent par le désir d'apparier des vertus opposées. Par exemple : « il faudrait pouvoir faire un mélange de Rabelais et de La Bruyère » (II, 353); ou bien c'est le rêve d' « un style qui vous entrerait dans l'idée comme un coup de stylet, et où votre pensée enfin voguerait sur des surfaces lisses » (II, 399); et encore : « Il faut être correct comme Boileau et échevelé comme Shakespeare » (IV, 46). Images incohérentes et caractères discordants font percevoir l'exigence fondamentale : exercer à travers l'œuvre cette « longue énergie qui court d'un bout à l'autre et ne faiblit pas » (III, 164). Pour qu'enfin l'épreuve du « gueuloir » confirme l'alliance de la pensée et des mots, l'harmonie des sons, la justesse d'un rythme, et donne au créateur la sensation d'un accord total avec sa création. Flaubert a gagné sa récompense : il a pu se plaire.

❧❧❧

Avril 1856 : entente avec Du Camp pour la publication dans la *Revue de Paris*. Mai : Flaubert expédie une copie allégée d'une trentaine de pages. Le 14 juillet, Du Camp, qui estime l'œuvre « embrouillée », demande à son ami de laisser faire les coupures «indispensables » : « ferme les yeux pendant l'opération » qu'exécutera « une personne exercée et habile ». Fureur.

La première livraison de *Madame Bovary* paraît dans la *Revue de Paris* du 1er octobre 1856. Flaubert cède les droits de publication en volume à Michel Lévy pour 800 francs, et d'autre part donne à l'*Artiste* des fragments de *Saint Antoine*. Le 1er décembre, Du Camp procède à certaines coupures dans le texte de son ami, et en rend compte par une note explicative; disputes. A la fin de l'année la rumeur se répand que des poursuites judiciaires vont être engagées contre la *Revue de Paris* pour délits d'outrage à la morale publique et religieuse et aux bonnes mœurs : Flaubert commence à s'inquiéter et veut faire remuer « les hautes fanges de la capitale ». En janvier 1857 il est convoqué chez le juge d'instruction; le public s'émeut et se partage; procès le 29 janvier; jugement le 7 février : le tribunal acquitte! Le succès du livre est bien préparé par ce scandaleux procès. Mais Flaubert lui-même, troublé, lancé, heureux, déclare médiocre sa gloire d'auteur « suspect » et ajourne la publication de *Saint Antoine* après en avoir terminé la seconde version.

Sociologiquement ce scandale peut intéresser. Le tribunal entendit un réquisitoire banal et une plaidoirie soigneusement préparée. L'accusateur incrimina la couleur lascive de certaines scènes, l'absence de principe moral, la glorification poétique de l'adultère, le mélange du sacré et du voluptueux, la crudité réaliste. Le défenseur, Me Sénard, fonda son argumentation sur la vérité du livre et sa leçon morale, sur des rapprochements nombreux avec des auteurs consacrés. Puis le livre fut publié en avril et se vendit remarquablement. Mais les réactions de la critique montrent une opposition que n'expliquerait pas seulement le régime sévère de la presse. Dans le *Moniteur Universel* du 4 mai, Sainte-Beuve loue les qualités du roman (composition, impersonnalité, style, vérité), mais ne cache pas les regrets d'un « ancien » devant la cruauté « impitoyable » du romancier et déplore l'absence d'un « bien » qui consolerait. Il termine son article par une apostrophe aux jeunes générations (« Anatomistes et physiologistes, je vous retrouve partout! ») et reconnaît des « signes littéraires nouveaux ». Mais c'est l'année suivante seulement, pour la *Fanny* de Feydeau, qu'il exaltera ce qui le gêne encore en 1857. Lui faisant pièce, Cuvillier-Fleury attaque Flaubert avec violence; et de même la *Revue des Deux Mondes*, l'*Univers*, A. de Pontmartin, Granier de Cassagnac... Les reproches moraux, que les préoccupations politiques ou religieuses exacerbent, se mêlent aux critiques littéraires : indifférence au vice et à la vertu, suite de tableaux et manque de perspective, absence d'Idéal, réalisme, style artificiel.

Un bel article de Barbey d'Aurevilly définit d'emblée certaines caractéristiques de la vision et de l'art flaubertiens. La très belle étude de Baudelaire découvre aussitôt quelques vérités essentielles.

Dans son ensemble la critique contemporaine accueille mal le chef-d'œuvre; un éclat si nouveau l'offusque. La comparaison avec Balzac permettra le dénigrement; mieux encore le rapprochement avec « l'école réaliste » cautionnera le refus. Car le « réalisme » littéraire signifie matérialisme, sensualisme, opposition aux valeurs reconnues. *Madame Bovary* appartiendrait à « l'école du daguerréotype » par la minutie des observations, par le caractère impersonnel de son art, par l'indifférence sceptique de l'auteur. Mais les critiques sont amenés à distinguer la reproduction fidèle d'une réalité moyenne que prétend obtenir un Champfleury et « la manière » de Flaubert, auquel ils reprochent ses images et ses couleurs brutales, ses effets de grossissement, l'affectation et l'excès dans la description. On condamnera toujours, mais en élargissant le sens du mot réalisme. La célébrité immédiate du livre donne brusquement une importance et une valeur nouvelles à des tendances littéraires jusqu'alors plus aisément critiquables. D'où ces attaques littérairement motivées qui varient, approfondissent, mais reprennent aussi certaines affirmations du réquisitoire.

Or, si l'on considère *Madame Bovary* en se référant à la *Correspondance* des années 1851-1856, aux œuvres de jeunesse et aux intentions de l'écrivain, on constate, à voir l'effet produit par son livre, un malentendu. Dès la fin de 1856 Flaubert déclare : « On me croit épris du réel, tandis que je l'exècre; car c'est en haine du réalisme que j'ai entrepris ce roman. Mais je n'en déteste pas moins la fausse idéalité dont nous sommes bernés par le temps qui court » (IV, 134). Contre l'immédiate erreur d'interprétation il peut bien, lui qui n'écrit pas dans la presse, protester! Critiqué comme réaliste en 1857, il sera plus tard loué, et enfin étudié comme tel. Dans l'atmosphère littéraire du temps, en raison de l'évolution générale des idées, sa tentative personnelle — trouver le style qui confère au réel une beauté poétique, qui le reproduise et le dénonce par l'exactitude de sa représentation — cette tentative menée à bien devait être critiquée. Car cette esthétique nouvelle du roman impliquait aussi une nouvelle vision romanesque de la réalité, la dérision d'un certain « romanesque » d'abord, et une méthode originale ensuite, que les contemporains jugèrent « médicale » et scientifiquement impitoyable. Flaubert l'indique : « l'élément brutal est au fond et non à la surface » (IV, 138). Cet « élément brutal » choque Sainte-Beuve et indigne beaucoup de critiques. *Madame Bovary* peut leur paraître une scandaleuse provocation; elle constitue bien, dans une certaine mesure, une protestation contre la « fausse idéalité » littéraire du bas romantisme, de la littérature académique, du spiritualisme bourgeois. Et c'est pourquoi nombre de critiques, représentant une certaine tradition de culture, attaquent si férocement.

Mais Flaubert s'est imposé.

SALAMMBÔ 5

L e 21 juillet 1850 Flaubert avait écrit à son ami
Baudry : « Le résultat de mon voyage en Orient?
Ce sera de m'empêcher d'écrire jamais une seule
ligne sur l'Orient. » La rédaction d'un roman sur les
mœurs de sa province devait changer ses idées.

Vers 1852-1853 il projette sa *Spirale*, un roman
métaphysique dont le héros s'évade, de visions en
visions, vers un Orient historique et féerique. A peine
a-t-il terminé la *Bovary* qu'il s'évade lui aussi vers les
époques lointaines. Il se documente sur le Moyen Age
afin de composer une légende de *Saint Julien* et il
reprend la *Tentation*. Maintenant « agacé de la décla-
mation qu'il y a dans ce livre » (IV, 119), il « biffe les
mouvements extra-lyriques » (IV, 104), ajoute des
monologues de liaison et un cauchemar nouveau
(588-589), s'attache à « découvrir » un enchaînement,
se persuade qu'il a réussi, puis en doute. La *Correspondance* apprend qu'il fait quelques recherches historiques complémentaires, mais surtout qu'il se
préoccupe d'élaguer : il faut « rendre cela lisible et pas
trop embêtant ». De nombreuses suppressions, de
rares adjonctions ne font pas de la *Tentation* de 1856
une œuvre vraiment nouvelle; la seconde version
n'intéresse guère que par comparaison avec la première. Mais, une fois la révision générale achevée,
Flaubert se dit que, plus tard, s'il en a le temps, il
reprendra son ouvrage et saura mener à bonne fin
ce « livre qu'il ne faut pas rater » (IV, 187). Pour le
moment il renonce à la publication d'autant plus
volontiers que les fragments parus dans l'*Artiste*

furent cités, à sa charge, au cours du procès de *Madame Bovary*.

Le 18 mars 1857, il écrit à Mlle Leroyer de Chantepie : « je m'occupe... d'un travail archéologique sur une des époques les plus inconnues de l'antiquité, travail qui est la préparation d'un autre... un roman dont l'action se passera trois siècles avant Jésus-Christ, car j'éprouve le besoin de sortir du monde moderne ». Il a donc fixé — depuis quand? — l'époque et les événements historiques qui serviraient de cadre à son prochain roman, et il manifeste d'emblée des préoccupations significatives. Il désire prendre une revanche contre le dégoût qu'il a des mœurs et de la bassesse bourgeoises, contre lui-même, qui vient d'écrire *Madame Bovary*. Cette réaction l'emporte loin dans le temps, dans l'espace. Il se réfère d'abord à l'archéologie et choisit une époque mal connue des historiens parce qu'il entend aller justement aux limites de l'histoire déjà connue, assimilée. Comme les auteurs de romans historiques de la génération précédente il cherche l'éloignement, mais à la différence de ses plus illustres devanciers il ne prétendra pas relier le passé au présent. C'est la rupture qui l'intéresse, non les possibles liaisons. D'autre part, littérairement, il sait ce que son imagination réclame. En 1854, il affirmait à Louise Colet : « je suis entraîné à écrire de grandes choses somptueuses, des batailles, des sièges, des descriptions du vieil Orient fabuleux. J'ai passé, jeudi soir, deux belles heures, la tête dans mes mains, songeant aux enceintes bariolées d'Ecbatane. On n'a rien écrit sur tout cela. Que de choses flottent encore dans les limbes de la pensée humaine! » (IV, 3) : civilisations mortes, vagues prestiges lui paraissent attendre l'écrivain qui saura les faire revivre en esprit, dans une œuvre d'art.

A dix-sept ans, en 1839, il avait mentionné Carthage dans une brève étude, *Les Arts et le Commerce*, et l'avait comparée, d'après Michelet sans doute, à Venise. Les deux cités, écrivait-il, apparaissent « à travers l'histoire comme quelque chose de colossal et de superbe... le nom de Carthage n'est-il pas pour nous plein d'horreur et de cynisme? » Telle est l'impression primordiale. Il est possible que Flaubert ait gardé le souvenir des chapitres de l'*Histoire romaine* où Michelet racontait la guerre des Mercenaires. On sait qu'il les a relus en 1846 et va les relire soigneusement. Peut-être gardait-il aussi le souvenir des pages de l'*Itinéraire de Paris à Jérusalem* que Chateaubriand avait consacrées à Carthage (cf. *Par les Champs...*, 327), aperçu historique sur le destin de la grande cité, enquête et méditation sur ses ruines éparses.

Ainsi donc « quelque chose de monstrueux et de féroce » a superbement existé, puis disparu. Ce vide succédant à tant de fureurs sanglantes peut susciter un sentiment de vertige historique et séduire un artiste désireux d'« effets brutaux » (IV, 119). Alors que l'Égypte ancienne est étudiée par nombreux érudits et que Théophile Gautier la présente dans le *Roman de la Momie* (1857), Flaubert, qui a visité l'Orient et rêvé d'un « conte égyptien » (III, 229), choisit la mystérieuse Carthage. En son choix s'annonce un défi. Car vouloir faire renaître à la conscience moderne une époque des plus inconnues et un passé d'autant plus séduisant que le temps semble en avoir effacé presque toute trace, oblige à de formidables recherches.

Le fait que la civilisation carthaginoise n'est pas exactement antique non plus qu'orientale dans l'acception ordinaire de ces termes pouvait lui convenir. Il avait particulièrement goûté les figures (Héliogabale), les époques (décadence romaine), les œuvres (l'*Ane d'or*) qui lui faisaient imaginer les mélanges de religions diverses, d'étranges alliances de bestialité et de mysticisme, et, dans le désordre des sociétés, les belles,

les sauvages explosions de la passion humaine. Déjà
Saint Antoine avait permis, techniquement, de présenter de tels assemblages étonnants. Un sujet carthaginois était riche de semblables promesses. Par
sa situation géographique Carthage lui évoquait ses
rêves d'Afrique (III, 333). Par ses origines phéniciennes
elle lui offrait la possibilité de puiser son inspiration
à des sources aimées : ses lectures bibliques, les souvenirs de son voyage en Orient; Michelet n'avait-il
pas affirmé qu'il fallait deviner la civilisation de Carthage à partir de son type, de sa métropole, la Phénicie?
Enfin la révision de *Saint Antoine* venait de lui
rappeler et de lui faire trouver divers témoignages
antiques, nombreux et curieux. L'œuvre terminée
montrera que Flaubert a parfois cherché loin ce qu'il ne
pouvait apprendre sur Carthage même à l'époque
de la guerre des Mercenaires.

Mais avant le décor et l'époque historiques, c'est
l'idée d'une action et d'un personnage féminin qui a
retenu son attention. D'où provient la fiction romanesque qu'il développera dans *Salammbô*? On peut
remarquer les mots que prononce la Luxure dans la
Tentation de 1856 : « Tu m'appelais à travers les
convoitises de l'amour mystique... tu cherchais mes
yeux dans les étoiles... » (614). Mais surtout l'on doit
se remémorer le deuxième des trois projets romanesques qui le firent hésiter avant la *Bovary : Anubis*,
« la femme qui veut se faire aimer par le Dieu ». Dans
son excellent livre, *Le origini di Salammbô*, L. F. Benedetto a indiqué la provenance du sujet : Josèphe
rapportait dans ses *Antiquités judaïques* (XVIII, 3, 4)
une anecdote susceptible de frapper Flaubert par son
mélange d'aspiration mystique et d'érotisme[1]. Étant

---

1. J'ajouterai que Montaigne aussi remarqua cette histoire et la
résuma dans l'Apologie de Raymond Sebond (*Essais*, P. U. F.,
p. 531), à sa façon : « Paulina, femme de Saturninus, matrone de
grande réputation à Rome, pensant coucher avec le Dieu Sérapis,

donnée la parenté des trois sujets de 1851 il appa-
raîtrait que *Salammbô* ressortit bien à la même thé-
matique que *Madame Bovary,* celle de l'amour inassouvissable. Cependant, de même qu'en 1851 l'histoire de Mme Delamare avait été substituée à celle
de la vierge flamande, de même en 1857 un transfert
se produit. C'est que l'écrivain préfère au sujet
romain un livre épique, « dans un milieu grandiose »,
« à grandes murailles » (*cf.* III, 337), mais, cette fois
encore, il n'oubliera pas son inspiration première.
Salammbô sera l'avatar oriental et antique de son idée
de la femme inquiète d'un Dieu et désireuse d'un
amant. Quelques figures de la *Tentation* présentent
comme de vagues ébauches de ce type. D'autre part,
Flaubert avait rapporté du voyage de 1849-1851 son
image de l'Orientale, mystérieuse, absente, naturelle,
et dont l'œil plein de profondeurs n'exprime rien que
« le calme et le vide, comme le désert » (III, 135-136).
Plutôt qu'une noble dame romaine c'est une princesse carthaginoise qui illustrera le thème de l'amour
inassouvissable sous les deux formes de l'amour
terrestre et de l'amour mystique.

A partir de mars 1857 Flaubert travaille surtout
sa documentation historique. Il peut annoncer dès
juin : « Mon plan est fait... J'en sais suffisamment
quant à l'Histoire, à l'art militaire, à la politique, etc.,
le côté religieux se fera. Mais j'ai bien peur de patauger
dans le côté topographique et local » (SI, 226). Ces
illusions, que des recherches de plus en plus amples et
scrupuleuses vont bientôt réduire (IV, 214), s'expliquent; il croit pouvoir mener rapidement à bien son
entreprise. A la fin de juillet il écrit cependant à
Duplan : « Il me paraît impossible que j'aie fini cet
hiver, bien que la chose doive être écrite d'un style

se trouva entre les bras d'un sien amoureux par le maquerelage des
prêtres de ce temple ». Josèphe mentionne bien le dieu Anubis, et
non Sérapis; *cf.* également l'Index de l'édition citée, p. 1287.

large et *enlevé,* qui sera peut-être plus facile qu'un roman psychologique » (IV, 209). Sans doute se figure-t-il, après l'épreuve de la *Bovary,* qu'il va retrouver son aisance d'autrefois, puisqu'il possède enfin ce qu'il a si longtemps espéré : « un sujet à moi, un plan de mes entrailles » (III, 54). En outre, dans un de ses premiers scénarios, il note que les événements historiques « ne sont qu'un accessoire du roman ». Mais justement l'histoire, d'abord simple accessoire, deviendra en fin de compte ce « piédestal » dont il regrettera, dans sa lettre à Sainte-Beuve, les dimensions trop imposantes. Ses lettres de l'époque montrent que les « côtés » religieux, psychologiques, militaires de l'ouvrage lui révèlent progressivement leurs difficultés. Très vite il s'effraie de ce qui l'a tenté : le « vuide » du sujet. Mais il persiste et s'exalte : « Associez-vous par la pensée à vos frères d'il y a trois mille ans; reprenez toutes leurs souffrances, tous leurs rêves et vous sentirez s'élargir à la fois votre cœur et votre intelligence; une sympathie profonde et démesurée enveloppera, comme un manteau, tous les fantômes et tous les êtres » (IV, 181).

Les scénarios qu'il établit n'ont pas été aussi précisément inventoriés et classés que ceux de *Madame Bovary.* Pour autant que l'on puisse actuellement en juger, on a l'impression que Flaubert tâtonne, hésite davantage qu'en 1851 : ce sujet et ce plan personnels, il faut qu'il les constitue. Certes, l'histoire de « la guerre inexpiable » contée par Polybe fournit un résumé chronologique, des personnages de premier plan (Hamilcar, Mâtho, Spendius, Narr'Havas), la suite des batailles et une virtualité romanesque à exploiter : les fiançailles de la fille d'Hamilcar et de Narr'Havas. D'autre part Flaubert fixe d'emblée certains éléments fondamentaux de son récit. L'amour de Mâtho pour l'héroïne constitue le fil de l'action romanesque, le vol et la reprise du zaïmph ont des

significations religieuse, patriotique et sexuelle,
l'héroïne meurt de voir mourir son amant. Enfin la
personnalité de Salammbô est caractérisée par une
expérience déterminante : elle connaît une extase
« mystico-hystérique ». Mais qu'elle reçoive assez
tardivement son nom définitif (née Pyrrha, elle
devient Hanna, puis Salammbô); qu'elle soit d'abord
surtout la civilisée habile à contenir les barbares,
« une patricienne qui a peur de se compromettre »;
qu'elle prenne elle-même la décision de sauver Carthage en allant rechercher le zaïmph chez Mâtho,
et que, par ailleurs, elle cède à la frénésie de la prostitution mystique en se donnant à lui, ces indications
des scénarios font apercevoir le travail et les progrès de
l'écrivain. Il s'interroge sur certaines modalités de
l'action, et sur le rôle que doit y jouer Salammbô.
Il approfondit et, en un sens, simplifie le caractère
de son héroïne pour qu'elle réalise de mieux en mieux
sa passion mystique et charnelle de vierge vouée à
Tanit, de femme possédée par Mâtho.

Considéré dans son ensemble, le roman est organisé
à partir de thèmes opposés (le Barbare, la civilisée;
mysticisme, érotisme; religion, batailles), de faits
historiques, d'imagination archéologique. On voit
dans les brouillons comment Flaubert élabore peu à
peu des scènes particulières (prise et supplice de
Mâthô), et le passé de ses héros (Spendius). Il coor-
donne les épisodes, précise leur sens et leur valeur
dans son tableau de l'époque. Ainsi tente-t-il de
réaliser l'ambition qu'il définira dans sa lettre à
Sainte-Beuve, « fixer un mirage en appliquant à
l'Antiquité les procédés du roman moderne » — « et
j'ai tâché d'être simple », ajoute-t-il. Cela n'était
point simple.

De quel poids pesèrent les incertitudes premières,
la refonte de tout le début du roman le prouve. Ayant
prévu et déjà rédigé une présentation de type balza-

cien, une « description physique » et « morale » de la ville, une étude de ce que les mercenaires « étaient dans l'Antiquité »[1], Flaubert ne s'approuve pas d'avoir recours à cet artifice commode et avoue à Duplan : « les procédés de roman que j'emploie ne sont pas bons, mais il faut bien commencer par là pour *faire voir* » (IV, 227). Il poursuit alors simultanément son travail de rédaction et de documentation, demeure quelques mois « dans un état moral déplorable », arrive en janvier 1858 au tiers du second chapitre et, convaincu qu'il est « dans le faux », éprouve le besoin de voir les paysages qu'il prétend décrire et s'arrête. Ainsi le travail de presque dix mois n'aboutit qu'à cet échec provisoire. « Venette historique », sentiment que la psychologie de ses personnages, « *l'émotion* », lui manque, et qu'il ne peut se pénétrer de la vérité antique, toutes les difficultés qu'il rencontre à l'exécution le décident à partir; il lui faut remettre le pied sur la terre d'Afrique.

Flaubert quitte Marseille le 16 avril 1858, gagne Philippeville, Constantine (Cirta), revient vers Bône, part pour Tunis où il séjourne du 24 avril au 22 mai et d'où il se rend à Utique et à Bizerte; il revient en Algérie par Dougga, le Kef (Sicca), Constantine, et reprend le 2 juin le bateau pour Marseille. Dans une lettre il affirme à Bouilhet : « je ne pense nullement à mon roman » (SI, 238). Ses *Notes de Voyage* montrent en effet comme il s'intéresse à l'Algérie et à la Tunisie modernes et comme il observe, non sans arrière-pensées de roman à faire, le spectacle des Européens d'Afrique et des Arabes évolués. Mais il n'oublie pas pour autant ce qu'il est venu chercher : un pays à décrire, un passé

---

1. Sur certaines idées que se fit Flaubert des Mercenaires *cf.* ces notes des brouillons : « les mercenaires ont été pendant longtemps le seul lien *moral* entre les peuples »... « Si jamais l'individualisme a régné, c'est là. Égoïsme furieux. » Bibliothèque Nationale. Manuscrit de *Salammbô*. Tome V, 23662, p. 197 verso.

à faire revivre. Ainsi, par exemple, au Rummel il évoque Jugurtha, ou bien, voyant un dromadaire sur une terrasse, il se convainc : « cela devait avoir lieu à Carthage ». Certes il écrit rapidement ces pages qu'il sait devoir utiliser dès son retour; elles nous font néanmoins comprendre ses préoccupations et le travail qu'il accomplit. Étudiant les paysages traversés par ses Mercenaires de Carthage à Utique, à Bizerte, à Sicca, fixant en quelques mots les images qui le frappent et qu'il transposera dans son œuvre (montagnes qui semblent se déplacer en glissant, ou s'arrondissent tels des seins gonflés, etc.), notant systématiquement les couleurs du ciel, de la mer, du sol autour de Carthage à différentes heures, cherchant passionnément les ruines puniques (murailles et citernes de Carthage, restes du port, emplacement des quartiers), il situe ses repères pour les évocations futures. Ainsi pourra-t-il déclarer à Bouilhet à la fois qu'il connaît Carthage « à fond » et qu'il s'est beaucoup amusé.

Le voyage lui a refait une volonté, a donné une puissance nouvelle à son imagination. Au moment où il achève ses *Notes*, il associe l'émotion de ses souvenirs africains et celle qui le saisit à l'idée de l'œuvre future, et il lance son instante et magnifique prière : « que toutes les énergies de la nature que j'ai aspirées me pénètrent et qu'elles s'exhalent dans mon livre. A moi, puissances de l'émotion plastique! résurrection du passé, à moi, à moi! Il faut faire, à travers le Beau, vivant et vrai quand même. Pitié pour ma volonté, Dieu des âmes! donne-moi la Force — et l'Espoir! » (NV, II, 347).

Le 20 juin 1858 il communique à Feydeau : « Je t'apprendrai que *Carthage* est complètement à refaire ou plutôt à faire. *Je démolis tout.* C'était absurde! impossible! faux! » Recommençant son œuvre il va bientôt se heurter à d'autres difficultés et devra sacrifier en décembre une partie de son travail de l'été, mais une assurance nouvelle est survenue. Il compose les chapitres IV à VII en 1859, VII à X en 1860, X à XIV en 1861 et termine le 15 février 1862. Des efforts frénétiques, désespérés, lui permettent ainsi d'achever en cinq ans la « truculente facétie » qu'il se figurait devoir écrire rapidement en un style « enlevé ».

🙰🙰🙰

En 1853, lorsqu'il rêvait d'écrire sur l'orient antique, il avait soutenu que l'observation de l'artiste différait beaucoup de l'observation scientifique : « elle doit surtout être instinctive et procéder par l'imagination d'abord. Vous concevez un sujet, une couleur, et vous l'affermissez ensuite par des secours étrangers. Le subjectif débute » (III, 230). C'est alors aussi qu'il envisage d'écrire des « bouquins épiques » (III, 337). D'autre part il juge que la littérature doit devenir scientifique, « exposante », et qu'il importe de traiter l'âme humaine avec l'impartialité d'un physicien, afin que l'humanité se voie, par le miroir de l'œuvre d'art, en sa vérité. Ses exigences conjointes d'imagination épique et de discipline scientifique donnent leurs caractères particuliers aux recherches documentaires qu'il ' fait avant et pendant la composition de *Salammbô*.

Sur Carthage et la guerre des Mercenaires il utilise et amalgame des renseignements d'origines très diverses. De nombreux souvenirs personnels de ses voyages de 1849-1851 et de 1858, des précisions de détail communiquées par des correspondants occasionnels complètent les lectures d'auteurs modernes et anciens, qui lui fournissent l'essentiel de sa documentation. Sur la ville de Carthage il s'est instruit dans les ouvrages de Dureau de la Malle (*Recherches sur la topographie de Carthage,* 1835) et de Falbe (*Recherches sur l'emplacement de Carthage,* 1833). Sur la civilisation carthaginoise il a principalement étudié les travaux de l'abbé Mignot, de Gesenius, Heeren et Hendreich. En outre il consulte de savants amis, comme Maury, Beulé, Baudry, Saulcy et Heuzey. Mais ce sont les écrivains anciens qui l'inspirent constamment. Appien sera son « guide » (446) pour la topographie de Carthage; Polybe lui donnera les éléments fondamentaux de son récit de la guerre.

Sans doute, il ne conduit pas toujours méthodiquement sa chasse aux renseignements. Il se laisse entraîner de lectures en références et de références en lectures sur des pistes diverses. Sa conception syncrétique (rapports, similitudes entre Hébreux, Phéniciens, Égyptiens) et son ambition de présenter un vaste tableau de la vie antique l'amènent à chercher les témoignages anciens les plus variés, à étendre ainsi démesurément son enquête. D'où l'abondance des lectures dont L. F. Benedetto a minutieusement relevé les traces. Sollicités, Hérodote, Diodore, Strabon, Pline, Théophraste livrent énumérations typiques, détails éblouissants, formules étranges. La quête de l'insolite, le désir de confondre le lecteur moderne prolongeront la recherche historique (elles pourront aussi la fausser). Flaubert prend son bien dans toute l'antiquité hébraïque, grecque, latine pour constituer sa mosaïque, ou élaborer cette couleur pourpre qu'en lui l'artiste réclame.

Il a lui-même indiqué certaines de ses sources, et les critiques ont constaté l'ampleur de ses recherches. On sait par exemple qu'il a trouvé dans la *Johannide* de Corippe des traits caractéristiques sur des peuplades africaines, qu'il a emprunté aux notes de l'édition de Cahen de la Bible, aux travaux érudits de l'abbé Mignot, certains détails sur les vêtements, les parfums, qui reparaissent dans ses présentations de

Salammbô. Mais l'un des costumes dont il la pare lui fut suggéré par une plaquette d'or trouvée à Rhodes (SI, 315) et les prières ou les invocations qu'il lui fait prononcer ont des origines diverses (entre autres l'*Ane d'or* d'Apulée). Cette multiplicité de renseignements lui était nécessaire. Car il ne fallait pas seulement montrer une fois, mais varier costumes, prières, batailles. Il importait d'élargir sans cesse la documentation, d'accumuler les textes de référence. Par exemple, lorsqu'il imagine son personnage d'Hamilcar, il utilise naturellement la *Vie d'Hamilcar* de Cornelius Nepos; mais il est non moins naturellement attiré par la figure prestigieuse d'Hannibal, sur lequel Tite-Live, Polybe, Silvius Italicus lui fournissent des anecdotes typiques, et c'est d'un tel fils qu'il s'inspire pour tracer le portrait d'un tel père.

La description du temple de Tanit illustre sa méthode. Il s'est informé passionnément, scrupuleusement, si bien qu'il pourra répondre à Sainte-Beuve : « je suis sûr de l'avoir reconstruit tel qu'il était, avec le traité de la Déesse de Syrie, avec les médailles du duc de Luynes, avec ce qu'on sait du temple de Jérusalem, avec un passage de Saint Jérôme, cité par Selden *(de Diis Syriis)*, avec le plan du temple de Gozzo qui est bien carthaginois, et mieux que tout cela, avec les ruines du temple de Thugga que j'ai vu moi-même, de mes yeux, et dont aucun voyageur ni antiquaire, que je sache, n'a parlé ». Cette protestation, discutable, fait comprendre les motifs d'une certitude. Par son recours aux témoignages des textes, de la numismatique et de l'archéologie, Flaubert peut estimer avoir garanti scientifiquement sa description, précisé et même accru la connaissance historique. Par ses prouesses documentaires il s'assure qu'il a reconstitué le temple authentique et fascinant de Tanit. Mais c'est aussi celui que son imagination demandait et constituait. Certes il accorde bien une exigence intérieure et des preuves objectives, mais alors que l'historien tend à réduire par recoupement les témoignages à leur apport scientifique, Flaubert rassemble les trouvailles de son érudition et mêle tous les détails suggestifs qui peuvent servir à fixer son mirage.

Sa volonté de rigueur n'exclut ni l'ambition de généraliser, ni même le dédain des strictes données historiques. Il affirme sa volonté de « reconstruire ou plutôt d'inventer tout le commerce antique de l'Orient » (IV, 371). Il reconnaîtra qu'il a « voulu faire un siège » et montrer en quelques pages les caractéristiques générales de ce type de guerre dans l'Antiquité. En conséquence il ne se documente pas seulement sur les divers sièges subis par Carthage, mais étend sa recherche dans Polyen, Juste-Lipse, etc., et il avouera qu'il a sciemment « forcé l'histoire ». Aussi bien pourra-t-il proclamer : « je me moque de l'archéologie ! » Car la raison des historiens n'est pas la sienne. Il n'hésite pas à modifier ce que l'on pensait savoir. Il invente l'aqueduc dont il a besoin. Du hardi, du téméraire Campanien Spendius il fait un Grec astucieux et du Libyen Zarxas un Baléare. Comme il se refuse « par amour de la clarté » à introduire un autre et obscur Hannibal, Hannon meurt à Tunis plutôt qu'en Sardaigne. Contrairement aux indications de Polybe, Hamilcar rentre dans Carthage avant que le siège commence. Ainsi s'acquiert la densité littéraire.

Au demeurant Flaubert n'avait pas été séduit par le savoir des historiens, mais par leur ignorance. Il désirait faire un roman antique. Il se donne le plaisir de vivre en pensée sur de lointains rivages, à l'époque qu'il lui convient de rêver. Son « induction » archéologique, il la veut « probable », et il la met au service de l'imagination : elle transformera les phrases sèches et concises de la narration polybienne en visions ardentes. On verra par exemple comment Polybe raconte la bataille de la « Hache » et comment son récit se métamorphose dans le terrible chapitre XIV de *Salammbô*. Que Flaubert ait demandé à des amis de Tunis la localisation précise du défilé prouve son scrupule; mais la grande muraille blanche taillée à pic, l'amoncellement des rocs, le sable qui s'éboule et ce couloir crevassé, les a-t-il trouvés ailleurs qu'en ses paysages intérieurs? Souvenirs, recherches de l'imagination, souci de l'effet composent l'impitoyable décor.

Par probité intellectuelle il a rassemblé une immense documentation. Il a savamment mené ses recherches, plus loin et mieux qu'aucun autre romancier d'histoire à son époque. Il a même, sur certains points, pris position de telle sorte que des découvertes ultérieures lui ont donné raison : les « grillades de moutards » ont bien eu lieu à Carthage, et l'archéologie a confirmé la justesse d'une opinion alors discutée. Néanmoins, un siècle s'étant écoulé, le progrès des connaissances historiques et archéologiques fait paraître qu'il s'est trompé sur le fond. Dépouillée de l'étonnante splendeur qu'un artiste lui prêta, la ville d'Hamilcar Barca se révèle la riche métropole d'un peuple remarquablement inapte à toute manifestation artistique. La reconstitution flaubertienne, les architectures fastueuses qui se mêlent « d'une façon merveilleuse et incompréhensible » sont condamnées par le verdict des historiens : un homme de 1860 inventa ce rassemblement hétéroclite de styles et ces magnificences barbares. Ainsi conclut la science. *Salammbô* redevient seulement ce que son auteur a d'abord voulu qu'elle soit : une œuvre d'art.

Si le décor romanesque doit dépayser de façon systématique le bon lecteur « Françoys » (IV, 239), les personnages antiques doivent le surprendre encore plus. Car il ne trouvera pas ce qu'il attendait. La « drogue ne sera ni romaine, ni latine, ni juive »

(IV, 239), tout en répondant « à une *certaine idée vague* » de Carthage (IV, 279). Flaubert, justement attiré par ce vague et par le fait que Carthage ne se survit en aucune tradition de culture, peut s'amuser à l'idée d'une provocation romantique de son public : il versera « de l'eau-de-vie sur ce siècle d'eau sucrée » (IV, 432). Mais, plus profondément, sans doute s'exalte-t-il à la pensée de faire revivre par son art une humanité disparue, parfaitement étrangère aux façons de croire et de penser contemporaines; d'écrire un livre inactuel, pur de christianisme et « pur d'humanitairerie » selon l'expression de son ami Gautier; de présenter à l'éclatante lumière d'Afrique des héros que meuvent les passions inhérentes aux entrailles humaines (I, 418) : celles de la guerre, de la religion, de l'amour. Déjà, quelques années plus tôt, il déclarait : « La civilisation où nous sommes est un triomphe opéré... sur tous les instincts dits primordiaux. Si vous voulez vous livrer à la colère, à la vengeance, à la cruauté, au plaisir effréné ou à l'amour lunatique, le désert est là-bas et les plumes du sauvage un peu plus loin : allez-y » (IV, 59-60). Lui-même, une fois accompli le voyage, et le songe littéraire achevé, il saura bien découvrir par-delà les visions qui l'exaltèrent, quelle conception pessimiste de l'homme il exprime : « Il ne ressort de ce livre qu'un immense dédain pour l'humanité (il faut très peu la chérir pour l'avoir écrit) » (IV, 445).

Pour composer ce roman de l'étrange et de l'essentiel, il éprouva une difficulté majeure : peindre des personnages vrais sans tomber dans le mélodrame (IV, 239), trouver le « ton juste » (IV, 266). Il lui fallait obtenir cette justesse de ton pour que paraissent authentiques, réels, ses personnages antiques : « car le modèle, le type, qui l'a vu? » (IV, 330). Et il n'était « pas aisé de s'imaginer une vérité constante, à savoir une série de détails saillants et probables » (IV, 239), qui permettent de présenter toute une cité, Carthage, et ses Mercenaires venus de divers pays.

Flaubert montre collectivement les adversaires (*cf.* l'abondance des *ils* et des *on*) et met en valeur, par quelques héros représentatifs, les caractères particuliers de certains groupes importants.

« Le génie politique manquait à Carthage. Son éternel souci du gain l'empêchait d'avoir cette prudence que donnent les ambitions plus hautes ». Tout entière dominée par sa monstrueuse avidité, depuis la populace qui rampe sur la plage à la recherche des paillettes d'or jusqu'aux Riches qui détiennent le pouvoir, la cité édifie sa puissance colossale et superbe. Cette grandeur matérielle marque le triomphe d'une « rouennerie » forcenée, d'une canaillerie splendide : antique, non médiocre. Après avoir « multiplié les bénéfices de la piraterie par ceux de l'usure » les Carthaginois enrichis accèdent aux responsabilités du gouvernement. Alors dans les Syssities, « forts et gras, à moitié nus, heureux, riant et mangeant en plein azur, comme de gros requins qui s'ébattent dans la mer », ils discutent des intérêts de la cité et des leurs, depuis la recherche du poivre jusqu'à la guerre contre Rome. Et les plus habiles pourront enfin faire partie des Anciens « experts en stratagèmes, impitoyables ». Tel est l'ordre social en cette ville où l'astuce commerciale et cette perfidie célébrée par les écrivains latins s'épanouissent en férocité. La richesse en fin de compte s'y gagne et s'y perd dans le sang. Elle donne l'absolue disposition des hommes, et dans l'ergastule les cris des esclaves suppliciés la proclament; mais aussi les suffètes vaincus et mis en croix l'expient. Car ce peuple qui s'amuse à crucifier des lions est cruel.

Du côté de l'Afrique, Carthage exténue ceux qu'elle soumet, en tire « des impôts exorbitants... et les fers, la hache ou la croix punissaient les retards et jusqu'aux murmures... Par ce système les récoltes étaient toujours abondantes ». Carthage civilise et terrorise. Elle impose à son profit une paix farouche et fructueuse.

Du côté de la mer, pareillement, son ambition est mercantile. Dans les entrepôts d'Hamilcar s'amoncellent les produits venus de partout [1] et le discours du Chef-des-navires entremêle le compte rendu commercial de suggestions fantastiques, qui évoquent le Périple d'Hannon. Carthage explore et exploite, travaille, risque, amasse. Conquérir des marchés, c'est sa vie et sa raison de vivre et ses élites calculent sa politique : combien coûtent, combien rapportent, la guerre, la paix? Hannon les représente : « C'était un homme dévot, rusé, impitoyable aux gens d'Afrique, un vrai Carthaginois ». Polybe critiquait vivement le personnage. Flaubert en fait une figure monstrueuse. Cruel et jouisseur, orgueilleux, cupide et incapable, Hannon à qui une « lèpre pâle, étendue sur tout son corps... donnait l'apparence d'une chose inerte », symbolise ignoblement une certaine médiocrité carthaginoise. Il serait, comme un vulgaire moderne, grotesque, s'il n'était aussi terrible. Hannon s'enfuyant du camp des Barbares sur un âne, et « se cramponnant aux poils, hurlant, pleurant, secoué »; Hannon vautré dans son étuve, se croyant vainqueur et insultant ses prisonniers; Hannon traîné vers la croix et offrant de livrer Hamilcar : autant de visions exemplaires de la peur, de la sottise, de la lâcheté

1. Dans une page de brouillon Flaubert a barré le passage suivant : « Ainsi tous les peuples étaient représentés dans ce lieu rude et opulent, preuves (vivantes) incontestables, muets ambassadeurs qui portaient hommage au génie de Carthage — et surtout à Hamilcar » (23 659, p. 284 recto). On remarque aussi quelques indications non retenues sur les sensations que le spectacle de ses trésors souterrains fait éprouver à Hamilcar. Devant la statue du Cabire il se rattache lui-même comme un Cabire aux lointaines profondeurs de la terre inébranlable (*ibidem*, pp. 314 recto et 315 recto).

qui caractérisent la classe sociale la plus puissante, les riches, les habiles. Il est étendu, cloué sur la croix et lorsqu'on la dresse, des portions de membres se détachent, un corps pourri se défait : à l'image d'une pourriture nationale.

Il est une autre Carthage; son audace en fit la rivale de Rome; Hamilcar l'illustre. Polybe et Michelet avaient dit son éclatante supériorité sur Hannon. Flaubert, soucieux de contrastes romanesques, oppose à l'ignominie de l'un le génie de l'autre. Le plus riche Carthaginois sait aussi voir plus loin que ses compatriotes. Il les domine par la vertu de son âme et la rectitude de son intelligence : âpre au gain et dur aux hommes, féroce et avide tout comme un autre, mais chef de guerre comme aucun. Les Riches le craignent et le détestent lors même que, désemparés, ils ont recours à lui, le sauveur. Mais quand il arrive et que sa trirème s'avance « d'une façon orgueilleuse et farouche », le peuple connaît la présence d'un chef et l'espoir. Hamilcar prend le commandement. « Tout pliait sous la violence de son génie ». Cependant sa victoire du Macar n'apaise pas les rancœurs, et aux premiers revers Carthage déplore les impôts trop lourds, discute les opérations et clabaude. Alors « il n'était si mince goujat qui ne sût corriger les fautes d'Hamilcar ». Enfin la force d'un esprit et d'une volonté intrépides l'emporte. Hamilcar triomphe; et le père d'Hannibal pourra songer à l'Ibérie et à l'Italie, à son rêve immense d'un empire des Barca qui « deviendrait éternel », et à sa haine de Rome. Hamilcar symbolise la grandeur de Carthage, comme Hannon sa vilenie.

A juste titre les Riches soupçonnent Hamilcar de garder sympathie et estime pour les Mercenaires. Eux-mêmes n'honorent pas le courage, ils l'achètent. Dans les ports méditerranéens les courtiers carthaginois recrutent des Barbares pour la guerre et, la

paix conclue, il arrive que la perfidie punique économise les soldes et se débarrasse par quelque ingé-
nieuse traîtrise d'une marchandise humaine désormais
inutile. Pourtant Carthage tient d'ordinaire ses promesses ; mais cette fois, pressée par le besoin, « l'ardeur
de son avarice l'avait entraînée dans une infamie
périlleuse ». Alors le vice de son système militaire se
révèle. Que tous les contingents étrangers s'unissent
et s'insurgent, Carthage désarmée sent « la mort tout
autour d'elle » et les Riches s'affolent de peur et de
haine. Hamilcar dénonce le motif de cette fureur :
« Vous les haïssez parce qu'ils sont forts ! » Carthage
devra tirer de son sein une armée, envoyer ses bourgeois, ses éléphants, sa populace contre ces hommes
forts, unis par l'habitude des combats, les épreuves
supportées en commun, et dont la guerre est le métier.

De leur côté les Barbares s'exaspèrent de se sentir
volés, dupés par la cité opulente qui leur offre avec le
spectacle de la civilisation la tentation du luxe et du
pillage. Ils « auraient voulu tout à la fois l'anéantir
et l'habiter ». Une guerre inexpiable s'engage et les
peuples d'Afrique, admirant ceux-là qui osent attaquer
la grande Carthage, viennent à la rescousse et joignent
leur désir de vengeance à ce formidable rassemblement de haines et de troupes.

« Il y avait là des hommes de toutes les nations ».
Flaubert s'attache à montrer tout à la fois la masse
confuse de ces peuples et leurs dissemblances, la
bigarrure éclatante de l'armée et les mouvements
d'ensemble qui l'emportent et l'unissent. Dans *Le
festin*, où il présente les Mercenaires, il signale les
différences des types physiques, la discordance des
langues, les étrangetés diverses des costumes. D'un
trait il distingue, oppose, mêle différents groupes et
achève son paragraphe par une image pétrifiante :
« D'autres, qui s'étaient par pompe barbouillés de
vermillon, ressemblaient à des statues de corail ».

Puis le chapitre fait voir cette foule qui passe du repos animal (« Ils s'allongeaient sur les coussins... ») à des mimiques expressives (« une compagnie de Grecs dansait autour d'un vase où l'on voyait des nymphes, pendant qu'un nègre tapait avec un os de bœuf sur un bouclier d'airain ») pour arriver aux fureurs immondes de l'ivresse et des tueries (« un vertige de destruction tourbillonna sur l'armée ivre »). Ce mouvement qui conduit vers une dégradation finale n'est pas unique. De semblables effets d'art se retrouvent dans le dénombrement épique de l'armée, au chapitre XII : Flaubert dessine des aperçus rapides de chaque troupe, accumule les noms, les caractéristiques, et termine par une dernière vision de bestialité humaine. Ou bien il fait voir des masses d'hommes soulevés par une juste révolte et conclut : « Ils ne savaient même pas, la plupart, ce qu'ils désiraient ». Mais jusqu'au bout, jusque dans la mort, les différences ethniques, l'hétérogénéité fondamentale de l'armée barbare se manifestent. Évoquant le pêlemêle de leurs cadavres, Flaubert précise, d'après Ammien Marcellin, que le nordique gonfle tandis que se dessèche l'africain. Et lorsque les Mercenaires rendent les honneurs funèbres à leurs compagnons morts, chaque peuple observe ses usages et célèbre sa cérémonie.

La suite des opérations militaires commande la marche de l'action. C'est dans les batailles et dans les scènes de cruauté que Flaubert atteint ses plus impressionnants effets. Tour à tour Carthaginois et Barbares connaissent les carnages triomphants et les désastres. Avec une même frénésie, tous travaillent à s'exterminer. En particulier Flaubert décrit force supplices. Il montre en ces amusements collectifs les manifestations terriblement naturelles et parfois raffinées du plaisir de tuer : « le sang coulait et ils se réjouissaient comme font les vendangeurs autour des cuves

fumantes ». Il détaille, contraste, équilibre : les croix
monumentales s'élèvent de chaque côté de Tunis, sur
lesquelles agonisent, en même temps, les Anciens de
Carthage et les Ambassadeurs des Mercenaires. Ainsi
s'instaure l'affreuse égalité des tourments. De même
se correspondent des batailles[1] où meurent vite ou
lentement des armées entières. Le terrain, les manœuvres diffèrent, mais les massacres s'organisent et
les fureurs croissent inexorablement d'un côté et de
l'autre jusqu'à l'accomplissement définitif. Un fleuve
charrie silencieusement les cadavres. « Le niveau de
la plaine redevint immobile » où passèrent les éléphants. Dans le défilé de la Hache, un lion renverse
le dernier homme, puis les chacals viendront dévorer
les restes. Et rien ne demeurera.

Flaubert a conformé précisément son image des
différents peuples aux témoignages antiques, et
illustré les groupes les plus importants par un héros
typique. Par exemple les frondeurs baléares étaient
réputés cruels et grands amateurs de femmes : une
caravane de vierges leur est promise, et Zarxas effraie
l'armée en buvant le sang de l'ennemi qu'il vient
d'égorger. Les Gaulois font preuve des qualités et des
défauts que les auteurs anciens leur reconnaissaient,
la jovialité, le courage, l'indiscipline et l'orgueil de
leur force. Autharite les commande. On notera que
Flaubert l'imagine en partie d'après lui-même. Les
langueurs et les brusques violences de ce grand barbare aux yeux bleus ne lui sont pas étrangères. On
peut aussi rapprocher certains rêves d'existences
antérieures qu'il caressait et le personnage de Spendius. S'étant inspiré de Plutarque, de sa *Vie d'Aratus*,

---

1. *Cf.* à ce sujet une page des brouillons, relative au Défilé de la
Hache : « C'était la même situation où s'étaient trouvés les Carthaginois dans la montagne d'Hippo-Zaryte après la bataille du
Macar six mois (auparavant). Mais quelle différence, combien la
revanche était exagérée ». (Mss, tome IV, 23 661, p. 261 recto).

il figure en lui, au milieu des Barbares, le Grec supérieur; non pas, comme l'aurait désiré Sainte-Beuve, un grec philosophe et « sentant comme nous », mais un bel exemplaire de canaillerie antique et d'intelligence hellénique. Enrichi par la vente des femmes, ruiné par un naufrage, esclave, cet homme « plein d'inventions et de paroles », « si lâche et si terrible » passe brusquement de l'ergastule au commandement d'une armée. Son esprit malin anime les masses barbares et s'impose aux autres chefs des Mercenaires. Quant à Narr'Havas, sa conduite à la guerre évoque des souvenirs de Massinissa et une vague idée du Numide antique; mais l'intrigue amoureuse lui donne, comme à Mâtho, une autre signification. Par contraste avec ce « vrai homme » [1] Narr'Havas « à voix douce et à taille féminine » peut bien charmer Salammbô : l'autre l'a conquise (*mutatis mutandis*, on se souviendra de Rodolphe et de Léon).

Cependant les hommes si divers qui composent l'armée des Mercenaires ont acquis par la communauté des épreuves, du métier, du destin, une unité certaine. Enrôlés en différents pays, traînant à leur suite femmes et enfants, ces migrants primitifs ont le sombre prestige des gladiateurs qui doivent mourir : « Ils songeaient à l'inanité de leur courage ». Exclus de la civilisation et devenus inhumains par l'habitude de la brutalité, « beaucoup finissaient par ne plus croire qu'au destin et à la mort; et chaque soir ils s'endormaient dans la placidité des bêtes féroces ». Justement révoltés par la perfidie des Riches, exploités,

---

1. Mss. tome V 23 662, p. 181 recto. Dans un de ses premiers plans, Flaubert fixant les traits principaux de ses personnages écrit : « Gescon, modéré, sage; Hamilcar grand homme... Mathos le vrai homme. »

D'autre part *cf.* tome IV, 23 661, p. 240 recto : « Si elle sentait [sic] inférieure à M [âtho]. Elle se sentait supérieure à Narr'h [avas]. étonnement »

rejetés, infâmes, « ils sentaient confusément qu'ils étaient les desservants d'un dieu épandu dans les cœurs d'opprimés, et comme les pontifes de la vengeance universelle ». Ils sont condamnés à l'anéantissement parce qu'ils représentent une si formidable menace contre tout ordre social que Rome même secourra Carthage : « On sentait bien que si les Mercenaires triomphaient, depuis le soldat jusqu'au laveur d'écuelles, tout s'insurgeait, et qu'aucun gouvernement, aucune maison ne pourrait y résister ». Il est bon que les Mercenaires soient exterminés et leur courage inutile. Leur histoire est exemplaire.

C'est l'Ordre qui triomphera. Il a ses splendeurs. Dès le premier chapitre Flaubert établit ses contrastes et en indique la violence. La gigantesque orgie des Mercenaires s'achève sur l'apparition de Salammbô, à l'étincelante parure, et dont les chants mystérieux subjuguent les Barbares. En cette Afrique merveilleuse qu'il se crée, Flaubert veut que la civilisation la plus raffinée et la sauvagerie réalisent cette « harmonie de choses disparates », se fondent en cette « grande synthèse » qui assouvit tous les appétits de l'imagination et de la pensée : celle dont l'Orient lui donna l'idée (*cf.* III, 137). En elle s'unissent la pouillerie et le fabuleux (« et parfois, sur des seins couverts de vermine, pendait à un mince cordon quelque diamant qu'avaient cherché les Satrapes »). En elle se réalise la « poésie complète », qui enthousiasme et désole, dégoûte et enchante.

❧❧❧

Les épisodes de cette histoire, tels que Polybe les avait contés, ne donnaient à Flaubert qu'une suite d'événements sur lesquels construire son roman; mais pour accomplir son ambition de « ressusciter » Carthage, c'est le « côté religieux » qui devait lui paraître la donnée explicative fondamentale. Le tableau de la civilisation carthaginoise comme l'action romanesque de *Salammbô* s'organisent de façon très significative selon des catégories religieuses, selon Moloch et Tanit.

On sait comment Flaubert considère le problème de la religion. En mars 1857 il écrit : « ce qui m'attire par-dessus tout, c'est la religion. Je veux dire toutes les religions, pas plus l'une que l'autre. Chaque dogme en particulier m'est répulsif, mais je considère le sentiment qui les a inventés comme le plus naturel et le plus poétique de l'humanité... je respecte le nègre baisant son fétiche autant que le catholique aux pieds du Sacré-Cœur » (IV, 170). Séduisants, odieux ou grotesques, les dogmes s'annulent dans leurs prétentions diverses, mais les inventions de la croyance en Dieu affirment poétiquement une réalité vénérable. Ce sont les envolées impuissantes de la Chimère, de l'imagination humaine aux prises avec le mystère insondable du Sphinx. Les antiques théologies révèlent les aspirations singulières des peuples disparus et disent de profondes vérités. D'autre part l'incroyant Flaubert tend à durcir, à déshumaniser le phénomène religieux : « le fanatisme est la religion » (III, 148), « la superstition est le fond de la religion, la seule vraie... un sentiment éternel de l'âme » (II, 433). Car les fureurs ou la sottise marquent absurdement combien l'homme s'attache à l'irrationnel.

Flaubert imagine ainsi que le plus intelligent des Barbares, Spendius, méprise tout scrupule et toute foi, mais qu'il « ne manquait pas, tous les jours, de se chausser du pied droit »; que dans l'armée des Mercenaires où « tous les cultes, comme toutes les races, se rencontraient », le contact de nombreuses religions favorise les superstitions, mais aussi, parfois, l'indifférence et même, à l'occasion, le goût du sacrilège.

A cette anarchie, Carthage oppose la hiérarchie de ses Dieux, honorés par le peuple tout entier, célébrés par les collèges de prêtres en des temples somptueux. Certes Flaubert a vigoureusement distingué certaines attitudes personnelles ou sociales. Hannon, si prompt à ordonner des prières publiques, et les Riches qui allèguent la dévotion pour se régaler, lors de la famine, des chevaux sacrés d'Eschmoûn, montrent la corruption hypocrite des forces religieuses par le pouvoir et l'argent. Inversement Hamilcar, qui suscite la haine des prêtres, fait preuve d'une très pure ferveur spirituelle : « Les gens d'un esprit supérieur, seuls, honoraient ces Abbadirs tombés de la lune... Il s'efforçait à bannir de sa pensée toutes les formes, tous les symboles et les appellations des Dieux, afin de mieux saisir l'esprit immuable que les apparences dérobaient ». Ces contrastes individuels s'intègrent dans un plus vaste tableau. *Salammbô* présente une reconstitution générale de la vie religieuse de Carthage.

La documentation de l'écrivain repose en particulier sur les *Religions de l'antiquité* de Creuzer (Guigniaut et Maury), sur le *De Diis Syriis* de Selden, sur les ouvrages de Hendreich, Gesenius et Mignot. Mais il a lu ou relu nombre d'œuvres antiques dont il s'est très précisément inspiré, entre autres l'Ancien Testament (éd. Cahen), l'*Ane d'or* d'Apulée, le *De Dea Syria* du Pseudo-Lucien, Diodore (sur les sacrifices d'enfants), Athénée (sur le zaïmph), Pausanias, Eusèbe. Les rapprochements que l'on a effectués entre ces textes de base et *Salammbô* montrent déjà l'énorme travail accompli par le romancier. Étant donné que les manuscrits de *Salammbô* fournissent d'autres renseignements, inédits, ces recherches pourraient être poursuivies.

C'est, de façon générale, l'union profonde de tout un peuple avec ses dieux et, dans l'intrigue romanesque, la confusion imaginaire des deux personnages principaux avec des divinités majeures que Flaubert veut évoquer. Quelques phrases des brouillons éclaireront certaines de ses intentions ou idées. « Là s'agitait un peuple obscène et féroce »[1]; sa « (Religion était pour lui la même chose que le patriotisme). Les dieux étaient les dieux de Carthage ennemis des autres peuples et protégeant. Il en résultait un patriotisme (acharné) féroce et qui (Car le pays) se confondait avec la Religion où on trouvait tant de jouissance »[2]. Le peuple, en adorant ses dieux, « se régalait comme eux de meurtres et de luxure »[3]. On sacrifiait à Baal la pudeur des femmes et la chair des hommes, et des jouissances où se mêlait l'autorité d'un dieu devenaient ainsi plus profondes[4]. C'est l'aspect sexuel de cette religiosité qui paraît le plus révélateur à Flaubert; il écrit à propos de la procession des Kedeschim : « Ces prostitués mâles exprimaient par eux-mêmes ce qu'il y avait de plus intime dans la religion punique, la confusion sexuelle (le caractère hermaphrodite) de la divinité »[5].

Il devait faire voir la surprenante diversité des dieux puniques et concevoir l'organisation du panthéon carthaginois. Ce dessein lui posait des problèmes historiques très complexes. Il les résolut littérairement, en écrivain soucieux de ses effets, c'est-à-dire que d'une part il se servit, trop sans doute, de sa documentation orientale et procéda par assimilation (par exemple de l'Astarté phénicienne et de Tanit), et que d'autre part il subordonna toutes les divinités à la dyade Moloch-Tanit. Sa connaissance ancienne des religions orientales, les conceptions scientifiques de son temps, la réalité bien certaine de l'origine phéni-

1. Mss. V, 23 662, p. 187 verso.
2. Mss. I, 23 658, p. 162 recto.
3. *Ibidem*, p. 164 verso.
4. *Ibidem*, pp. 162 verso et 164 verso.
5. Mss. IV, 23 661, p. 204 recto.

cienne des premiers dieux carthaginois le poussaient à adopter la première solution. Mais son désir de produire sur les lecteurs un puissant effet d'étrangeté put l'entraîner trop loin. C'est ainsi que des prostitutions sacrées ne semblent pas avoir eu lieu à Carthage, mais seulement à Sicca, colonie d'Élymes de Sicile. Pour résoudre le second problème, celui de la prédominance de certains dieux, il ne retint pas l'idée d'une triade supérieure (Tanit, Eschmoûn, les Cabires), mais préféra unir et opposer Moloch et Tanit, l'indiscutable déesse poliade de Carthage, comme le lui permettaient ses ouvrages de référence. Il commit ainsi l'erreur de prendre pour dieu majeur Moloch (terme de signification encore discutée aujourd'hui) au lieu de Baal Hammon. En outre, si l'association de Tanit et de Baal Hammon, du dieu mâle et de la déesse, est bien attestée et si l'on sait qu'au cours des siècles la primauté fut transférée à Tanit, l'on a pu discuter l'idée systématiquement proposée d'une opposition radicale entre ces deux divinités étroitement unies. Une telle conception de type manichéen peut bien ne pas correspondre à une vérité historique, mais elle permettait de transfigurer symboliquement une action romanesque.

Si Flaubert fait paraître au-dessus de toutes les divinités (Khamon, Eschmoûn, Melkarth, Baalim divers, Cérès, Pataeques, Abbadirs) Moloch et Tanit, c'est qu'en eux Carthage vénère ses aspects contrastés et se présente les idoles de sa férocité et de sa sensualité. En temps de guerre, Moloch, principe mâle exterminateur, Soleil dévorant, dieu des fureurs homicides, domine la ville; alors sa statue de fer à tête de taureau, aux mains tendues, quitte son temple habité par des lions et le feu doit consumer les enfants sacrifiés; Moloch ne peut être apaisé que par les plus horribles douleurs. Tanit, plus diverse, populaire et sensuelle, aristocratique et sidérale, Reine des choses humides, omniféconde, représente le principe féminin; dans son temple où logent les courtisanes sacrées, se mêlent les Eaux douces et les Eaux amères et repose le zaïmph, le saint voile sous lequel demeure la déesse, âme de Carthage : pacifique divinité, préférée en temps de paix. Soleil et lune, principes de la violence et du désir, Moloch et Tanit donnent aux conflits des hommes une correspondance divine, et au décor de l'action, à la terre d'Afrique, à la succession des jours et des nuits un halo symbolique. Les contrastes du désert et des plages humides, de la chaleur implacable et des douces nuits, de la guerre exterminatrice et des séductions lascives y trouvent une signification épique.

Une mythologie historique peut ainsi servir une vision d'art actuelle. Lorsque par exemple Salammbô se prépare à gagner le camp barbare, le spectacle des oiseaux de Tanit, les colombes, glissant vers l'horizon sanglant et tombant dans la gueule du soleil, annonce et signifie l'imminent départ de la vierge dévouée à Tanit vers Mâtho, vers Moloch. Les acteurs principaux du drame humain, l'héroïne carthaginoise et le chef des Mercenaires, vont paraître incarner les deux divinités : « l'âme des Dieux, quelquefois, visitait le corps des hommes ».

Sur Mâtho Polybe ne fournissait guère d'indications contraignantes et Flaubert pouvait l'imaginer à sa guise. Il le lui fallait Barbare typique et tel qu'il convenait que fût le chef de l'armée mercenaire; c'est sa création personnelle en tant que héros romanesque. Or, écrivait Flaubert à Sainte-Beuve : « Rien de plus compliqué qu'un Barbare ». Si les autres chefs mercenaires présentent des mélanges diversement dosés de sauvagerie, d'ingéniosité naïve et de subtilité redoutable, Mâtho montre les signes les plus évidents d'un semblable alliage de qualités simples, contraires et poussées à l'extrême. Le géant formidable qui en impose à l'armée se laisse docilement mener par

Spendius, et s'il surpasse tous les guerriers, il se
désole et pleure comme un enfant. Dans son portrait
de Mâtho Flaubert dessine sans doute une image de
soi qu'il aime dire barbare; il lui prête « l'apathie
musculaire, les langueurs nerveuses... la haute taille...
l'élan, l'entêtement, l'irascibilité » (II, 455) de sa
propre personne. Mais il le fait plus intimement
proche de lui-même. Instable qui parfois perd le
sentiment du réel et croit vivre en songe, tour à tour
emporté et déprimé, Mâtho tient beaucoup du tempérament de son créateur; et littérairement, dans sa
facture et par son langage, il révèle la permanence
d'une inspiration romantique. Flaubert affirma son
droit de déclarer un tel personnage, antique et africain,
« fou » d'amour; c'était aussi se donner le droit d'exprimer romantiquement la toute puissance de la
passion qui le possède. L'amour de Salammbô, la
haine de Carthage se confondent dans son âme et
l'aliènent; et sa passion devient sa fatalité[1].

Sa haine le voue à Moloch : « le génie de Moloch
l'envahissait ... il exécutait des choses épouvantables,
s'imaginant obéir à la voix d'un Dieu ». Ainsi peut-on
le voir. N'est-ce pas à Moloch que Salammbô croit
s'offrir lorsqu'elle vient *Sous la tente*?[2]

1. *Cf.* ces phrases barrées dans un brouillon (tome II, 23 660,
p. 21 recto et sq.) : « (un mystère funèbre, caché dans les profondeurs
de l'avenir et qui chaque jour se rapprochait davantage de lui (le
conviait à soi) l'attirait à soi avec des enivrements) ». Ce « mystère
funèbre » ne rappelle-t-il pas *Hernani*?

2. *Cf.* ce rêve de Salammbô dans un brouillon (tome IV, 23 661,
p. 343 et sq) : « Le souvenir de Mâtho la gênait d'une façon intolé-
rable. Elle allait dormir sur les tombeaux (sépulcres) dans les
Mappales (pour) afin d'avoir des songes d'où elle pût (apprendre)
décider ce qu'il fallait faire. Une fois elle l'avait vu. Il était tout en
airain debout au milieu de Carthage et ses épaules dépassaient le
fronton des temples. Elle avait allumé du feu (par terre) entre ses
jambes. (alors il s'était changé en airain) alors il l'avait pris dans ses
bras et sans qu'elle éprouvât aucune douleur peu à peu ils s'étaient
fondus ensemble. »

Elle se trompe, victime de son éducation. En effet Hamilcar a voulu que sa fille fût consacrée à l'adoration de la seule Tanit céleste et qu'elle ignorât tout de la Tanit sensuelle. Celle-ci se venge « de cette virginité soustraite à ses sacrifices ». Malade d'abstinences et de purifications, Salammbô « demeure clouée par l'idée fixe. C'est une maniaque, une espèce de Sainte Thérèse » écrira Flaubert. Salammbô connaît les vertiges mystiques, obsessions de l'esprit et inquiétudes lancinantes de la chair. Tourmentée par le désir d'apprendre « le secret de l'existence universelle », elle avive son mal dans ses conversations avec le grand-prêtre Schahabarim qui toujours refuse de lui enseigner les autres mystères de Tanit. La profondeur de sa croyance lui fait sentir la déesse mêlée à sa vie; elle « tressaille à des élancements intérieurs » qui l'épuisent et ne la satisfont point. Cependant, dès la scène initiale du Festin, la vierge hiératique éprouve et savoure l'orgueil de voir l'agitation des hommes qui l'admirent. Flaubert donne ici une forme romanesque à sa théorie des femmes désireuses de l'éternel époux et toutes amoureuses d'Adonis (Salammbô porte le nom de la Vénus babylonienne pleurant Adonis). Il suggère poétiquement dans le texte du roman son explication de psychologie religieuse. Étant donné d'autre part qu'il imagine Salammbô selon son idée de la femme « orientale » et qu'il se plaît à la décrire revêtue des féeriques parures de l'Orient antique, il apparaît que le personnage figure une conception de l'esprit et un type de vision rêvée. C'est pourquoi les visages bien réels qui purent alors émouvoir l'écrivain, ceux de Mme de Tourbey et de la belle Nelly Rosemberg admirée en Tunisie, ne semblent pas avoir pu marquer profondément sa création.

Les objurgations et les manœuvres de Schahabarim conduiront Salammbô vers le chef des Barbares. Flaubert, qui avait dans sa jeunesse projeté d'écrire

l'histoire de Judith et d'Holopherne, l'évoque seulement dans le chapitre *Sous la tente* par l'épisode du
poignard, mais il retrouvera son dénouement : Salammbô ne tue pas Mâtho, mais causera finalement sa
perte. Cependant lorsqu'elle croit se donner à Moloch,
sauver sa croyance et sa patrie, elle connaît indistinctement l'expérience où se fondent l'illusion religieuse
et la réalité sexuelle, et elle se trouve conquise à
jamais. Flaubert tout à la fois propose un système
de transfiguration poétique et le dénonce. Brusquement séparée de ce qu'elle fut, la jeune fille devenue
femme a réalisé le désir qui la tourmentait. Maintenant : « les angoisses dont elle souffrait autrefois
[l'abandonnent]. Une tranquillité singulière l'occupait.
Ses regards, moins errants, brillaient d'une flamme
limpide » et ses ferveurs religieuses s'apaisent. Bientôt
dans son vague esprit flotteront les souvenirs brumeux
de l'aventure ; elle n'attachera « guère d'importance
aux baisers du soldat ». Mais elle s'illusionne encore ;
elle désire le revoir.

Ainsi se mêlent les puissances de vie et d'illusion,
de haine et d'attachement sensuel, l'analyse réaliste
et l'ornementation poétique, le physique et le moral :
« je ne sais (et personne ne sait) ce que veulent dire
ces deux mots : âme et corps, où l'une finit, où l'autre
commence. Nous sentons *des forces* et puis c'est tout »
(IV, 314). Par une héroïne sans caractère propre, mais
typique, Flaubert tente de montrer les grandes forces
passionnelles qui l'émeuvent à en mourir.

Au dernier chapitre, Salammbô paraît, en son
triomphe, réaliser son mythe : « Salammbô resplen-
dissante se confondait avec Tanit et semblait le génie
même de Carthage, son âme corporifiée ». C'est alors
aussi qu'elle meurt, fascinée par Mâtho, ayant brusquement compris « tout ce qu'il avait souffert pour
elle ». L'amour et la mort s'allient en cet ultime
regard qu'échangent les amants, porteurs de dieux

adverses, et l'on célèbre la femme parce qu'elle a permis cette mort. « Ils la félicitaient : c'était son œuvre ».

Cette scène finale implique d'autres significations. Un peu auparavant, Salammbô, lorsqu'elle se rappelait Mâtho, « sentait confusément que la haine dont il l'avait persécutée était une chose presque religieuse ». De même la foule, quand lui est livré le barbare qui l'a fait trembler, contemple cette chose « décorée d'une splendeur presque religieuse » : le corps de la victime; et c'est aux prêtres qu'appartient Mâtho, à la dernière station de sa marche suppliciante. Flaubert a, dans ses notes, souligné cette valeur de communion sanguinaire que prend la mort de Mâtho : « excitation étrange, amour involontaire, désir malsain que donne l'homme célèbre, le criminel, le Héros, l'Hostie. Lubricité vague épandue dans l'air. C'est la revanche de Tanit, le pendant au sacrifice de Moloch » [1]. Sous une forme très concise, il montre les multiples effets auxquels il songea et qu'il entendit suggérer. Ce sacrifice offert à la patrie et aux Dieux est célébré dans la pompe d'une grandiose cérémonie sociale. Flaubert indique un sens de cette fête dans ses notes : « rappeler que le même mois le même jour avait eu lieu le festin des mercenaires... [...] dans l'air il y a comme le sentiment de l'Ordre rétabli, la Civilisation reprend le dessus, impassibilité de la nature pas une protestation pour la liberté et la justice, ce qui doit être la moralité du livre » [2]. Un banquet de notables termine le roman ouvert sur l'orgie des brutes misérables et révoltées; Narr'Havas passe le bras sous la taille de Salammbô, et boit au génie de Carthage; tout un peuple hurle de joie dans « un espoir sans bornes ». Mais la fille du Suffète va mourir

---

1. Mss. tome IV : 23 661, p. 382 verso *cf.* de même Tome V, 23 662, p. 207 recto : « le corps de l'ennemi (l'hostie) est une chose religieuse. »
2. Tome V, 23 662, p. 208 recto.

et l'on sait Carthage promise à une irrémédiable défaite... Une fois encore, par l'ironie tragique de ce triomphe, Flaubert dit bien la « suprême poésie du *néant-vivant* » et lui donne une splendeur pourpre dans cette scène finale où le dernier rayon du soleil éclaire la dernière palpitation d'un cœur.

« Ça ne prouve rien, ça ne dit rien, ce n'est [ni] historique, ni satirique, ni humoristique », écrit-il aux Goncourt (IV, 379). De fait il compose un roman historique où l'histoire ne reçoit aucun sens providentiel. Dans *Notre-Dame de Paris*, Hugo enseignait la morale de son récit et prouvait, abondamment, que « ceci tuera cela »; dans *Salammbô*, ceux-ci tuent ceux-là pour rien, pour que tout disparaisse, pour que le silence tombe sur tant de bruits et de fureurs. Viendra l'artiste qui fera renaître ce passé, et lui conférera la vérité inactuelle, fabuleuse et immuable de la beauté littéraire. Elle seule importe : « s'il n'y a pas... harmonie, je suis dans le faux. Sinon, non. Tout se tient. »

❧❧❧

D'où l'importance des problèmes techniques posés à l'écrivain. Flaubert devait, dans ce roman à la fois exotique et historique, faire voir un monde étrange, expliquer une action militaire, y mêler étroitement une action romanesque.

Ses descriptions, il veut qu'elles suscitent des visions de rêve et emploie beaucoup « d'art à laisser tout dans le vague » (V, 24). De fait, prétendant fixer un mirage, il évoque, mais à force de détails suggestifs. Lorsqu'il s'agit de paysages il soigne d'autant plus les effets de lumière et de couleurs qu'ils servent à constituer la symbolique générale de l'œuvre.

L'action militaire et l'action romanesque sont liées. La guerre est déclenchée par le retour des Mercenaires

et terminée par la mort de leur chef. L'intrigue amoureuse s'étend de la rencontre des deux personnages
principaux à leur ultime confrontation. Entre le
second et l'avant-dernier chapitre, Mâtho retrouve
Salammbô deux fois; le vol, puis la reprise du zaïmph,
« cause secondaire et dernière » de la défaite des Barbares, occupent les chapitres V et XI; Salammbô
paraît seule aux chapitres III et X. Des pauses
suspendent ainsi le récit des opérations de guerre.
Mais l'union entre ces deux aspects du livre, le conflit
de Carthage et des Mercenaires, l'amour de Mâtho
pour Salammbô, est assurée. Absente, Salammbô
demeure présente en l'esprit de Mâtho; l'un et l'autre
dominent symboliquement les partis qui se com-
battent.

Flaubert doit faire passer son lecteur d'un camp à
l'autre, donc changer fréquemment de perspective.
Il a prévu, avant de commencer à rédiger, une division
du livre en chapitres; il demande expressément à son
éditeur de ménager des « blancs » à l'intérieur des
chapitres.

Il adapte la technique mise au point dans *Madame
Bovary* à un sujet très différent et au genre particulier du roman historique. De ce point de vue une
comparaison détaillée (scènes, descriptions, dialogues) de ces deux œuvres donnerait d'utiles renseignements sur l'évolution de son art.

❧❧❧

Quel qu'eût été son désir de stupéfier le bourgeois,
Flaubert, à la fin de son travail, s'inquiéta de l'abondance de ses « charogneries ». L'accueil fait à l'œuvre,
publiée en novembre 1862, répondit à ce désir et à
cette inquiétude. Les critiques expriment étonnement
(sur le sujet et le genre choisis) et reproches (érudition
excessive et ennuyeuse, sensualité et cruauté). Dans

les appréciations littéraires se remarquent des rapprochements avec Chateaubriand, Walter Scott et,
une fois, avec Wagner. En trois articles Sainte-Beuve
repousse l'idée même de l'art qu'illustre *Salammbô*,
dénonce avec perspicacité quelques invraisemblances
et surtout « toutes ces éruditions rapportées » sur
lesquelles un artiste dilettante fonde sa recherche d'un
idéal rétrospectif. Gautier, fraternel, oppose à ces
articles un bel éloge. Enfin un archéologue, Froehner,
critiqua le travail de documentation historique.
Flaubert répondit à Sainte-Beuve et à Froehner,
vivement.

Il songea d'autre part, à diverses reprises, que son
œuvre, fort admirée de Berlioz, pourrait fournir un
bon sujet d'opéra. Le projet traîna. En revanche
Salammbô fournit aussitôt idées de déguisements aux
mondains et sujet de parodies aux amuseurs. C'était
une gloire que Flaubert n'avait sans doute pas rêvée;
mais il la supporta mieux qu'un procès!

6 L'ÉDUCATION SENTIMENTALE

Avant même d'avoir achevé *Salammbô*, Flaubert projette d'écrire avec ses amis d'Osmoy et Bouilhet et en manière de divertissement, une féerie. Ce sera *Le Château des Cœurs*. Mais il n'a pas fixé le sujet de roman qui pourrait le passionner longuement. Or, après ses terribles fatigues, il va se trouver sans imagination, usé. D'où plusieurs mois d'hésitations laborieuses qui l'amèneront à se décider enfin pour *L'Éducation sentimentale*.

A cette époque il noue, aux dîners Magny, de nouvelles amitiés avec Taine, George Sand, Tourgueneff, et commence à fréquenter le salon de la princesse Mathilde. Il ne néglige pas pour autant ses anciennes relations (Mme de Tourbey, la « Présidente » Apollonie Sabatier, l'actrice S. Lagier, etc.), non plus que les théâtres et leurs coulisses. Ces distractions mondaines peuvent procurer divers plaisirs et elles lui permettent d'observer certains milieux parisiens. Mais elles prennent du temps à un homme dont le travail créateur exige une longue et intense concentration d'esprit.

En juin-juillet 1863 il fait un séjour à Vichy. En janvier et avril 1864 sa nièce Caroline se fiance, puis se marie avec Commanville, ce qui n'alla point sans complications quant à l'état-civil du dit Commanville, ni sans conseils fort bourgeois de son oncle. En novembre 1864 il est, à Compiègne, l'invité de l'Empereur. Tableau ! aurait-il pu s'écrier. Mais cette revanche sur le scandale de *Madame Bovary* ne lui déplaît pas. En 1866, il est fait chevalier de la Légion d'Honneur.

Son projet d'écrire le *Château des Cœurs* laisse reparaître un goût profond et ancien pour le théâtre, et cette œuvre lui donne, après les complexes et horrifiantes évocations de *Salammbô*, le plaisir d'une inspiration simple et tendre. Certes la bêtise des féeries qu'il s'oblige d'abord à lire pour se documenter lui pèse beaucoup, mais le genre lui-même l'intéresse. Il songe à composer une préface « sérieuse » sur cette « forme dramatique splendide et large », rêve un système de métamorphoses qui transformerait sur la scène des expressions imagées en leurs réalisations. En fait, il se montra moins audacieux. Au cours de la rédaction, Bouilhet dut insister pour fondre l'élément comique et le fantastique, parce que Flaubert était alors tenté de les séparer. Finalement, cette suite de tableaux mêle en effet le merveilleux (fées, gnomes) et la satire (salon du banquier, royaume du Pot-au-feu). Mais une autre séparation se dessine et s'impose, celle du Bien et du Mal. Une leçon morale est continûment affirmée et dispensée jusqu'à ce qu'une heureuse conclusion assure le triomphe des bons sur les méchants. Après de multiples épreuves, Paul reconnaît dans Jeanne celle qui l'a toujours aimé, conquiert le Château magique et distribue aux bourgeois les bons cœurs dont ils manquent tant. Flaubert s'accorde là comme une revanche facile sur la dure discipline à laquelle il s'astreint dans ses romans. Il s'avoue du reste « un peu honteux » de ce texte dû à une amicale collaboration; mais il devait obstinément le présenter à des directeurs de théâtre, qui le refusèrent non moins obstinément.

Si le *Château des Cœurs*, création de verve, l'amusa, ses réflexions sur le choix d'un sujet romanesque furent longues et pénibles. Nous sommes mal renseignés sur la genèse et la composition de *L'Éducation sentimentale*, dont les brouillons et scénarios n'ont pas été publiés. On sait que Flaubert hésita quelque temps entre deux sujets : une « Histoire de deux cloportes — Les deux commis » qui deviendra *Bouvard et Pécuchet*, et un roman moderne parisien qu'il intitule *Madame Moreau* et, au moins dès avril 1863, *L'Éducation sentimentale* (S I, 321). Dans les deux cas il prévoit donc des œuvres modernes, bien qu'il déclare alors n'avoir pas la force de « s'exalter sur des messieurs ou des dames ».

Déjà le 29 mars 1862 le *Journal* des Goncourt rapporte que Flaubert songe à différents projets : romans sur l'Orient moderne, sur l'Oriental se civilisant et l'Européen retournant à l'état sauvage (on évoque l'ombre de Chateaubriand), roman fondé sur l'Association des Treize (on pense à Balzac), enfin « deux ou trois petits romans, non incidentés, tout simples, qui seraient le mari, la femme, l'amant ». Or, entre autres scénarios qu'a publiés Mme M. J. Durry dans son très précieux *Flaubert et ses projets inédits*, celui de « Mme Moreau » commence ainsi : « Le mari, la femme, l'amant tous s'aimant, tous lâches ». Ce plan primitif paraît en effet « non incidenté » et simple. Est-ce à cette œuvre que Flaubert fait allusion le 12 décembre 1862 dans un de ses *Carnets*? En tout cas il doute encore de sa résolution et se pose seulement une question : s'est-il « mis sérieusement au plan de la première partie de [son] roman moderne parisien? » (NV, II, 364).

Les ébauches publiées permettent de discerner comment il élabore l'expérience personnelle dont il part, celle de sa rencontre avec les Schlésinger. Dès la première esquisse il organise un système de contrastes (femme vertueuse et lorettes), de parallèles (l'amour léger et l'autre), et d'adéquations (désir de la femme honnête d'être une lorette, et l'inverse; identité des deux formes d'amour); il marque un désaccord que la vie doit assurer : « Elle l'aime quand il ne l'aime plus ». Poursuivant son étude il réfléchit qu' « il serait plus fort de ne pas faire baiser Me Moreau qui chaste d'action se rongerait d'amour », transposant ainsi dans le mariage une idée proche de celle qu'il avait méditée pour sa vierge flamande en 1850. Puis, à la place d'une première « fin en queue de rat », il inscrit une conclusion dramatique : la femme « finit folle, hystérique ». Puis il s'interroge, comme surpris par sa propre réflexion : « Mais s'il y a parallélisme entre les deux femmes l'honnête et l'impure... l'intérêt sera porté sur le jeune homme — (ce serait alors une espèce d'Éducation sentimentale?) ». Il passe donc d'un sujet dominé par un personnage féminin, *Madame Moreau*, à un sujet centré sur un personnage masculin, Frédéric, placé entre deux femmes, la Bourgeoise et la Lorette, et qui « s'élèverait (par suite de son progrès) au-dessus des deux ». Creusant ses premières pensées et tentant de définir l'évolution psychologique de son héros, Flaubert voit sa passion — d'après lui-même? — « foudroyante d'abord, puis timide et constante, puis repoussée », intermittente « quand son cœur est vide d'autres femmes ».

Une construction romanesque commence donc à paraître. Flaubert entrevoit des scènes, un système de relations à nouer entre personnages, des milieux à peindre, une action qu'il divise en deux parties : l'enrichissement et la ruine de la famille Moreau. Enfin il affirme une ambition plus vaste. « Montrer que le sentimentalisme (son développement depuis 1830) suit la Politique et en reproduit les phases ». Or le *Journal* des Goncourt du 11 février 1863 rapporte : « Causerie sur son roman moderne, où il veut faire tout entrer, et le mouvement de 1830, — à propos des amours d'une Parisienne, — et la physionomie de 1840, et 1848, et l'Empire : « Je veux faire tenir l'Océan dans une carafe ». Ces formules indiqueraient quelle ambition son travail a fait naître. Parti d'un projet de roman non incidenté et tout simple, où cacher, où exploiter littérairement l'insigne souvenir de sa jeunesse, il vise maintenant à composer un grand livre rétrospectif. Déjà en 1853, il réservait précisément pour son âge mûr « un grand roman moderne où j'en passerai en revue » (III, 255).

Après avoir dans *Salammbô* présenté un très lointain passé, Flaubert entreprendrait l'histoire d'un passé récent, vécu, qu'il ferait revivre par un héros imaginaire, proche mais différent de lui-même, et typique. Proche de l'écrivain que sa propre expérience inspire, mais différent puisqu'un « défaut radical d'imagination » et le manque « de suite dans les idées » l'empêcheront « d'être un artiste », Frédéric sera plus intéressant en somme de demeurer quelconque, médiocre, et par là typique. La mémoire donne à Flaubert des éléments autobiographiques et l'émotion de ses souvenirs. Ce sera son travail que de les transmuer en l'impersonnelle émotion d'art. D'autre part la recherche des documents assurera l'objectivité que demande l'histoire. Alors un Sentimentalisme qu'il a vécu mais repoussé, une Politique qu'il a subie et récusée, réapparaîtront dans une œuvre d'expérience personnelle et de littérature « exposante ».

Très tôt Flaubert discerne et déplore le caractère singulier de ce livre dont il peine à établir le plan : « aucune scène capitale ne surgit », « ça ne fait pas la pyramide » (S I, 319, 321). Cependant, après une journée de travail avec Bouilhet en mai 1864, il estime : « l'idée principale s'est dégagée et maintenant c'est clair ». En septembre 1864 il commence à rédiger, et dans une lettre du 6 octobre il déclare ses intentions : « Je veux faire l'histoire morale des hommes de ma génération; « sentimentale » serait plus vrai. Ç'est un livre d'amour, de passion; mais de passion telle qu'elle peut exister maintenant, c'est-à-dire inactive ».

Il a entrepris à la Bibliothèque Impériale des lectures politiques; elles excitent sa verve, mais il ne se sent pas pour autant « empoigné » par son sujet. La conception même du roman, l'idée directrice d'une passion « inactive », soulèvent une difficulté : « les faits, le drame manquent un peu » (V, 158; S I, 323). La gêne qu'il ressent ne vient-elle pas de ce qu'il imagine son futur roman à partir de l'amour que lui fit connaître Mme Schlésinger? L'insuffisance des faits, une certaine carence de l'imagination dramatique ne résulteraient-elles pas, en une certaine mesure, de son expérience personnelle de la « passion inactive »?

Les belles études de Gérard-Gailly ont mis en relief l'importance exceptionnelle qu'eut pour la vie et l'œuvre de Flaubert la rencontre de Mme Schlésinger en 1836. Toutefois il importe de préciser que très tôt l'amour s'était mué en un souvenir aimé. Flaubert a déclaré qu'il n'avait eu qu'une seule passion, et aussi qu'elle avait duré quelques années seulement. Dès 1846 il s'étonnait d'avoir tant aimé une femme qu'il affirmait alors reconnaître avec peine (I, 363; *cf.* I, 282). Le temps devait lui confirmer la persistance d'un souvenir éblouissant, et cependant l'amour qui l'avait d'abord « ravagé » devenait tendresse lointaine et nostalgique. L'artiste avait choisi sa voie et ne regrettait pas : « A dix-sept ans si j'avais été aimé, quel crétin je ferais maintenant! » (III, 130), écrit-il en 1853. Son amour lui-même est mort, mais le souvenir en reste sacré et dort dans l'ombre, dans la « chambre royale » de son cœur qu'il a « murée », (IV, 352).

En janvier 1862 il apprend que Mme Schlésinger est atteinte « d'une affection nerveuse », et il s'inquiète. Puis il la sait enfermée à Bade dans une maison de santé. Elle en sort en 1863 et Du Camp annonce qu'il l'a vue « maigre, pâle, brune, des cheveux tout blancs et de grands yeux égarés... » Flaubert a songé que la folie pourrait lui fournir une conclusion dramatique, mais il a préféré reprendre sa première idée de fin indécise. Au reste il revoit Mme Schlésinger à Paris, à la fin de mars 1867, et peut insérer dans son livre le souvenir de cette rencontre avec la vieille dame qu'il chérissait toujours extraordinairement : par la grâce de son apparition elle lui avait fait découvrir et vivre les tourments de la passion, et maintenant vieillie, malade, malheureuse, elle faisait resplendir les anciens rêves et signifiait leur désastre. L'homme qui avait conté lyriquement sa révélation de l'amour dans les *Mémoires d'un fou* et appris comme la vie peut user et transformer une passion de jeunesse; qui avait analysé dans son œuvre la puissance et dénoncé les mensonges des exaltations passionnelles, va, dans sa seconde *Éducation sentimentale*, composer son grand livre de mémoire et de jugement. Un souvenir lumineux et sublimé, une analyse systématiquement critique éclaireront les illusions et les épreuves d'un « jeune homme » et l'histoire de toute une génération. Frédéric connaît la grâce unique d'un grand amour et accumule les déceptions, tandis que d'intenses espoirs politiques soulèvent la jeunesse de l'époque et retombent brisés.

Du 1er septembre 1864 au 16 mai 1869 Flaubert rédige les 498 pages du manuscrit définitif. Après avoir prévu deux parties contrastées, il divise son livre en trois parties dont la première est terminée en janvier 1866, la seconde en février 1868, la troisième en mai 1869. Cette rédaction a été interrompue par quelques voyages, à Bade en 1865, à Londres en 1866 et à Fontainebleau en 1868. Lorsque Flaubert séjourne à Paris, il peut se documenter assez aisément; lorsqu'il vit à Croisset, c'est surtout à son ami J. Duplan qu'il s'adresse pour obtenir les renseignements dont il a besoin.

❧❧❧

L'amour que l'écrivain a relégué au secret de la mémoire, son personnage en restera dominé. L'*Éducation sentimentale* s'ouvre sur une expérience capitale de Flaubert, mais un quelconque jeune homme doit en éprouver la profondeur longuement et de toute la faiblesse de son âme. Frédéric croit au bonheur : il s'abandonnera mollement à ses tentations et gâchera une vie illuminée par la rencontre décisive. Flaubert considérant, trente ans après, le sentiment extra-ordinaire que Mme Schlésinger lui inspira, l'exalte et le dégrade dans un personnage qu'il veut représen-tatif de sa génération, et doublement exemplaire parce qu'il vit sincèrement sa passion et parce qu'il la trahit.

D'emblée, dès la première scène imaginée par contamination de souvenirs (*cf.* III, 332), l'apparition de Mme Arnoux comble l'attente de Frédéric et réalise aussitôt l'aspiration de son cœur. La merveilleuse surprise prend figure de révélation. Un idéal a trouvé sa correspondance réelle, le songe devient vrai. Ceci s'explique. Mme Arnoux ressemble « aux femmes des livres romantiques » (12). Elle inspire à son adorateur des rêves, des projets littéraires typiques du roman-tisme (34, 97). Voilà bien pourquoi « en la voyant pour la première fois, il l'avait reconnue » (389).

D'emblée aussi l'idée de la possession physique disparaît « sous une envie plus profonde » (7). Plus tard Frédéric usera d'un langage quasi mystique pour caractériser son amour et posera Mme Arnoux « en dehors des conditions humaines » (245). Mais cette sublimation religieuse de la femme aimée, qui contient et refoule le désir, l'exaspère aussi en « convoitises furieuses » (392). Énervé tout à la fois par son obses-sion amoureuse et par l'insupportable attente, Fré-déric ne pourra que rêver, désespérer ou se distraire, jusqu'à ce que sa propre lâcheté, la vertu de Mme Arnoux, le hasard aient assez longtemps fait durer une « passion inactive » pour qu'il soit trop tard : ils se seront bien aimés, sans s'appartenir (603).

Ainsi passera le temps d'une vie. Frédéric s'imagine diverses ambitions, se voit écrivain, peintre, orateur, homme politique et renonce vite. Des occasions de réussite mondaine s'offrent, il les laisse échapper et saura même sacrifier celle que lui présente Mme Dambreuse pour rester fidèle à son idéal. Un seul sentiment l'occupe assez pour le retenir ou le reprendre; cette trop belle raison de vivre devient la raison et l'excuse de son échec. Entre la première apparition et la réapparition finale de Mme Arnoux se sera faite, ou défaite, l'« histoire d'un jeune homme ». Une fois encore Flaubert exprime l'amère poésie du « néant-vivant ».

Frédéric ne lui ressemble pas plus qu'à Maxime Du Camp et à d'autres qui, sans doute, lui fournissent expériences, attitudes ou idées. Il doit être typique, et vivre médiocrement l'aventure poignante que Flaubert lui invente à partir de son propre passé : exceptionnelle par l'intensité des émotions et commune en ses effets. De même que dans *Madame Bovary*, le créateur se retrouve et se critique en son personnage; mais dans ce livre rétrospectif qu'est la seconde *Éducation sentimentale* la fiction romanesque est plus proche de la réalité vécue et le personnage plus éloigné de son auteur.

Flaubert ordonne la vie de Frédéric à partir de ce que lui-même éprouva : la soudaine irruption de l'amour, son effacement, sa survie. Mais dans le roman la persistance de l'amour permettra ses brusques renouvellements. Une composition très savante manifestera tout à la fois les intermittences et la continuité de la passion.

À la fin de la première partie, Frédéric considère Mme Arnoux « comme une morte dont il s'étonnait de ne pas connaître le tombeau, tant cette affection était devenue tranquille et résignée » (139).

Grâce à son héritage, il peut la revoir. Il est bientôt « ressaisi par un amour plus fort que jamais, immense » (192). Cette seconde période s'étend jusqu'à la scène scandaleuse du Champ de Mars; alors, triste à en mourir, Frédéric sent qu'il a « perdu son grand amour » (297).

Il rencontre de nouveau par hasard Mme Arnoux (373) et connaît dans la petite maison d'Auteuil le bonheur des confidences partagées et la plus belle époque de leur liaison platonique. Le rendez-vous manqué de la rue Tronchet y met fin : « comme un feuillage emporté par un ouragan, son amour disparut » (405).

Enfin dans la troisième partie, lors d'une nouvelle rencontre fortuite, « le vieil amour se réveilla » (490); mais la visite impromptu de Rosanette chez les Arnoux signifie l'irrémédiable désaccord (515). Bien que Frédéric garde un « espoir invincible » (579), il ne peut empêcher le départ de Mme Arnoux et s'en ira traîner une existence qu'un « souvenir continuel » lui rend insipide. Et l'ultime réapparition de Mme Arnoux, la pathétique évocation des souvenirs communs montreront que le temps des illusions et des désillusions est fini.

Trois fois donc cet amour s'efface et renaît. L'action principale semble suspendue, puis l'espoir ressuscite et prépare une déception nouvelle. Ces renaissances et ces morts apparentes de l'amour mettent en valeur la continuité d'une passion. Hasards, résistances de la vertu, contre-temps opposent à Frédéric d'insurmontables obstacles; mais le charme demeure vivace et agit à nouveau. Ces reprises et ces variations du thème fondamental ne dessinent pas des arabesques sentimentales, mais approfondissent le sens d'une histoire. Entre la première partie et la troisième, de nettes différences (emballement d'un cœur jeune, amertume et tendresse finales) montrent comme le temps fait son œuvre, comme la vie use et dupe un sentiment jusqu'à ne plus laisser aimer que son souvenir.

En raison de cette opposition entre l'unique passion du héros et la multiplicité des expériences, spectacles, épisodes que l'*Éducation sentimentale* rapporte, ce roman dépouillé est aussi le plus foisonnant que Flaubert ait écrit. A son habitude, l'écrivain ménage et équilibre différents contrastes.

Frédéric éprouve une passion extraordinaire pour Mme Arnoux, mais connaît des aventures moins rares avec d'autres femmes. Pas plus qu'il n'est constant, le « nouveau mode d'exister » que lui confère l'adoration de Mme Arnoux n'est exclusif. Elles sont trois qui lui offrent des tentations diverses : Rosanette le plaisir, Mme Dambreuse la haute situation mondaine, Louise Roque le mariage. Mais celle-là seule qui se refuse gardera sur ses rivales une invincible supériorité. C'est en fonction de l'amour primordial de Frédéric que Flaubert conçoit et fait intervenir ces personnages féminins secondaires.

Le contraste principal, indiqué déjà dans l'ébauche, oppose le « grand amour » et « l'amour joyeux et facile » (297), Mme Arnoux et Rosanette; la marche de l'action le nuance de plusieurs façons. Frédéric d'abord trouve quelque charme aux « musiques » différentes qu'il goûte à fréquenter les deux femmes (207); il éprouve ensuite, dramatiquement, que leurs séductions sont inconciliables (297, 408). D'autre part il voit Arnoux unir avec une joviale simplicité les satisfactions d'un mari et d'un amant heureux. Or les deux hommes qui s'opposent s'entendent aussi fort bien. L'aplomb, la vulgarité expansive et les soucis d'argent de l'un, la mollesse et la fortune de l'autre et, plus encore, des « ressemblances profondes » les acoquinent étroitement. Frédéric recevra les confidences intimes d'Arnoux; elles le scandaliseront (264) — et un jour viendra où il les admettra fraternellement (454). Il est vrai qu'en l'occurrence il a été tenté d'assassiner Arnoux quelques heures auparavant, mais il est également vrai qu'Arnoux vient de le tromper avec Rosanette... leur camaraderie n'en est pas affectée. A l'opposition extrême des deux femmes répond ainsi la liaison amicale des deux hommes. D'où la variété des relations possibles et tout un jeu d'actions et de réactions entre ces quatre personnages; d'où les effets changeants, pathétiques, grotesques, complexes, que l'ironie flaubertienne entremêle d'épisode en épisode.

C'est Arnoux qui mène Frédéric chez Rosanette et l'initie au charme d'un milieu « fait pour lui plaire », celui des plaisirs de la capitale. Si le jeune provincial y ressent d'abord le malaise de « participer à quelque chose d'hostile » contre Mme Arnoux, il éprouve bientôt une soif nouvelle, « celle des femmes, du luxe ». En cette scène du bal masqué, il commence à distinguer, à confondre les bonheurs qu'il souhaite. Rosanette dont il rêve (183) le séduit, mais sa compagnie lui rappelle aussi l'impérieux souvenir de Mme Arnoux (217). Avec une délicate lâcheté il accueille les impressions diverses; il se forme.

En créant le personnage de Rosanette, la « Maréchale », Flaubert s'est souvenu de plusieurs amies (Suzanne Lagier, la « Présidente » Mme Sabatier, d'autres sans doute). Elle incarne la séduction à la fois fugace et prenante de la lorette parisienne. Point compliquée mais fort corrompue, elle sait faire la part de chacun : le père Oudry, Arnoux, beaucoup d'autres l'entretiennent successivement ou ensemble. Frédéric ne parvient à la posséder qu'après sa déconvenue de la rue Tronchet, par désespoir et pour « outrager en son âme Mme Arnoux ». Cette revanche le console et même lui apporte, un temps, le bonheur de croire aimer sincèrement. Rosanette le charme à Fontainebleau. Ses naïvetés de jolie sotte distraient son chagrin et, lorsqu'elle raconte les souffrances de sa jeunesse, elle l'émeut. Spontanée et retorse, elle l'aime doucement, âprement, et lui montrera quand elle aura, puis perdra son enfant, « toute la tendresse de sa nature » féminine. Mais elle étale aussi sa stupidité, l'irrémédiable vulgarité de ses goûts, et bientôt ses prétentions à la respectabilité. Rosanette en arrive à mentir à son rôle (561) de jolie fille entretenue. Elle finit en veuve bourgeoise (608).

L'action de la dernière partie l'oppose épisodiquement à Mme Arnoux et continûment à la femme du monde, Mme Dambreuse. Inspirée de Mme Delessert, maîtresse de Mérimée et de Maxime Du Camp, celle-ci impressionne « comme une œuvre d'art pleine de délicatesse, une fleur de haute culture » (337). Elle rayonne froidement dans son salon et séduit Frédéric par le prestige de sa fortune et la perfection de sa mimique mondaine. Langoureuse et sèche, savamment engageante et faussement poétique, « son front... dénotait un maître » (230). Deslauriers avait recommandé cette conquête à Frédéric, qui, sensible à l'atmosphère aristocratique du salon et tenté par l'ambition, fera sa cour. Il vaincra vite, grâce aux menées de Martinon, et surtout parce qu'en cette phase du roman son éducation sentimentale s'achève. Il sait maintenant « faire tout ce qu'il faut » (522); ses mécomptes l'ont rendu clairvoyant et il a si bien appris le jeu des mensonges d'amour qu'il soutient à ce sujet des idées qui laissent transparaître la pensée même de Flaubert (526). Tel un Rodolphe parisien, ou comme Henry à la fin de la première *Éducation sentimentale*, il est passé maître et peut mener parallèlement ses liaisons avec Rosanette et Mme Dambreuse, d'autant mieux aimé de chacune qu'il les trompe l'une et l'autre. Mais la conquête de Mme Dambreuse, qui d'abord l'emplit d'orgueil, va lui découvrir sa désagréable vérité : la déception des sens, l'irritation du cœur. Mme Dambreuse lui révèle sa dureté, son hypocrisie, sa volonté tyrannique : « elle voulut que Frédéric l'accompagnât le dimanche à l'église. Il obéit, et porta le livre » (559). Que l'héritage de M. Dambreuse lui échappe le touche peu; et il ne comprend même pas quel centre d'activité et quel repaire le financier avait su ménager dans sa demeure : « Quant au bureau de M. Dambreuse, pièce déplaisante, à quoi pouvait-elle servir? » se demande-t-il lorsqu'il envisage les futures transformations de l'appartement. Mais que Mme Dambreuse, ulcérée de jalousie, fasse vendre le mobilier des Arnoux et enlève un précieux objet témoin de son grand amour, qu'elle prétende triompher de son humiliation — alors, touché au plus vif, il sacrifie la fortune à la seule Aimée. Mme Dambreuse a pu l'emporter aisément sur la jeunesse de Rosanette et le charme des plaisirs faciles, non sur la fidélité du rêve.

Frédéric n'a plus, pour compléter ses désillusions, qu'à se tourner vers la jeune fille, Louise Roque. Déjà, quand il oubliait Mme Arnoux dans la quiétude de Nogent, elle l'avait attiré (136). Elle « s'était prise d'un de ces amours d'enfant qui ont à la fois la pureté d'une religion et la violence d'un besoin » (359). La vigueur et la franchise de cette affection flattent la vanité masculine de Frédéric, mais le troublent aussi, comme une menace à sa liberté. Louise, qui réclame son amour et s'offre à lui, signifie le mariage, l'adieu aux rêves, le renoncement (365). Il faudra son ultime déception parisienne pour qu' « en haine du milieu factice où il avait tant souffert » Frédéric revienne à Nogent, enfin décidé à épouser Mlle Roque, trop tard évidemment.

Sous les éclairages divers où l'imagine Flaubert,

Louise, sauvageonne si bien accordée à la végétation folle d'un jardin (358-362), ou faisant piètre figure dans le salon Dambreuse, ou courant désespérément les rues de Paris en quête de son idole, lutte avec une ardeur juvénile, maladroite. Elle échoue, trop inférieure à ses rivales. Elle ne joue qu'un rôle épisodique.

Ces trois femmes qui contrastent entre elles, et toutes avec Mme Arnoux, passent et repassent dans la vie de Frédéric. Elles lui donnent l'expérience des cœurs féminins. Elles lui apprennent quel mystère, flaubertien, ils renferment : ils sont comme des meubles à secret où l'on trouve « quelque fleur desséchée, des brins de poussière ou le vide » (558). Mais elles ne lui apprennent pas — c'est alors un autre mystère flaubertien — à renier définitivement son grand, son unique amour. De ce point de vue, lorsqu'elle commence, l'éducation sentimentale de Frédéric n'est-elle pas accomplie? En paraissant, Mme Arnoux lui a montré celle qu'il cherchait, celle qu'il se désespérera de ne pouvoir conquérir : la pure, l'inaccessible inspiratrice de l'amour. Cette révélation suffit.

La beauté de Mme Arnoux peut n'être pas remarquée (9); une rivale perspicace sait critiquer son physique (589); mais Flaubert la présente surtout telle que la voit Frédéric. C'est-à-dire qu'il retranscrit certaines sensations que lui-même éprouva jadis devant Mme Schlésinger, et les émotions que lui firent ressentir la splendeur de sa peau ambrée, le rayonnement de ses yeux, la séduction de sa voix. Le « mouvement de cœur presque religieux » qui soulève d'abord Frédéric fait que, sous le regard qui l'admire, Mme Arnoux se transfigure. Ses yeux disent la bonté, une « suavité infinie » (374), et ses mains délicates semblent « faites pour épandre des aumônes, pour essuyer des pleurs » (206). Elle évoquerait une Madone brillante et douce, et nous rappellerait ces premières

visions que Flaubert eut de Mme Schlésinger en jeune
mère ou certaines *Vierges à l'enfant* qu'il contemplait
amoureusement dans les musées d'Italie. D'ailleurs,
comme le docte Pellerin le déclare avec à-propos
devant Rosanette pleurant sur le cadavre de son
nouveau-né : « Le type du sublime (Raphaël l'a
prouvé par ses madones), c'est peut-être une mère
avec son enfant ». Telle est aussi l'image que Frédéric
se fait de l'aimée : religieuse et sensuelle, maternelle,
qui provoque et interdit l'amour.

En regard de cette vision idéalisée se fait jour, au
long du roman, une réalité autre, ou autrement idéalisée par l'écrivain. L'honnêteté profonde et simple,
la pudeur, son exigence de pureté donnent à Mme Arnoux sa droite beauté de femme, d'épouse (malheureuse), de mère (bientôt déçue). Elle est « révoltée
par les turpitudes hypocrites ; et cette droiture d'esprit
se rapportait si bien à la beauté régulière de son
visage, qu'elle semblait en dépendre » (120). Sa vertu
n'est point jouée, mais parfaitement sincère et
accordée à sa nature. Mme Arnoux ne veut pas mentir
à son rôle. Elle assume ses tâches. Frédéric, qui
souvent la contemple occupée à d'humbles besognes,
comprend ainsi « Werther que ne dégoûtent pas les
tartines de Charlotte ». Il admire cette fermeté
tranquille ; il en souffre. Un jour, déçu, il la qualifie
de « bourgeoise » (157) ; elle-même ne le contredit pas
(« je ne me vante pas d'être une grande dame », 286)
et déclare fonder prosaïquement sa sagesse sur le
refus des désordres qu'entraîne l'adultère, sur le bon
sens, sur l'égoïsme. Mais elle n'est pas insensible.
Sa vertu est humaine, chancelante parfois, sauvée
par le hasard et finalement regrettée. Mme Arnoux
a été heureuse d'inspirer à Frédéric sa timide passion,
ravie de découvrir qu'elle l'aimait, instinctivement
jalouse de ses rivales. Elle goûte à Auteuil les joies
d'un « sentiment qui lui semblait un droit conquis

149

par ses chagrins »; comme Frédéric, avec lui, elle rêve, se croyant « sûre de ne pas faillir ». En effet, elle sait résister et demeure ainsi fidèle à l'image qui préserve et entretient l'amour de Frédéric.

« Je n'ai jamais aimé qu'elle » affirme-t-il justement. Et pourtant il a connu des amours multiples, avec Rosanette, avec Mme Dambreuse. Mais « il y en avait une troisième toujours présente à sa pensée. L'impossibilité de l'avoir le justifiait de ses perfidies » (557). Flaubert, quand il imagine cette confusion sentimentale et analyse ces subtils accommodements de la vérité et du mensonge, adapte à ses fins romanesques deux idées qu'il exprime dans la *Correspondance* : qu'en une grande passion « plusieurs autres peuvent se mouvoir » (IV, 59), que l'échec d'un long amour fait connaître aux hommes les dégoûts de la prostitution (IV, 352). Ainsi, dans le livre, l'amour inassouvi réclame des compensations sensuelles, suscite ces trahisons, ces partages où Frédéric se venge habilement de son infortune. La présence et l'absence également ravageantes de Mme Arnoux causent ou suspendent ces intrigues amoureuses assez diverses pour qu'une vie sentimentale définitivement orientée dès les premières pages du roman échoue finalement par « défaut de ligne droite ». Certes Frédéric ne regrettera rien; mais la poésie du souvenir est la dernière illusion de l'homme — et la réalité première de l'artiste.

Le thème fondamental du livre offre donc la particularité de faire et de défaire l'action, de proposer une valeur suprême qui dévalorise les autres et qui est elle-même mise en question. Que Flaubert n'ait pas construit une « pyramide » est certain : les pierres n'en sont apportées que pour être rejetées. Les épisodes s'accumulent pour une somme nulle et une vie manquée s'achève sur le rappel de sa promesse : l'échec.

❧❧❧

En Frédéric, qui ne peut réaliser son idéal et s'abandonne au rêve, une dissociation intérieure se produit, qui le paralyse. Dès la scène initiale, lorsque le jeune bachelier regarde du bateau le paysage qui se déroule sous ses yeux, puis en diverses occasions (défilé des voitures sur les Champs-Élysées, combats de février 1848), Flaubert met en lumière ce trait caractéristique d'une personnalité. Frédéric voit les hommes s'agiter, les événements se succéder, comme s'il assistait « à un spectacle ». A l'écart de la mêlée il contemple l'histoire de son époque.

C'est qu'il s'intéresse médiocrement aux luttes politiques contemporaines. Pour mieux éclairer cet aspect de son sujet, Flaubert, reprenant le procédé de la première *Éducation*, double son personnage principal d'un ami très cher, Deslauriers. Les deux caractères s'opposent et se complètent; en chacun les qualités et les défauts de l'autre sont inversés. L'un pense à Werther et l'autre à Rastignac (*cf.* III, 354). Sentimentalement inéducable, Deslauriers ne voit dans les femmes que des occasions de plaisir ou de réussite sociale. Il se veut homme d'action et rêve le pouvoir. Ayant lu Balzac, il croit savoir par quelle méthode doivent logiquement se conquérir la richesse et les bonnes places. Mais le monde réel, ou plutôt flaubertien, n'est pas « une création artificielle, fonctionnant en vertu de lois mathématiques » (112). L'ami séduisant et riche en qui l'on espère un Rastignac généreux et utile, un compagnon des *Treize*, se révèle faible et lâche, et « par excès de rectitude » Deslauriers lui-même échoue. Il va de l'espoir à la déception, à la rage, et en arrive enfin à la lassitude. En un savant contrepoint de ces deux vies, Flaubert oppose les succès précaires de Deslauriers (places attribuées lors des changements de régime, brèves conquêtes féminines) et les heureuses réussites de Frédéric (l'héritage, Rosanette, Mme Dambreuse) et mène les deux compagnons vers leur double échec final, qu'ils commenteront ensemble, « réconciliés encore une fois, par la fatalité de leur nature qui les faisait toujours se rejoindre et s'aimer ».

Deslauriers se passionne pour la politique. Pauvre, aigri par une jeunesse malheureuse, il s'enfièvre très tôt d'opinions avancées qui expriment et masquent à la fois sa furieuse envie de percer et de dominer. L'homme a des allures de cuistre envieux et besogneux et, en comparaison de Frédéric, son rôle semble secondaire. En fait ce rôle est important. Car Flaubert, de même qu'il prête à Frédéric son expérience personnelle d'un authentique amour, fait parfois exprimer à Deslauriers ses propres idées politiques. Il se déguise en ses deux personnages, l'un médiocre, l'autre antipathique, et, les séparant visiblement de lui-même, reste présent en eux.

Lorsque par exemple Deslauriers critique certains socialistes (198), ou bien esquisse un programme de Journal qui ne servirait aucun parti (253), il soutient des idées flaubertiennes. Dans son exaltation, il en arrive à une critique radicale des réformateurs sociaux (« tous s'accordent dans l'idolâtrie imbécile de l'Autorité »), de tout gouvernement (« pas un... n'est légitime, malgré leurs sempiternels principes »), des mythes politiques : « en quoi la souveraineté du peuple serait-elle plus sacrée que le droit divin? L'un et l'autre sont deux fictions! Assez de métaphysique » (255). Ce sont là quelques « opinions rentrées » que la *Correspondance* laisse fuser de temps à autre (*cf.* III, 39-40; V, 344, 385). Il apparaît donc que Flaubert exprime sa haine des « métaphysiques » et des dogmes politiques, sa révolte d'apparence libertaire et son rationalisme scientiste par ce truchement. Mais un lecteur non averti peut-il alors prendre

Deslauriers pour le porte-parole de l'auteur? Un ambitieux déçu, bien documenté sur les théories politiques, croit toucher « à son vieux rêve : une rédaction en chef ». Il juge alors « plus équitable » et « plus fort » de ne servir aucun parti pour mieux s'imposer à tous. Flaubert lui attribue un souci d'équité qu'il partage et une ambition qui lui est étrangère. Or l'arrivisme du personnage et le détachement de l'artiste se rejoignent paradoxalement. Le mépris de tous les systèmes politiques exprime, dans les deux cas, un individualisme forcené.

Deslauriers est flanqué d'un ami socialiste, Sénécal, « un futur Saint-Just »; c'est-à-dire qu'il est situé entre Frédéric, qui le séduit par son charme féminin, et Sénécal, dont il subit l'ascendant. Dans le petit groupe des jeunes gens opposés au régime de Louis-Philippe, Sénécal représente, par son dévouement austère et courageux, la rigueur extrémiste. Il a cherché et trouvé dans les livres de quoi justifier ses rêves et n'a pas un doute sur leur réalisation prochaine. Avec « des raisonnements de géomètre et une bonne foi d'inquisiteur », il défend son idéal de « démocratie vertueuse... une sorte de Lacédémone américaine où l'individu n'existerait que pour servir la Société, plus omnipotente, absolue, infaillible et divine que les Grands Lamas et les Nabuchodonosors » (195). Petit esprit et grand idéaliste, ce sectaire déteste la liberté et rêve haineusement d'une démocratie dont la Ligue lui paraît avoir signifié l'aurore (201). Flaubert le conçoit comme un type historiquement représentatif, auquel il règle son compte : par le sarcasme quant à la doctrine, par une présentation le plus souvent caricaturale quant à la personne, par une ironie dramatique quant à son rôle dans l'action romanesque.

En contraste avec le révolutionnaire à système, Flaubert campe « le Citoyen », Regimbart, qui ne considère « dans les faits que les faits » et se méfie des idées générales. « On aurait dit, à voir le sérieux de son visage, qu'il roulait le monde dans sa tête. Rien n'en sortait » (55-56). Ce majestueux imbécile ponctue de formules simples les bavardages politiques qu'il poursuit de café en café. Puis son grotesque se concentre encore. Regimbart réduira son langage au seul mot : « Bock ! » lâché de demi-heure en demi-heure, et cette apparence de penseur « très fort » atteint enfin une simplicité fantomatique, essentielle : « vidé, un spectre ! » (609).

Le cabotin Delmar, lancé par des rôles de révolutionnaire et imbu de sa « mission », la Vatnaz, amoureuse déçue et féministe passionnée, peuvent être joints au groupe des démocrates; leur médiocrité prétentieuse n'y fera pas tache.

Or les jeunes patriotes n'ont point tort de s'opposer au régime de Louis-Philippe. Les voici par exemple qui, dans une discussion amicale, vitupèrent le gouvernement, « tous ayant contre le Pouvoir la même exaspération. Elle était violente, sans autre cause que la haine de l'injustice; et ils mêlaient aux griefs légitimes les reproches les plus bêtes » (378). Ils s'exaltent confusément à dénoncer un ordre social inique et les échecs certains du gouvernement; ils sont justes et sots. Leur haine de l'Autorité (41), c'est Deslauriers, outrant quelques pensées flaubertiennes, qui la proclamera, « l'œil allumé », au cours d'un excellent déjeuner, sous les applaudissements de ses amis : « Je bois à la destruction complète de l'ordre actuel, c'est-à-dire de tout ce qu'on nomme Privilège, Monopole, Direction, Hiérarchie, Autorité, État ! » (200).

Un autre, plus tard, l'industriel Fumichon, à la fin d'un repas également remarquable, saura lui répondre (496)... Car, dans les milieux antagonistes, qui fréquentent le salon des Dambreuse, l'on cause aussi : « les cancans se déroulèrent... la misère des propos se trouvait comme renforcée par le luxe des choses ambiantes... ils s'en tenaient aux lieux communs les plus rebattus » (186). Si dans un cercle d'hommes graves une conversation politique s'ébauche, aucune idée neuve n'apparaît qu'elle ne soit niée : « Ils demandent l'organisation du travail, reprit un autre. Conçoit-on cela?... Tous déclarèrent que la République était impossible en France » (227). A la haine de l'autorité répond la haine de la pensée, des livres, des journaux. La stupidité, dans ce camp, n'est pas relative, elle ne naît pas de l'expression d'idées discutables, médiocres ou insanes, mais paraît absolue. Toute originalité semble ici suspecte, interdite; elle menacerait l'ordre établi, très satisfaisant et profitable. Conclusion significative d'un échange de vues politiques : « Ah! bah! — Eh! Eh! » (228). Cette perfection dans la nullité se double d'une hypocrisie raffinée. L'envie et l'immoralité des classes populaires, le désir universel du luxe sont fustigés comme il se doit. Le salon Dambreuse est admirablement organisé pour exclure toute idée non « reçue ».

Ainsi s'agitent et se reposent les esprits en ces années 1840-1848. Très inopinément la Révolution éclate. Les journées de février 1848 montrent comment se réalisent les espoirs des uns et les craintes des autres.

On sait que Flaubert lui-même observa les événements en compagnie de Du Camp et Bouilhet. On remarquera que Frédéric est accompagné par un ami, le bohème Hussonnet, lors de la prise des Tuileries et que les jugements des deux hommes s'opposent; l'un déclare : « ce peuple me dégoûte » pour que l'autre réplique : « je trouve le peuple sublime ». Frédéric s'enthousiasme tandis qu'Hussonnet reste « pensif » : « les excentricités de la Révolution dépassaient les siennes ». Flaubert donne son opinion : « la France, ne sentant plus de maître, se mit à crier d'effarement, comme un aveugle sans bâton, comme un marmot

qui a perdu sa bonne »; puis les « bourgeois », d'abord
étonnés de vivre après un tel bouleversement, se
mettent à préparer la réaction : « la Propriété monta
dans les respects au niveau de la Religion et se confon-
dit avec Dieu ». Parallèlement il fait voir comment
se développent les « excentricités » révolutionnaires.
En particulier il présente, lors de la séance du *Club
de l'Intelligence*, une satire, bien documentée, de
réunion politique : devant un public tour à tour
ennuyé, passionné, tordu par le rire, des orateurs
invoquent Jésus-Christ, le Peuple, la « tête de veau »,
et proposent d'absurdes réformes jusqu'à ce qu'enfin
l'emphase grotesque culmine dans un discours en
espagnol que personne ne comprend.

Vienne la réaction! C'est l'horreur des journées de
juin, que l'assassinat d'un jeune insurgé par le père
Roque conclut symboliquement. Ces journées marquent une étape mémorable : alors « l'égalité (comme
pour le châtiment de ses défenseurs et la dérision de
ses ennemis) se manifestait triomphalement, une
égalité de bêtes brutes, un même niveau de turpitudes sanglantes; car le fanatisme des intérêts équi-
libra les délires du besoin, l'aristocratie eut les fureurs
de la crapule, et le bonnet de coton ne se montra pas
moins hideux que le bonnet rouge » (483).

Cet équilibre ignominieux signifie la victoire contre-
révolutionnaire. On descendra un nouveau degré. La
tranquillité revenue permet aux Dambreuse de rouvrir
leur salon, à la bêtise réactionnaire de s'épanouir
superbement (496). Et, tandis que se démènent les
« éternels bonshommes de la comédie » politique, les
haines accumulées du peuple et de la bourgeoisie
s'accordent dans un désir général d'autorité. Ce
souhait universel sera exaucé le jour où une foule
muette et terrifiée regardera charger la cavalerie sur
un boulevard.

La dernière partie de l'*Éducation sentimentale*

paraît impartiale; elle ne proposerait aucune thèse personnelle de l'auteur. En fait l'œuvre est orientée, comme certaines convergences de son texte et des rapprochements avec la *Correspondance* peuvent le montrer.

Il est en effet assez remarquable que Flaubert, à la fin de son roman, mène vers des conclusions semblables trois personnages différemment représentatifs de cette jeunesse qui a rêvé la justice et fait son éducation politique entre 1840 et 1851, Sénécal, Dussardier et Deslauriers. Sénécal, dont la curieuse évolution a d'ailleurs été préparée (201), se déclare « pour l'Autorité », tonne « contre l'insuffisance des masses », et, tout en affirmant proche l'avènement du « communisme », achève son argumentation par le souhait révélateur de sa personnalité : « Vive la tyrannie » (537). Dussardier, qui avait été torturé par l'idée d'avoir peut-être combattu la justice en juin 1848 (482), reste fidèle à son idéal, donc reconnaît sa totale désillusion (571-572). Il déclare que « les ouvriers ne valent pas mieux que les bourgeois » et exprime un vœu qui marque la profondeur de son désespoir : « J'ai envie de me faire tuer ». Deslauriers, après ses désastreuses expériences de commissaire politique, déteste maintenant les ouvriers, « racaille éternellement dévouée à qui lui jette du pain dans la gueule » (529). La réponse de Frédéric, alors sous l'influence de cercles réactionnaires, complète et corrige la pensée de son ami : les révolutionnaires étaient « simplement de petits bourgeois, et les meilleurs d'entre [eux], des cuistres »; les ouvriers pouvaient se plaindre qu'après tant de promesses et de phrases l'on n'ait rien fait pour eux; enfin « le Progrès, peut-être, n'est réalisable que par une aristocratie ou par un homme ». Deslauriers acquiesce par un autre « peut-être ».

Trois fois donc d'actifs révolutionnaires manifestent, avec des nuances diverses, un semblable désenchantement, et ils font une critique sévère du peuple, tandis que Frédéric tire des événements une leçon de scepticisme aristocratique. Ces réflexions peuvent être mises en relation avec des pensées que Flaubert a formulées dans la *Correspondance*. Il a vécu cette époque qu'il peint dans l'*Éducation*, et l'a jugée d'une façon qui explique la convergence des propos tenus par ses personnages.

Lors de la révolution de 1848, on peut présumer qu'il fut, avec Bouilhet, et comme Frédéric, « gagné par la démence universelle » (429). Par la suite, on connaît les jugements qu'il porte sur les républicains, « braves petites gens qui nous ont versés dans la boue et qui se plaignent de la route » (III, 36), et surtout ce qu'il écrit après l'arrivée au pouvoir du futur Napoléon III : « On s'est moqué du droit divin et on l'a abattu; puis on a exalté le peuple, le suffrage universel, et enfin ç'a été l'ordre. Il faut qu'on ait la conviction que tout cela est aussi bête, usé, vide que le panache blanc d'Henri IV et le chêne de Saint Louis. Mort aux mythes! » (III, 39; *cf.* III, 348-349 et IV, 33-34). Cette signification prêtée au coup d'État du 2 décembre ne peut-elle être rapprochée des dernières pages de l'*Éducation*? Les écroulements successifs de la monarchie et de la république démontrent utilement la vanité de leurs principes contradictoires. La décomposition des régimes, l'analyse qu'en fait le romancier laissent enfin paraître un résidu : la force brutale, ultime raison et fin réelle de cette histoire des illusions et de la sottise. Cette conclusion, essentiellement décevante, n'implique évidemment aucune adhésion aux « mythes » du régime qui se fonde alors. « Chercher... le meilleur des gouvernements, me semble une folie niaise. Le meilleur, pour moi, c'est celui qui agonise, parce qu'il va faire place à un autre » (IV, 184). L'intrigue romanesque met en valeur cette conception désillusionnante de l'histoire.

« Mais, sur les marches de Tortoni, un homme »... : Dussardier va mourir, les bras en croix, tué par Sénécal. Tout au long du roman, Dussardier, introduit par hasard dans le groupe des jeunes petits-bourgeois républicains, est demeuré en marge, quelque peu gêné par leur amitié. C'est un homme du peuple, possédé par la passion de la justice et inculte. Son ignorance est significative. Aux argumentations spécieuses et au verbalisme mensonger de ses compagnons s'oppose sa foi, sa naïveté. Quand il a appris l'arrestation de Sénécal, il a voulu tout de suite secourir cette victime de l'Autorité (333). Il se sacrifie pour son idéal et meurt justement, seul; comme un innocent, comme un témoin.

Qu'il soit tué par Sénécal est une ironie de l'histoire, un effet que l'art a préparé de telle sorte qu'il surprenne et horrifie : « ... et Frédéric, béant, reconnut Sénécal. »

Le roman s'achève. Dussardier a accompli son vœu, Frédéric va quitter la France et voyager. D'autres s'adapteront plus ou moins bien. Flaubert a particulièrement aiguisé son ironie dans ses dernières évocations. Une suite d'esquisses incisives révèle sa morale, sa révolte intime, furieuse contre certaines idées reçues en matière de considération sociale. Que par exemple Martinon réussisse magnifiquement et finisse sénateur de l'Empire n'étonnera point : habile et lâche, ce bourgeois moralisateur et conformiste pourrira dans les honneurs, à l'instar des « vieux » du salon Dambreuse où il a si bien manœuvré. De même la carrière d'Hussonnet doit édifier. Le bohème occupe finalement un haut poste et dirige les théâtres et la presse; il représentait la « blague » parisienne, celle du boulevard : l'esprit du temps (*cf.* V, 352). Il en est justement récompensé. Ces dérisions finales rappellent la croix d'honneur de M. Homais. L'ironie est cependant plus amère; ni Martinon ni Hussonnet ne possèdent la vitalité robuste de l'apothicaire yonvillais.

Parce qu'il se dégrade, Pellerin aussi triomphe. Le peintre a trahi son art et s'est fait photographe (allusion à Nadar). Jadis il avait « pour les maîtres une telle religion, qu'elle le montait presque jusqu'à eux » (54). Il pouvait soutenir à l'occasion des théories où Flaubert glisse quelques idées personnelles (67). Mais grotesquement incapable de réaliser ses intentions et « croyant à mille niaiseries, aux systèmes, aux critiques » (52), il n'a plus fait que bavarder sur l'esthétique et s'est engoué de « blagues » diverses (608). Son échec le conduit heureusement à la photographie, détestée de Flaubert, à la gloire.

Le romancier évoque brièvement la farce de ces quelques belles réussites individuelles. Mais l'histoire de l'époque, considérée dans son ensemble, lui inspire des jugements sévères. Il dénonce une évolution catastrophique, et les mythes des « patriotes », et la bassesse bourgeoise. On a souvent estimé que l'artiste avait si bien équilibré ses jugements que les partis contraires étaient également critiqués. En fait sa position paraît plus nuancée. Si l'élaboration artistique tend à harmoniser portraits et descriptions des adversaires, Flaubert n'en juge pas moins selon des principes fermement arrêtés. Il ne confond pas les blâmes.

« Il me semble que notre malheur vient *exclusivement* des gens de notre bord » (V, 385; *cf.* V, 347), écrit-il à G. Sand. Il estime en effet que la grande route ouverte au XVIIIe siècle par Voltaire, celle de la philosophie rationaliste et de la liberté, a été délaissée au XIXe; que « Jean-Jacques, le néo-catholicisme, le gothique et la fraternité » (V, 344) ont obscurci l'idée du Droit, de l'Équité; que les réformateurs modernes « croient à la révélation biblique » (V, 148) et s'inspirent du catholicisme. Conclusions : ce sont des

« bonshommes du moyen âge » et « s'ils n'ont pas réussi en 48, c'est qu'ils étaient en dehors du grand courant traditionnel » (V, 149). Dès qu'il commence à se documenter pour l'*Éducation sentimentale*, Flaubert se convainc qu'il existe une parenté étroite entre le catholicisme et le socialisme; du coup « le socialisme est une face du passé, comme le jésuitisme une autre ». Cette idée lui paraît justifiée par certaine conformité des doctrines et par l'influence du clergé en 1848. « Ce que je trouve de christianisme dans le socialisme est énorme », écrit-il en 1868 à G. Sand (V, 385; *cf.* V, 412). Cette hypothèse fondamentale que le catholicisme et le socialisme furent intimement liés redouble la vivacité de sa critique. Au nom de la tradition philosophique, de la raison, de la liberté, il s'oppose au socialisme et au néo-catholicisme qui lui paraissent signifier tyrannie, anti-nature, triomphe de la grâce sur la justice et de la passion sur l'esprit, sur la science.

Estimant que le succès de telles idées explique l'échec historique de 1848, Flaubert s'acharne à les critiquer dans son roman. C'est pourquoi il attaque spécialement les « patriotes » et met particulièrement en lumière leur sottise et leur médiocrité.

Mais il y a pire : « cette haine que provoque l'avènement de toute idée parce que c'est une idée, exécration dont elle tire plus tard sa gloire, et qui fait que ses ennemis sont toujours au-dessous d'elle, si médiocre qu'elle puisse être » (425). Ce remarquable jugement personnel que l'écrivain insère dans son œuvre décèle l'articulation de sa pensée. Dans l'*Éducation* les révolutionnaires manifesteront leur grotesque par l'expression de leurs idées et les bourgeois par leur haine de toute idée. La satire des « réformateurs modernes » peut impliquer et commander un mépris plus profond, radical, de leurs adversaires.

« Les réactionnaires, du reste, seront encore moins

ménagés que les autres, car ils me semblent plus criminels » (V, 397). L'action de ces réactionnaires, des possédants, qui dominent la société et profitent de son (dés)ordre paraît, en particulier lors de la répression de juin, plus haïssable que l'insurrection et les « excentricités » des « autres ». Entre le mythe du Peuple tel qu'on l'exalte au Club de l'Intelligence et la défense de la Propriété telle que l'entendent le père Roque, Fumichon et leurs congénères, Flaubert choisit donc, mais en modifiant la perspective. C'est l'erreur qu'il dénonce d'un côté et l'ignominie de l'autre.

Cette conjonction de critiques semblera-t-elle purement négative? — On peut d'abord noter l'analogie de ce double refus et d'une pensée que Flaubert exprimait dès sa vingtième année : « Il est dommage que les conservateurs soient si misérables et que les républicains soient si bêtes » (*Souvenirs, notes et pensées intimes*, 91-92). Mais surtout il en est arrivé à croire à « l'évolution perpétuelle de l'humanité et à ses formes incessantes » (IV, 184). S'il s'intéresse aux questions politiques, comme le montrent l'*Éducation* et la *Correspondance*, il a horreur des systèmes ou « conclusions » doctrinales. Il récuse toute forme de gouvernement et juge que « la politique est morte, comme la théologie ». Car seule désormais la Science peut servir le genre humain (*cf.* VI, 31-33). Cette conviction s'accorde avec son idéal d'art impersonnel. L'impassibilité de l'artiste, l'objectivité du savant supposent l'implacable critique et le refus des illusions, des religions politiques.

Aussi bien, dans son roman, Flaubert ne fait-il point tant de l'histoire politique que de l'histoire morale. Vingt ans après les événements racontés, il n'attaque ni ne défend aucun des gouvernements successifs, mais expose les idées et les mœurs de groupes représentatifs, ceux-là mêmes qui se retrouveront dans son public, parmi les critiques. D'où le courage singulier d'un détachement en fait très agressif et qui ne sollicite aucune sympathie. On le lui fera bien voir; et, comme le lui écrira très bien G. Sand : « on s'y est trop reconnu ». La force de « on » n'est pas négligeable...

Mais elle est négligée par un homme qui ne cherche que la vérité humaine et historique, dans une œuvre où il projette de montrer que « le Sentimentalisme... suit la Politique et en reproduit les phases ».

Ce parallélisme théorique ne pouvait pas être constamment maintenu sans artifice; mais la composition d'ensemble le marque. La première partie raconte la naissance puis l'assoupissement de l'amour, et présente d'autre part les espoirs politiques des jeunes gens et les bagarres du Quartier latin entre 1840 et 1845. Dans la deuxième partie (1845-1848) la tension croît jusqu'au point de rupture : le 22 février 1848, tandis que gronde la Révolution, Frédéric s'exaspère à attendre Mme Arnoux; elle ne vient pas : une impure la remplace. La troisième partie (1848-1851) montre les rêves révolutionnaires tels qu'en leurs écroulements la réalité les change, et poursuit jusqu'au mariage de Louise avec Deslauriers, jusqu'au coup d'État, le constat de faillite sentimentale et politique. Après quoi le « blanc » que Proust a célébré suspend l'action et précipite le temps.

Le synchronisme de ces phases marque bien l'harmonie préétablie entre Sentimentalisme et Politique. On pourrait encore observer que dans la médiocrité générale deux personnages seulement sont épargnés, Mme Arnoux et Dussardier; que l'idée de l'amour et l'idéal politique sont, en ces témoins, préservés; qu'un aveu de Dussardier les fait, un bref moment, se rejoindre : « Eh bien, fit-il, en rougissant, moi, je voudrais aimer la même, toujours ! » (82). Il dit alors ce que fera, ne fera pas, Frédéric (et ce sera sa vie), ce que lui-même, politiquement, accomplira (et il en mourra). Tous deux échouent, puisque la résistance de Mme Arnoux et celle de la société s'avèrent insurmontables; mais Frédéric survit, « dans l'inertie de son cœur », à sa défaite, et Dussardier s'immole pour la République vaincue.

❧❧❧

Un tel sujet était bien « inextricable par sa simplicité et son abondance » (V, 234). Flaubert en a tiré son plus ample, son plus dense chef-d'œuvre. Les questions d'histoire et de technique littéraires que pose ce texte sont nombreuses.

L'*Éducation sentimentale* fait reparaître dans une œuvre de la maturité de Flaubert des souvenirs et une inspiration littéraire de sa jeunesse *(Mémoires d'un fou)*. Si personnel que semble ce développement, il n'en ressortit pas moins à une évolution générale. L'*Éducation sentimentale* prend place dans une certaine tradition romanesque et l'infléchit dans un sens nouveau. La donnée même du sujet engageait l'écrivain sur une voie qu'avaient ouverte au xixe siècle Sainte-Beuve et son rival Balzac, avec *Volupté* et *Le Lys dans la Vallée*. En effet, comme de très pertinents articles d'A. Vial l'ont démontré, Flaubert retrouve leur thème, celui du jeune homme aimant d'un impossible amour une femme mariée et vertueuse. De nombreux rapprochements décèlent des ressemblances précises entre Amaury et Frédéric (velléités, intermittences du cœur, rêves d'ambition), mais prouvent aussi quelle réduction systématique Flaubert impose aux ambitieuses et mystiques imaginations de Sainte-Beuve. D'autre part, raconter l'histoire du jeune provincial venant à Paris et vouloir peindre une époque récente conduisaient à reprendre un thème prestigieux de la *Comédie humaine*, qu'avaient illustré *Le*

Père Goriot et *Illusions perdues*. Deslauriers se réfère expressément à des personnages et au monde de Balzac; des situations, des scènes, des détails se découvrent, identiques, parallèles ou semblables dans l'*Éducation* et en divers romans balzaciens. Pourtant ces similitudes mettent en relief l'originalité de Flaubert. Car c'est aux nombreux points de rencontre que l'on aperçoit exactement la divergence des intentions créatrices. Flaubert imagine sa vérité en dénonçant les impostures et la médiocrité de son temps; l'image de la réalité qu'il présente contestera quelques postures avantageuses et certaine grandeur des héros représentatifs de ses devanciers. Mais à suivre leurs traces il retrouve aussi ses propres souvenirs et ses rêves de vieux romantique. Et c'est parce qu'il ne renie pas son passé qu'il donne à son histoire sa subtile poésie : Frédéric en ratant sa vie n'a-t-il pas gardé la meilleure part?

L'*Éducation* peut être également rapprochée de deux romans contemporains, *Dominique* (1863) de Fromentin et *Les forces perdues* (1866) de Du Camp : du premier pour la situation romanesque et la parenté de certaines analyses psychologiques, du second pour son « idée juste des hommes de notre génération » (*dixit* Flaubert) et pour son héroïne, inspirée de Mᵐᵉ Delessert. Ces deux livres avertissent que le thème de l'échec de l'amour romantique fournissait alors un sujet de méditation littéraire à plusieurs écrivains de la même génération. Chaque fois, à partir d'une expérience personnelle, des œuvres se développent, qui proposent des enseignements divers et révèlent de communes préoccupations.

Quant à Flaubert, on sait quelle passion vécue devint sa matière romanesque. Mais si l'on connaît certains faits ignorés de lui (« Mᵐᵉ Schlésinger » n'était pas encore une épouse légitime en 1836), si l'on distingue quels souvenirs il a transcrits (par

exemple ses dîners à Paris, en ami du ménage) ou
refusé d'insérer dans son œuvre (l'internement de
Mᵐᵉ Schlésinger), il est possible que des recherches
ultérieures apportent des précisions nouvelles sur ces
rapports entre sa vie et son œuvre. Lui-même souhaitait qu'à l'artiste « les accidents du monde, dès
qu'ils sont perçus... apparaissent transposés comme
pour l'emploi d'une illusion à décrire » (VI, 487).
Mais cette transposition immédiate et comme instinctive est suivie d'un travail qui transforme les
données autobiographiques. Dans l'*Éducation sentimentale*, de très nombreux souvenirs personnels sont
aussi bien métamorphosés que l'ont été les réminiscences littéraires. Le fait que certains ont déjà servi
dans d'autres œuvres montre quelles élaborations
successives ils peuvent subir. Cela se voit pour des
scènes très importantes (*cf.* la première rencontre
dans les *Mémoires d'un fou* et dans l'*Éducation*) ou
pour de menus détails (*cf.* par exemple la première
Éducation, pp. 255-256 et la seconde, p. 461). Chaque
fois la conception de l'œuvre, le dessein de l'auteur
imposent un ordre particulier, qui n'est pas celui de
la vie.

De même la conception de l'œuvre fixe le bon usage
des documents historiques. Flaubert, qui veut assurer
des « fonds réels » à ses premiers plans inventés, a
veillé à ce que l'histoire ne prît pas une place excessive
dans son roman. Mais il a besoin de beaucoup, de trop
travailler pour se persuader enfin qu'il sera dans le
vrai. Son honnêteté intellectuelle exige donc de
nombreuses pièces à conviction et il doit se bourrer
l'esprit de « choses ineptes » pour trouver enfin la
phrase typique ou le détail réel et suggestif, pour
garantir et authentifier la réalité romanesque. Qu'il
s'agisse de l'histoire des idées ou d'événements précis,
il rassemble et mêle des informations diverses, il
accumule les justifications. Il lit les ouvrages des

« réformateurs » (Lamennais, Leroux, Saint-Simon, Fourier, Proudhon), des historiens ou mémorialistes (Louis Blanc, Mme d'Agoult, Ch. Robin, E. Pelletan, etc.), dépouille les collections de journaux et de revues. Il étudie des illustrations de l'époque. Il sollicite des renseignements auprès de ses amis (Sainte-Beuve, G. Sand, les frères Goncourt, Feydeau, et jusqu'à Maurice Schlésinger). Quand il doit peindre un paysage (Creil, Fontainebleau, le Père Lachaise) il se rend sur place, et l'on peut comparer ainsi les notes de son excursion à Fontainebleau et son admirable description de la forêt. Il est allé à Paris le 23 février 1848, il a observé, avec Du Camp, quelques scènes de la Révolution et c'est très probablement sur les notes prises par son ami qu'il confirme ses propres souvenirs. Déjà l'on a pu repérer les sources précises de tels propos échangés dans le salon de Mme Dambreuse, de tel ou tel incident de la soirée au Club de l'Intelligence. Ces rapprochements font apercevoir la rigueur de la méthode historique et l'art de la transposition littéraire. Flaubert condense plusieurs textes, enchâsse un mot significatif, met en bonne place l'épisode révélateur (le meurtre du prisonnier par le père Roque). Il subordonne sa documentation à son projet, élimine, choisit, compose.

Ce souci fondamental de la composition se remarque dans la création des personnages. Jamais encore il n'avait présenté un aussi bel ensemble de portraits. Une plus riche expérience des hommes et les progrès de son art produisent leurs effets. D'une part ces personnages sont reliés entre eux selon un système compliqué d'oppositions et de ressemblances, fortes ou nuancées. L'action les fait se heurter, s'imiter (*cf.* la conduite de Deslauriers avec Rosanette, Mme Arnoux et Louise), s'accorder ou se surprendre, à tort, à raison. D'autre part la maîtrise de l'écrivain se manifeste dans les évolutions révélatrices qu'il leur invente.

Certains, les plus importants, restent soumis à ce qui semble leur définition première, mais des contrastes intérieurs peuvent se découvrir qui les montrent comme différents d'eux-mêmes. D'autres, tel Dambreuse, semblent immuables, et l'action romanesque fait connaître leur permanence dans des situations diverses. Mais la vie peut aussi révéler, accuser de plus en plus un être : Sénécal, Arnoux, Regimbart. Cette variété et cette rectitude, Flaubert les obtient d'une très stricte conception originelle et de l'abondance de ses observations. Certes, Arnoux et sa femme ont leurs deux répondants bien connus; mais Frédéric, Rosanette, Deslauriers sont des créations composites, riches de souvenirs multiples.

La technique de l'action ne pourra être utilement étudiée qu'à l'aide des scénarios et brouillons. Il y a cependant une remarque et surtout une image de Flaubert qui semblent parfaitement illustrer son problème de créateur : « Pas de scène capitale, *pas de morceau*, pas même de métaphores, car la moindre broderie emporterait la trame » (S II, 100). Flaubert développe certaines scènes (comme le bal chez Rosanette ou la séance du Club de l'Intelligence) ou une description (la forêt de Fontainebleau), mais dans l'ensemble les petits tableaux prédominent, et à ce point de vue l'*Éducation sentimentale* paraît marquer une étape importante dans l'évolution de sa technique.

La complexité d'une action principale centrée sur un personnage qui mène plusieurs intrigues successives ou simultanées, la nécessité d'ordonner les phases romanesques selon une stricte chronologie historique soulevaient de graves difficultés. Les dates initiale, le 15 septembre 1840, et finale, le 5 décembre 1851, donnaient des limites précises; mais dans ces limites certains événements célèbres imposaient d'inéluctables contraintes. Flaubert s'est bien astreint à fixer avec exactitude ses repères ou ses allusions historiques, même à des événements d'importance mineure (discussions et votes parlementaires, etc.). Mais il joue de la possibilité qu'a le romancier de faire aussi s'écouler très vite le temps (les années 1844-1846 à la fin de la première partie et au début de la seconde) ou d'étendre la durée romanesque (le voyage à Fontainebleau dure deux jours et demi et semble un long repos). D'autre part il commet quelques erreurs (sur Rosanette, enceinte pendant deux ans; sur l'âge du second enfant des Arnoux; sur l'affaire Pritchard située en 1841 au lieu de 1844, etc.) par inadvertance, ou bien parce que le souci de certains effets romanesques l'emporte sur la considération des dates. Ainsi s'expliquerait que l'écrivain ait pu négliger ces vétilles que seule une analyse minutieuse permet de noter.

L'action paraît le plus souvent rapide et mouvementée. Elle s'ordonne pourtant autour d'une « passion inactive » et d'un personnage passif. Le fleuve s'écoule, les voitures passent, les danses tournoient, et dans la lenteur des attentes ou la frénésie de l'agitation Frédéric garde, oublie, reprend son rêve et perd son temps. Dans ce livre des recommencements inutiles, il est entraîné en un va-et-vient incessant de Mme Arnoux à Rosanette, de Rosanette à Mme Dambreuse. A Paris, à Creil, à Saint-Cloud, à Paris encore il poursuit ses vains efforts pour conquérir Mme Arnoux. Ces répétitions, la similitude de certaines scènes expliquent l'impression d'immobilité souvent ressentie par les lecteurs de l'*Éducation*. Mais il y a corrélation nécessaire entre cette agitation, ce mouvement perpétuel, et le fait que la situation des deux personnages principaux reste fondamentalement la même.

Toutefois, comme l'histoire politique de l'époque, l'histoire de cet amour a un sens et progresse vers une conclusion simple : « Et ce fut tout ». L'éducation sentimentale de Frédéric s'achève avec l'usure d'un cœur qui ne rêve plus d'avenir. La fuite victorieuse du temps a fait son œuvre. L'intense espoir qui a dominé la vie du « jeune homme » est mort. Dans la pièce où réapparaît Mᵐᵉ Arnoux, le passé, symboliquement figuré par le portrait de Rosanette, demeure présent, mais l'âge impose son ordre. Frédéric et Mᵐᵉ Arnoux n'ont plus qu'à se raconter leurs souvenirs, qu'à recommencer une promenade à deux. Mais autrefois il pouvait sembler « qu'ils étaient tous les deux comme bercés par le vent, au milieu d'un nuage » (96), et maintenant ils iront comme « sur un lit de feuilles mortes ». Le temps d'aimer est révolu, et l'aveu de Mᵐᵉ Arnoux ne servira de rien devant l'autre révélation, celle des cheveux blancs. C'est à la femme qu'elle n'est plus que s'adresseront les compliments du « vieil amour », un amour désormais vieilli, prudent, satisfait d'avoir existé.

Sur le mode satirique l'épilogue remonte plus loin encore dans le passé. Il évoque, avant qu'ait commencé l'éducation de la vie, la préfiguration de l'échec final : le premier mécompte, celui dont le souvenir amuse et émeut, celui qui annonçait déjà tous les autres. Mais ni Frédéric ni Deslauriers ne pouvaient le savoir, tout saisis qu'ils étaient de découvrir tant de possibilités, de promesses ! Cette découverte à laquelle leur fuite a laissé un caractère merveilleux, voilà bien ce qu'ils ont eu de meilleur.

Cette gageure d'un temps où tout passe et revient est soutenue et gagnée grâce à la solidité d'une trame sans broderie. Le lecteur peut être surpris par la succession rapide des petits tableaux, par tant d'aperçus fugitifs, de visions brusquement arrêtées et d'indications éparses, par les nombreuses silhouettes qui surgissent, disparaissent, réapparaissent. Mais les surprises sont préparées (*cf.* l'anecdote de la Turque dès I, 2), l'explication des énigmes est donnée (le vol de la Vatnaz) ou suggérée (le rôle d'une

« vieille dame » chez Rosanette, 189; Martinon et
Mme Dambreuse). Tout un jeu de rappels (Rosanette
entrevue avec Arnoux, 36 et 473; l'ombrelle cassée,
90 et 116) instruit ainsi d'un prodigieux travail
d'assemblage. La composition parut souvent, non à
tort, fragmentée; elle montre plutôt l'impérieux
souci d'unifier tant de richesses différentes. Certaines
scènes font penser aux peintures impressionnistes (la
« pulvérulence lumineuse » du bal chez Rosanette,
ou les courses au Champ de Mars), d'autres (la Révolution) à Delacroix, Daumier ou Goya. Mais si le
sujet du chapitre ou du paragraphe suggère ces
comparaisons diverses et si Flaubert varie tant ses
effets, c'est que la conception même du roman exigeait
l'apparente dispersion.

La prose de l'*Éducation sentimentale* témoigne du
rigoureux effort de l'écrivain. Flaubert cherche et
atteint une concentration extrême dans le portrait,
la narration, les dialogues et les descriptions. Cette
densité et cette netteté, il les assure par une proportion plus forte de paragraphes très brefs et surtout
par des coupes de phrases, caractéristiques de l'évolution de son style. Par rapport aux romans précédents la phrase de l'*Éducation*, plus légère et plus
nerveuse, trouve une ligne mélodique plus simple.

« J'ai des *idéaux* contradictoires. De là embarras,
arrêt, impuissance » (VI, 2). La conciliation, l'équilibre de ses tendances contraires, qu'il s'acharne à
obtenir dans la création artistique depuis 1851,
Flaubert les réalise encore une fois, la dernière, dans
une grande œuvre romanesque. Si l'*Éducation* peut
être tenue pour son chef-d'œuvre, c'est que, telle la
beauté de son héroïne, elle signifie que « la force du
cœur se mêle à l'expérience de la vie, et que, sur la
fin de ses épanouissements, l'être complet déborde
de richesses dans l'harmonie de sa beauté » (391).
Alors s'harmonisent en effet les idéaux antagonistes

et l'*Éducation* devient le livre du souvenir et du jugement, de la poésie et de la satire, de la hâte et de la
permanence. Elle ne se termine plus, comme *Madame Bovary* et *Salammbô*, par une catastrophe finale,
mais par une désillusion ambiguë qui laisse encore à
l'échec le prestige de l'idéal et retrouve en sa fin
pitoyable l'aurore de l'adolescence.

❧❧❧

Achevée le 16 mai 1869, lue chez la princesse Mathilde,
l'*Éducation* fut communiquée en copie à Du Camp
qui l'annota de remarques grammaticales. Flaubert
en accepta les deux tiers et corrigea les épreuves.

En juillet meurt Bouilhet. « J'ai perdu mon conseiller, mon guide, mon vieux compagnon de trente-sept
ans » (S II, 190). En octobre meurt Sainte-Beuve :
« Ce roman que j'imprime, c'était spécialement pour
lui que je l'avais fait. Car on écrit toujours en vue de
quelqu'un », affirme-t-il le 17 octobre dans une lettre
à Mme de Tourbey.

Le 17 novembre le livre paraît. Dès le 3 décembre
Flaubert est fixé : « C'est carré et net : on me traite
de crétin et de canaille ». Parmi les éreintements,
celui de Barbey d'Aurevilly, qui attaquait l'auteur
dans toute sa carrière littéraire, définissait son style
par la seule « description infinie, éternelle, atomisti-
que », et son sujet par « la vulgarité », exprime une
haine injurieuse, non point aveugle. D'autres, comme
Cuvillier-Fleury dans les *Débats*, Schérer dans le
Temps (plutôt incertain que nuancé), Saint-René
Taillandier dans la *Revue des Deux Mondes*, réagissent
avec une hostilité typique au réalisme de la vision
flaubertienne (« rage d'abaisser »), à un mépris terriblement égal (« il touche à tout et flétrit tout »),
à une composition romanesque déroutante (« sub-
stituer une série d'esquisses à un tableau »). D'où

l'ennui éprouvé devant une histoire qui semble si réelle qu'elle cesse d'intéresser, et ces attaques d'un pessimisme si remarquable qu'il en devient « un cas illogique et monstrueux ». De telles réactions ne doivent pas surprendre. Par rapport aux formes traditionnelles de la composition romanesque, l'*Éducation sentimentale* ne pouvait que déconcerter, comme elle devait indigner par son contenu, son impassible satire de la société française.

D'autant plus notables paraissent certains articles de Paul de Léoni dans le *Pays*, de Zola, de Th. de Banville, et surtout de G. Sand dans la *Liberté*. Écrivain de la génération précédente, opposée par ses tendances littéraires, ses convictions spiritualistes et ses choix politiques à son cadet, G. Sand montre dans l'amitié une perspicacité magistrale; elle a su d'emblée mettre en lumière une des qualités principales du livre, son « dessin », et en faire une juste et insigne apologie.

Le public ne réagit pas aussi mal que la critique. Néanmoins Flaubert ressentit cruellement l'impression d'un très grave échec. Ainsi donc une œuvre si passionnément méditée, si tendre et si forte, était incomprise; il ne lui restait qu'à espérer en l'avenir (VI, 100). Mais bientôt, à la suite des épreuves personnelles et de l'amertume de la déception littéraire, il passe par une crise de dépression et se sent « submergé par une mélancolie noire » (VI, 110).

Ce n'est qu'un début, que vont confirmer de nouvelles souffrances. A moins de cinquante ans, usé par le travail, il peut bien écrire : « Je sens enfin une chose toute nouvelle : les approches de la vieillesse » (VI, 106).

7 LA TENTATION DE SAINT ANTOINE

En juin 1869, avant même de corriger le manuscrit de l'*Éducation*, Flaubert médite un *Saint Antoine* nouveau : « Tout mon ancien ne me servira que comme fragments » (VI, 27). Cette troisième version, l'œuvre définitive, pour laquelle il commence dès lors à se documenter, sera terminée en 1872 et publiée en 1874. Durant ces cinq années, Flaubert ne peut plus travailler avec la même continuité qu'entre 1851 et 1869; les épreuves personnelles et nationales interrompent ou dispersent ses efforts.

Épreuves personnelles. Les morts de ses deux plus intimes amis, Bouilhet (1869) et J. Duplan (1870), de sa mère (1872), de Gautier (1872) et de Feydeau (1873) se succèdent. Le retentissement n'est pas chaque fois le même. Mais à voir disparaître de vieux compagnons, il se considère comme un survivant et estime qu'à part G. Sand et Tourgueneff il n'est plus personne « avec qui causer ». D'autre part la mort de sa mère le laisse seul à Croisset et dans sa solitude il se complaît désespérément à ressasser ses souvenirs.

Épreuves nationales. A la déclaration de guerre il se dit écœuré par « l'irrémédiable barbarie de l'humanité ». Puis il connaîtra l'envie de se battre, les fausses espérances de victoire, les souffrances de l'invasion lorsque Croisset sera occupé, la haine. Il déteste les Allemands d'avoir montré « du neuf dans l'histoire » en unissant l'antique barbarie et la civilisation moderne, l'idéal de la science et la guerre.

Il en veut à son époque de lui donner les sentiments d'une brute du moyen âge. La guerre de 1870 lui paraît tout à la fois manifester l'éternelle férocité de l'homme, signifier une régression historique et annoncer un avenir déplorable. Elle le confirme dans son pessimisme : il était encore trop enclin à croire au progrès et à l'humanité. Elle renforce son sentiment d'appartenir à une autre époque : les « mandarins » et toute élégance d'esprit seront désormais exclus de la société française qui menace d'être « militaire et républicaine, c'est-à-dire antipathique à tous mes instincts » (VI, 154).

C'est en fonction de la guerre qu'il juge d'abord l'insurrection de Paris. Il abomine la Commune parce que « ces misérables-là déplacent la haine ». D'ailleurs ils sont « si bêtes que leur règne ne sera pas long », prévoit-il. En comparaison de la guerre, « grand bouleversement de la nature », la Commune lui semble « une chose très claire et presque toute simple » : « tout ce qui se fait à Paris est renouvelé du moyen âge. La Commune, c'est la Ligue ! » (VI, 225). Cette assimilation reproduit certaines pensées formulées dans l'*Éducation* et surtout dans la *Correspondance* entre 1864 et 1869. Flaubert réagit à l'événement d'après les idées qu'il a mises au point dans les années précédentes et qui maintenant servent, ou gouvernent, ses analyses politiques. Il hait « l'exaltation de la grâce au détriment de la justice, la négation du droit ». Or « la Commune réhabilite les assassins, tout comme Jésus pardonnait aux larrons » (VI, 227). Au reste elle prépare une réaction, qui sera cléricale. « Débarrassés de la Commune, vous jouirez de la Paroisse !... je suis épouvanté par la Réaction qui s'avance » (VI, 243).

L'actualité lui inspire d'ardentes formules; elle ne renouvelle pas une pensée formée avant 1870 : « A quoi faut-il donc croire? A rien! C'est le commencement de la sagesse. Il était temps de se défaire « des principes » et d'entrer dans la Science, dans l'examen. La seule chose raisonnable... c'est un gouvernement de mandarins » (VI, 228). Critiquant en particulier la « foi républicaine » de G. Sand, il affirme passionnément sa négation scientiste de la croyance, de la passion en matière politique. Ce qui le conduira, « las de l'ignoble ouvrier, de l'inepte bourgeois, du stupide paysan et de l'odieux ecclésiastique » (VI, 276), à s'accommoder finalement d'une République bourgeoise qu'il admire de si bien manquer d'élévation et de principes (*cf.* VI, 289).

Dans ces grands bouleversements, il s'est remis à *Saint Antoine*. Mais le souci de la mémoire et de l'œuvre de Bouilhet lui impose différentes tâches. Il s'occupe de faire jouer *Mademoiselle Aïssé*. En juin et juillet 1870 avec d'Osmoy, puis seul, en 1872, il remanie une comédie de son ami, *Le sexe faible*. Il s'affaire pour qu'un monument soit érigé en l'honneur du poète et à cette occasion publie sa *Lettre au Conseil Municipal de Rouen*. Enfin il écrit une *Préface* à un recueil posthume, *Dernières Chansons*. Ce sont là des ouvrages composés au gré des circonstances et divers par l'inspiration. Flaubert y exprime des idées ou des intentions qui lui tiennent au cœur. Dans la *Préface*, c'est l'ami qui évoque le romantisme de sa jeunesse, loue son compagnon mort et exalte l'Art. Dans *Le sexe faible*, le romancier se laisse séduire par sa tenace envie d'écrire pour le théâtre; il croit pouvoir présenter comiquement, grâce à une intrigue de vaudeville et des personnages fantoches, une critique des femmes que la *Correspondance* fait apparaître complexe et profonde. De la *Lettre au Conseil Municipal de Rouen* la colère et le mépris font un pamphlet hautain que l'attaque finale, sur la politique des classes dites éclairées, conclut fortement.

Cependant Flaubert achève la *Tentation de Saint Antoine*. Le 8 juillet 1870 il avait défini son ouvrage : « une exposition dramatique du monde alexandrin au ivᵉ siècle ». Il pensait que ce sujet « extravagant » le divertirait (VI, 111); il soulignait aussi l'intérêt et la signification historiques de l'époque et du milieu évoqués. Il avait entrepris de nouvelles recherches érudites et savait qu'il devait se conformer aux intentions fixées en 1856 : retravailler « 1º le plan; 2º la personnalité de saint Antoine » (IV, 187). Il prévoyait qu'il lui faudrait deux ans pour mener sa tâche à bien.

Ayant dû abandonner la *Tentation* plusieurs mois en 1870 et 1871, il y trouve, quand il la reprend, une orgueilleuse consolation aux misères publiques et personnelles. C'est sa « vieille toquade » et, par-delà les échecs d'autrefois, son nouvel espoir.

Après plusieurs années consacrées à l'histoire contemporaine, il doit reprendre possession d'un domaine abandonné depuis si longtemps et le cultiver encore une fois. C'est pourquoi dans la liste, non exhaustive, de lectures qu'il établit en 1872, on remarque de nombreux ouvrages déjà lus pour les premières versions; mais il élargit aussi sa documentation, consulte des études récentes, commence des recherches sur des sujets non abordés précédemment (la vision de Constantinople). La *Correspondance* donne quelques renseignements sur cette préparation. Il emprunte par exemple des livres à Renan et s'enquiert auprès de ses amis Baudry, Maury, Heuzey. Il prend des notes dans les bibliothèques parisiennes. Il lit du Kant et du Hegel avant de rédiger la VIᵉ partie. Sa méthode de recherche ne varie pas. Il étudie longuement pour se pénétrer à nouveau de son sujet et pour trouver des détails caractéristiques, révélateurs, de personnages ou de croyances.

En revoyant et complétant son information, il ne

découvre plus les richesses enthousiasmantes de son
sujet, mais procède à un examen sévère des données
anciennes. D'où le caractère particulier de sa création.
A lire ses pages de 1849 et de 1856, il retrouve les
« éperduements de style » de sa jeunesse, et il n'en
veut plus ; il retrouve les mirages d'autrefois, et ils
l'enchantent encore. La reprise implique quelque
inertie, puisqu'il n'invente plus le sujet, mais elle
exige un plus grand effort critique : gardant la substance, il essaie de concevoir un autre mode d'expression. Pour étudier ce troisième texte, le seul
publié de son vivant, celui sur lequel il a voulu être
jugé, il convient donc de se référer aux premières
versions afin de fonder l'analyse comme il a fondé
son travail. Or pour qui tente d'examiner parallèlement ces œuvres de 1849 — 1856 et de 1874, le
problème se pose de similitudes si nombreuses et
d'une transformation si nette.

C'est ainsi que Flaubert utilise de longs fragments
de 1849 et de 1856 (la reine de Saba, Apollonius, le
Sphinx et la Chimère) et ne les corrige que par touches
légères ; ou bien il garde l'idée directrice d'un épisode
(les hérésies, le défilé des dieux), et en modifie de
façon sensible l'agencement tout en conservant
phrases ou passages à sa disposition. Dans l'ensemble
il abrège et concentre : la *Tentation* de 1874 (134 feuillets) est plus courte que celles de 1856 (193 feuillets)
et surtout de 1849 (541 feuillets). Il simplifie l'ordonnance de cette œuvre jadis si touffue, supprime
de nombreux et très éloquents personnages (les
péchés capitaux, les vertus théologales) et des épisodes (la courtisane et Lampito). La disparition du
cochon assure une meilleure harmonie de l'ensemble,
élimine des dissonances qui d'abord avaient paru
très réjouissantes. Le Diable lui-même, si volubile
en 1849-1856, se fait peu voir ou entendre en 1874.
En revanche on notera des additions : par exemple

le long développement consacré au Bouddha, la description d'Alexandrie, l'évocation de l'Égypte par Isis, les interventions de tel Dieu (Oannès) ou de telle figure (le Gymnosophiste). Ces suppressions et ces additions avertissent d'un changement du goût, d'un transfert des intérêts de l'auteur.

D'autres modifications importantes influent à la fois sur le sens et la technique de l'œuvre. Que saint Antoine rappelle le souvenir de son maître Didyme ou de son compagnon, le moine Ammon, et que l'image d'Ammonaria, son amie d'enfance, reparaisse de façon insistante, ces changements, qui semblent mineurs, impliquent une attention plus précise portée à la personnalité d'Antoine et une présentation différente de ses épreuves. La *Tentation* de 1849 prenait la forme d'un mystère; en 1874 aucune trace de mise en scène théâtrale ne subsiste. Flaubert s'est prescrit d' « enlever tout ce qui peut rappeler un théâtre, une scène, une rampe » [1]. Il entend assurer une progression insensible : Antoine doit savoir d'abord qu'il a des visions; puis, au bout de quelque temps, il ignore qu'il est la proie d'hallucinations, tant elles ont eu de gradations de netteté [2]. Flaubert intériorise donc l'action, la relie strictement aux souvenirs, aux convoitises, aux souffrances du saint.

Si l'on compare les monologues initiaux de 1849, 1856 et 1874, on voit que la version de 1856 ne se distingue de la première que par ses importantes suppressions, mais qu'en 1874 le monologue est transformé; à la fois plus long et plus dense, il manifeste d'autres intentions littéraires. Saint Antoine, au lieu de dire simplement ses souffrances et son ennui (et en 1849 le souvenir de sa vie à Colzim), médite en 1874 sur toute sa vie passée, se remémore

1. Mss. NAF. 23 671, p. 64 recto.
2. *Ibidem.*

son enfance, son apprentissage de la vie érémitique, les disputes de théologiens, son disciple Hilarion. Il évoque les images sur lesquelles bientôt vont s'accrocher et pulluler les visions délirantes. Ce rappel prépare donc implicitement plusieurs scènes futures (Ammonaria et la Luxure, Alexandrie et les hérétiques, Rome et ses patriciennes, l'apparition du Gymnosophiste, la venue d'Hilarion). Les souvenirs éveillent les désirs rétrospectifs et excitent l'imagination pécheresse du saint. Le monologue s'ordonne en fonction de ses convoitises refrénées, des tentations provoquées par son ascèse. Lorsqu'il se met à lire la Vie des apôtres, les péchés capitaux enfièvrent sa lecture et l'affolent d'illusions. Il est mûr pour l'hallucination, pour l'action démoniaque.

Or l'action sera ponctuée par d'autres monologues plus courts (cf. 117, 178, 186), temps d'arrêt où l'auteur résume les précédentes visions et introduit les suivantes. Dans l'avant-dernier, par exemple, les souvenirs de sa mère et d'Ammonaria émeuvent encore une fois Antoine : l'une suscitera l'apparition de la Mort et l'autre celle de la Luxure. Du début à la fin de l'œuvre Flaubert assure ainsi dans ce fourmillement diabolique des liaisons intermittentes, celles d'une mémoire, d'une personnalité. Alors que dans les versions antérieures le Diable poussait à l'assaut sa troupe de Péchés, et que les Vertus défendaient le saint, et que tous ces personnages allégoriques se disputaient, Antoine semblait réagir faiblement et n'être plus que la victime malheureuse d'un drame qui le dépassait. Flaubert, en 1874, ne peut changer radicalement certaines nécessités de son sujet, mais il procède de telle sorte que le saint ne restera plus passif, immobile au centre d'un tourbillon furieux. Ses souvenirs peuvent paraître à l'origine même des hallucinations qui vont surgir (*cf.* S II, 93 et sq).

D'autre part Flaubert se préoccupe d'établir des

rapports entre ces proliférations d'images folles et la réalité ambiante. Il précise comment des objets familiers se transforment (15). Ou bien il prévoit, dans un brouillon, que « la lune se mire dans les flots et fait comme la continuation indéfinie du serpent [des Ophites], dont la queue sortant par la fenêtre s'étalerait sur les flots. / Puis, Antoine aperçoit, *en réalité*, la même image ... c'est la lune dans le Nil »[1]. Ou bien encore les flammes d'une torche roussissent la barbe d'Antoine : au même moment, sur son bûcher, le Gymnosophiste brûle (87). Des liens se nouent dans l'esprit du délirant entre les objets, lui-même et son hallucination.

Mais surtout Flaubert, en modifiant l'ordre des épreuves que subit le saint, le fait admettre, comprendre et demander à comprendre toujours davantage. Alors par exemple qu'en 1849-1856 Antoine était surpris par le brusque surgissement du Sphinx et de la Chimère, en 1874 il désire lui-même apercevoir les « figures primordiales, dont les corps ne sont que les images »; il progresse.

Ses progrès sont mis en valeur par la nouvelle disposition des épisodes. Car la composition de l'ouvrage a été profondément modifiée. A l'ancienne division tripartite succèdent sept parties (ce nombre a varié, a été de huit, de dix). Au lieu d'accumuler et de rassembler en une formidable confusion les images proliférantes, l'auteur s'attache à distinguer, à séparer. En même temps qu'il cherche une relative unité de ton, il fragmente son texte par souci de clarté. Et, en changeant l'ordre des visions, il donne une orientation nouvelle à la *Tentation*.

En 1849-1856 saint Antoine connaissait les tentations religieuses (hérésies), matérialistes (visions

1. Mss. NAF, 23 668, p. 120 verso. *Cf.* le développement de ce schéma, p. 77.

sensuelles, monstres) puis intellectuelles (métaphysique) et historiques (le défilé des dieux). La *Tentation* de 1874 dépend plus strictement de la personne du saint qui est amené à l'hallucination (I); c'est en lui que les Péchés développent les tentations qui lui inspirent visions triomphantes et enivrantes (II); il reçoit la visite d'Hilarion qui discute et promet de dévoiler la face de l'Inconnu (III), puis l'emmène et l'abandonne chez les hérésiarques (IV); Antoine désire alors connaître les Dieux et Hilarion revient pour commenter leur défilé (V); en suite de quoi Antoine acceptera de rencontrer le Diable qui l'emporte dans les espaces (VI) et le fait retomber sur terre, où le saint écoute la Mort et la Luxure dialoguer, voit naître les formes monstrueuses et s'enthousiasme à découvrir l'origine de la vie (VII). Sa défaite, déclare Flaubert à E. de Goncourt, est « due à la cellule, à la cellule scientifique ». Les changements apportés à ce passage final (qui terminait la seconde partie en 1849-1856), le fait que l'œuvre tout entière aboutit à cette suprême découverte, prouvent en effet que Flaubert a bien voulu amener le lecteur à cette conclusion, d'ailleurs en accord avec l'évolution scientiste de sa pensée telle qu'elle s'affirme dans la *Correspondance*.

Il a, de façon significative, introduit un nouveau personnage, Hilarion. Prétendu disciple et diabolique adversaire d'Antoine, Hilarion tient le rôle autrefois dévolu à la Logique et à la Science. Mais il le transforme en esprit, par les opinions qu'il exprime, et en action, puisque le saint n'est plus assailli par des ennemis déclarés de la foi, mais accompagné par un ami, presque un confrère (118).

Hilarion peut attaquer de front, mais préfère s'avancer masqué. S'il critique impitoyablement la vie farouche d'Antoine, c'est au nom de Jésus et de la joie que donne la possession de la vérité (42).

Il insinue le doute, mais pour ouvrir des perspectives nouvelles à l'intelligence : « Les efforts pour comprendre Dieu sont supérieurs à tes mortifications pour le fléchir. Nous n'avons de mérite que par notre soif du Vrai. La Religion seule n'explique pas tout; et la solution des problèmes que tu méconnais peut la rendre plus inattaquable et plus haute » (44-45). Il sait, en discutant, faire naître dans l'âme du saint l'aspiration au savoir. Antoine ne sera plus, comme précédemment, affolé et désorienté, mais éclairé et guidé. Hilarion impose son autorité et Antoine admet de le suivre sur le chemin de la connaissance : « Ma pensée se débat pour sortir de sa prison. Il me semble qu'en ramassant mes forces j'y parviendrai » (49). Hilarion en profite pour lui évoquer les Sages, qui gardent le secret de l'Inconnu, et l'entraîne parmi les hérésiarques, dont il commentera les propos.

La présentation des Hérésies n'est plus tout à fait la même que dans les deux premières versions. En 1849-1856 les chœurs d'hérétiques dominaient; en 1874 les fondateurs de sectes, les défenseurs illustres de certaines idées passent au premier plan. Les discours eux-mêmes se nuancent. Que l'on compare par exemple « Les Manichéens » de 1849-1856 et « Manès » en 1874 : à l'exaltation pittoresque, à la harangue enflammée, Flaubert substitue une profession de foi qui semble absurde, puis en partie acceptable au saint, et qui permet à Hilarion de remarquer la tempérance, la continence de ces hérétiques, et de critiquer l'Église. Si plus tard Antoine se récrie devant certaines affirmations, Hilarion lui répondra qu'il « comprend mal » ces doctrines diverses. Pour exposer ces croyances Flaubert a resserré, épuré son texte (*cf.* par exemple les Carpocratiens). Lors même que la progression de l'épisode fera croître et redoubler les fureurs, l'écrivain signale, mais ne souligne plus à grand renfort de rhétorique l'importance de la lubricité. Il infléchit quelque peu ses exposés vers l'argumentation théologique. Il intellectualise la discussion, en extrayant de ses anciens textes, et de nouvelles lectures, ce qu'il juge essentiel.

Bientôt le saint verra, dans des scènes nouvelles, des chrétiens qui prennent peur devant les supplices, regrettent la vie, et injurient le seul héros intrépide, un hérétique. Puis de belles et pieuses patriciennes viendront commémorer et pleurer leurs martyrs; elles s'exalteront et finalement se livreront à la débauche. Tout au contraire le Gymnosophiste, un fakir, en s'immolant, propose l'exemple de son pur courage. Antoine a blâmé ses frères, et un étranger l'a édifié : « A présent, c'est comme s'il y avait dans mon intelligence plus d'espace et plus de lumière » (88). De même, plus loin, après que le tentateur Apollonius lui a décoché une critique très flaubertienne : « La terreur qu'il [Antoine] a des dieux l'empêche de les comprendre; et il ravale le sien au niveau d'un roi jaloux » (*cf.* IV, 358, 361), saint Antoine manifeste son envie de connaître les dieux (117). Il s'initie progressivement à la connaissance, il devient intelligent.

Hilarion reparaît alors et de ce fait l'allure et la signification de la cinquième partie changent. Jadis le Diable et la Mort faisaient défiler à coups de fouet et en riant les Dieux morts. Maintenant un esprit alerte et averti explique et surtout compare précisément les diverses formes de l'aspiration religieuse. En particulier l'épisode nouveau du Bouddha autorise des parallèles instructifs avec le christianisme.

Expressément signalés par Hilarion (148-149), mis en lumière par des corrections de texte (*cf.* par exemple le sacrifice de l'agneau p. 137), ces parallèles, ces rapprochements font surgir de troublantes questions dans l'esprit de saint Antoine. Il résiste, il est horrifié, mais c'est justement le chrétien qui en lui s'émeut, qui craint de reconnaître son Dieu (139) ou « songe à la mère de Jésus » (140). Étourdi par ce voyage à travers les religions « il voudrait haïr; et cependant une pitié vague amollit son cœur ». Son trouble, Hilarion entend l'exploiter lorsqu'il avance que ces « faux dieux » ont « quelquefois... comme des ressemblances avec le vrai » et peuvent « sous leurs formes criminelles... contenir la vérité ».

La révision de 1856 laisse percevoir en de rares endroits l'esquisse de cette évolution (*cf.* par exemple les pages 632 et 140). Mais en 1874 Hilarion intervient et propose ses interprétations; il donne un sens nouveau à la *Tentation.* Cela ne signifie pas du tout que les effets anciens de confusion bizarre et de folies extravagantes disparaissent. Mais une idée critique se fait jour, qui éclaire différemment le « grotesque triste » de ces étranges élucubrations de l'esprit. Hilarion explique comment les dieux durent « progresser dans les métamorphoses » (122), comment ils représentèrent l'humanité primitive et exprimèrent l'âme des civilisations diverses. En particulier on notera de quelle façon Flaubert remplace en 1874 les plaintes d'Apis par celles d'Isis et comment il conserve quelques phrases, mais pour les enchâsser dans un chant funèbre à la gloire de l'Égypte ancienne, « monumentale et sérieuse ».

Les dieux, de toute façon, « doivent finir... c'est le destin ». Hilarion, qui présente une apologie de la Grèce antique et fait ensuite l'éloge de quelques divinités romaines, révèle enfin qu'il est la Science « affranchissant l'esprit et pesant les mondes, sans haine, sans peur, sans pitié, sans amour, et sans Dieu ». Ainsi se retrouve finalement l'allégorie des premières versions, mais cette métamorphose fait bien comprendre le changement introduit. La Science et la Logique attaquaient en 1849-1856 saint Antoine; en 1874 Hilarion l'instruit. Les Hérésies, le défilé des

dieux demeurent ce qu'ils furent : une suite de tableaux et comme la vertigineuse poussée de fleurs
étranges, et cependant marquent aussi les étapes
d'une enquête. L'homme de Dieu et l'homme du
Diable la vivent parfois ensemble.

Mais c'est le Diable qui la mène et, comme le saint,
il a beaucoup progressé. Tonitruant et sardonique
en 1849, annonciateur prophétique de la grande
révolte humaine contre les dieux en 1856 (637),
il n'intervient directement en 1874 que dans la VIe partie. Seule, au début de l'œuvre, une ombre subtile (16)
indique sa venue, et il préfère maintenant travailler
par personnage interposé. Hilarion, qui le représente [1],
soutient le plus souvent la pensée, ou certaines
pensées, de Flaubert. Or si l'on compare les dramatiques discussions entre Péchés et Vertus de 1849-1856
d'une part, et le dialogue entre Hilarion et Antoine
d'autre part, on voit que le combat entre la raison et
la foi demeure fondamentalement semblable, mais
que les règles du jeu sont modifiées. Le saint et Hilarion
peuvent s'opposer avec vigueur, mais le saint accepte
les justes remarques de son maudit compagnon et
Hilarion lui-même se fait compréhensif. Au reste
Flaubert dès 1849 avait signalé une telle possibilité
de dialogue; la Science alors déclarait à Antoine :
« Si la vérité t'est connue, tends-moi la main, car c'est
vers la cause aussi que j'aspire, moi, et ne la compre-
nant point, je ne la nie pas cependant » (355). En 1874
la main tendue est celle d'Hilarion qui entraîne
saint Antoine sur le chemin du savoir, à la découverte
de l'Inconnu. Les critiques d'Hilarion donnent, à
des moments décisifs, un sens précis à certaines

---

1. Dans le manuscrit (NAF. 23 668, p. 219 verso), outre plusieurs
définitions non retenues d'Hilarion par lui-même, on trouve ceci :
« alors, se substituant à Hilarion, à la forme qu'il avait, le diable
paraît sous sa forme réelle » et emporte saint Antoine dans l'espace.

visions et introduisent l'ordre d'une évolution intellectuelle dans le chaos breughélien des hallucinations.

Dans la partie métaphysique, la sixième, Flaubert reprend des affirmations fort proches des idées soutenues en 1849 et 1856 (on y joindra certains propos de la Logique pp. 247 sq. et 511 sq.). Il garde les mêmes convictions fondamentales : Dieu n'est pas une personne, mais « le seul Etre, la seule Substance », et l'esprit humain se perd à vouloir le définir. Mais le ton de l'épisode et l'argumentation diffèrent. A l'exaltation panthéiste des premières versions succède une critique intellectualiste. En 1849-1856 le diable disait à Antoine l'immense présence de Dieu et la puissance de son souffle qui circule « parmi les mondes ». Ébloui par cette révélation sublime, le saint n'avait « plus peur » et connaissait la joie de se sentir Substance, d'être Pensée. Puis le diable le désolait par une déclaration de scepticisme. En 1874, il lui fait découvrir l'ordre universel, critique systématiquement les illusions de la foi et dénonce l'exigence humaine d'un Dieu juste et bon : « il y a l'Infini; — et c'est tout ! » La formule se retrouve presque semblable dans les deux premières versions; mais autrefois elle enthousiasmait le saint et maintenant il « défaille » à l'entendre. Le diable a fait progresser son interlocuteur vers la lucidité de telle sorte qu'Antoine ne sente plus qu'un « froid horrible »; et de nouveau le Malin conclut en mettant en doute ce qu'il vient d'affirmer. Les emballements rhétoriques et les développements poétiques de jadis ont été concentrés en quelques affirmations essentielles et en inexorables refus.

Après quoi le saint revient à lui, désabusé : « Et j'avais cru pouvoir m'unir à Dieu ! ». C'est à la matière qu'il voudra s'unir à la suite des épreuves de la septième partie. Flaubert a inégalement retravaillé la forme et la présentation de ces épisodes (Mort et Luxure, Sphinx et Chimère, Monstres), dont un

monologue (187) précise la signification. Ils occupent
une place nouvelle et de ce fait acquièrent une tout
autre valeur : la *Tentation* ne s'achève plus par la
mort des Dieux mais par la naissance de la vie.
Dans cette dernière page Flaubert ajoute quelques
lignes. C'est la nature entière, où « les végétaux...
ne se distinguent plus des animaux », où « les plantes
se confondent avec les pierres », qui se joint au prodigieux déferlement des bêtes monstrueuses. Le temps
est alors venu pour saint Antoine de n'avoir « plus
peur ! » Il regarde et découvre l'origine de la vie,
la vibration initiale de la cellule. Ce passage final
exprime toujours une ivresse panthéiste, mais une
image instructive le charge d'une autre signification :
la recherche de l'Inconnu aboutit à l'apparition
primordiale.

Le jour enfin paraît et, tandis que « dans le disque
même du soleil, rayonne la face de Jésus-Christ »,
saint Antoine se remet en prières. Vaincu? Victorieux? — L'ultime vision donne au drame une fin
merveilleuse. La défaite du saint est « due à la cellule »,
mais il « sort victorieux » de ses épreuves, comme le
rapporte E. de Goncourt, et il reçoit du ciel sa récompense miraculeuse : il triomphe par sa foi. Flaubert
va donc plus loin qu'auparavant, dans deux directions opposées : précision intellectuelle et suggestion
légendaire. Au reste il semble, dans toute son œuvre,
accroître à la fois sa critique et son respect du sentiment religieux (il ne publia pas la très belle page qu'il
écrit alors sur la mort de Jésus-Christ dans la ville
moderne). La vue de la cellule scientifique, le miracle
de Jésus, ces deux effets contrastés de la fin, le montrent à la fois plus savant et plus poète : plus juste.

Aussi bien l'œuvre entière témoigne-t-elle de ce
« souci de l'esthétique, laquelle n'est qu'une Justice
supérieure » (VI, 296). Les corrections de style manifestent la volonté d'exprimer ou d'évoquer davantage

en disant moins. Car la plus brève des trois versions est aussi la plus dense. Flaubert polit et durcit sa phrase, brise une syntaxe trop uniment oratoire, tente de trouver une harmonie nouvelle à une œuvre qui reste nécessairement composite par son mélange de styles. A comparer les nombreuses pages remaniées, il semble bien que le travail de correction s'inspire de quelques principes déterminants : concentration des effets, réduction à l'essentiel, rigueur de la forme. Ce soin minutieux du détail parfait, cette recherche d'une beauté plus grave feraient juger parnassienne la troisième version par rapport au romantisme de la première. L'évolution de Flaubert correspondrait à celle du goût littéraire de son siècle. Mais l'écrivain se passionne à nouveau pour le sujet « extravagant » qui a captivé sa jeunesse, et s'émeut à l'idée qu'il demeure un vieux romantique. La *Tentation* représente bien, comme il l'écrit alors (VI, 385), l'œuvre de toute sa vie; elle révèle la persistance d'une fascination et le progrès de son art.

Ce livre destiné au « petit nombre » (VI, 377), Flaubert ne voulut pas le publier aussitôt. Il était, d'ailleurs, brouillé avec Michel Lévy depuis mars 1872, mais en juin 1873 il entre en relations avec Georges Charpentier qui va rééditer *Madame Bovary*, *Salammbô*, et publier en avril 1874 la *Tentation de Saint Antoine*.

La vente s'annonça bonne, mais « éreinté depuis le *Figaro* jusqu'à la *Revue des Deux Mondes*, en passant par la *Gazette de France*, et le *Constitutionnel* » (VII, 133), Flaubert est, une fois de plus, « roulé dans la fange par les folliculaires » (S III, 125), à quelques exceptions près (« sans Drumont et le petit Pelletan je n'aurais pas eu d'article élogieux », VII, 159). Les partis pris philosophiques et religieux expliquent sans doute la violence de certaines attaques : « débauche de philosophie panthéiste », « quintessence de cynisme », « la caricature de l'histoire et la falsification de la poésie », voilà quelques formules de Douhaire dans le *Correspondant* et de Saint-René Taillandier dans la *Revue des Deux Mondes*. Le reproche le plus souvent exprimé : tant de recherches érudites ennuient ! Et Barbey d'Aurevilly donne magistralement le ton : « La *Tentation de Saint Antoine* pourrait être le suicide définitif de Flaubert... tellement incompréhensible qu'on n'en aperçoit ni l'idée première ni même l'intention... un ennui implacable ». Quelques lettres privées (*cf.* celle de Taine), la *Lettre* publiée de Renan, plus fortement sollicité que convaincu, purent adoucir la déception de l'écrivain.

Cependant Flaubert se trouve donner au public, en quelques semaines, deux ouvrages, la *Tentation* et sa comédie *Le Candidat*, et subir un double échec, puisqu'il doit retirer sa pièce à la quatrième représentation. D'où son amertume. Il en arrive à penser que les critiques s'acharnent contre lui, qu'ils sont animés par la « haine » de sa personne.

Pour s'être senti « en veine dramatique » (VII, 46) après avoir retravaillé le *Sexe faible*, il avait entrepris le *Candidat*. Même si le scénario n'en est pas, au sens strict du mot, original, une inspiration personnelle y trouve un thème propice : je « roule dans la fange tous les partis. Cette considération m'excite. Tel est mon caractère », écrit-il vers juillet-août 1873 (S III, 96). Le sujet du *Candidat*, que G. Sand jugera « écœurant, trop réel pour la scène et traité avec trop d'amour de la réalité », c'est l'ignominie croissante d'un bourgeois dévoré par son envie de la députation. Flaubert traite cette passion comme elle lui semble le mériter : dans la platitude et en farce. Pour bien mettre en lumière les « conversions » rapides de son candidat, il répète ses effets; l'intrigue sent l'artifice et se complique, tandis que les personnages ne paraissent naturels que par leur médiocrité. Lorsque, pour faire contraste, Flaubert introduit un personnage sympathique, un jeune poète se réclamant du romantisme, il ne réussit pas à lui prêter vie et réalité théâtrales : sa déclaration d'amour sembla parodique et fit rire. C'était bien le seul rire qui ne fût point souhaité ! Enfin le *Candidat* est une pièce à thèse. Flaubert se croit impartial parce qu'il attaque tous les partis, mais il est dominé par sa haine du suffrage universel : sa pensée ne peut plus être objet de discussion, de conflit, de création artistique. Toutefois sa comédie présente un certain intérêt historique. Zola semble l'avoir sincèrement admirée et Antoine la fera jouer. On peut y voir une tentative de théâtre réaliste.

L'échec du *Candidat* toucha Flaubert, il frappa les directeurs de théâtres. Le *Sexe faible* ne put jamais être représenté.

❧❧❧

En ces cinq années 1869-1874, Flaubert ne change pas le genre de vie qu'il a choisi par vocation et par système : travail solitaire à Croisset, longs séjours à Paris. En 1870 il note sur un carnet que ses meilleurs amis l'ont « quitté » pour des femmes et il s'interroge et il se répond : « Tous ! Tous ! Suis-je donc un monstre ? L'homme absurde est celui qui ne change jamais ; c'est moi l'homme absurde, pauvre vieux fou, qui porte à cinquante ans le *dévouement* qu'ils avaient (peut-être) à dix-huit ! » (NV II, 365). Sa constance durera jusqu'à sa mort, mais l'âge la rend plus pénible. En novembre 1872 il écrit à Caroline : « Ma vie est abominablement aride, sans plaisir, sans distraction, sans épanchement » (S III, 64), et c'est le chagrin qui inspire alors cette formule. Mais il sait bien, d'expérience, que « *la solitude exaspère les nerfs* » (S III, 70) et qu'il en souffre. Cependant des affections féminines lui permettent distractions et épanchements.

Il s'est lié avec Mme Brainne, qui, avec Mme Lapierre et Mme Pasca, forme le groupe des trois « Anges ». D'autre part il voit souvent Edmond Laporte qui lui prouve activement la sincérité de son affection. Il a le réconfort de précieuses amitiés littéraires, celle de Tourgueneff, celle de G. Sand avec qui il s'accorde si bien pour converser sur leurs désaccords. Enfin il a acquis le prestige du maître; son futur « disciple », Guy de Maupassant, le neveu d'A. Le Poittevin, est venu le voir; Zola, Daudet, plusieurs autres jeunes écrivains l'admirent pour ce qu'il a donné aux lettres : une œuvre exemplaire, incitatrice, et tous l'aiment pour ce qu'il est : intransigeant et bonhomme, un esprit passionné, libre et droit.

Lui pourtant ne s'aime que dans le travail et il continue de sacrifier à sa volonté, plus forte que les épreuves. Il a ébauché des projets de romans, et en particulier *Sous Napoléon III*. Mais depuis 1872 c'est *Bouvard et Pécuchet* qui l'occupe. Ayant cherché la difficulté — c'est son instinct —, il tempête contre le choix de ce sujet — c'est son habitude. Il se dit qu'il n'a jamais visé si haut, il est ravi et furieux de constater l'ampleur de la sottise et du savoir humains; il amoncelle les notes de lecture. Mais le corps se fatigue. En 1874 son médecin l'envoie faire une cure de repos en Suisse, près de Lucerne.

Or, en avril 1875, son neveu Commanville est menacé de faillite. Flaubert s'inquiète et bientôt s'effraie. Il pense devoir quitter Croisset. Pour Caroline il n'hésite pas à se dépouiller de sa fortune; il vend sa ferme de Deauville, renonce à son appartement parisien, et jusqu'à la fin de sa vie connaîtra une gêne poignante. Les soucis financiers, les démarches à tenter, les demandes de garanties, tous ces embarras l'humilient et le bouleversent : « J'ai tout sacrifié, dans ma vie, à la liberté de mon intelligence! et elle m'est enlevée par ce revers de fortune. Voilà surtout ce qui me désespère » (S III, 186). Ses amis Laporte et Raoul-Duval lui viennent en aide. Mais des mois d' « angoisses infernales » l'éprouvent durement et les crises nerveuses reparaissent. Il ressent une « invincible mélancolie » tandis que grandissent ses doutes sur *Bouvard et Pécuchet*. Il commence à perdre confiance. C'est alors que son ami, le naturaliste G. Pouchet, l'invite à passer en sa compagnie quelques semaines à Concarneau.

8 TROIS CONTES

DÉGOÛTÉ de son travail, épuisé de tristesse, il voit dans le séjour à Concarneau « un remède héroïque », s'obliger au repos : « je n'emporterai ni papier, ni plumes ». En conséquence, quelques jours après son arrivée, Flaubert déjà « rêvasse » à la légende de Saint Julien l'Hospitalier et esquisse un plan : « Je *veux* me forcer à écrire *Saint Julien*. Je ferai cela comme un pensum, pour voir ce qui en résultera » (VII, 263). Il commence à rédiger et se sent mieux : « Enfin je ne croupis plus dans l'oisiveté qui me dévorait ! »

Flaubert achève *Saint Julien* à Paris en février 1876. Il réfléchit qu'un autre conte lui permettrait « d'avoir à l'automne un petit volume » (S III, 239) et se met en mars à écrire *Un cœur simple*. Il fait en avril un bref voyage à Honfleur et Pont-l'Évêque « pour avoir des documents » (VII, 295). Ayant regagné Croisset en juin 1876, il y termine en août ce deuxième conte. Avant même de l'avoir mené à bonne fin il a décidé d'y ajouter un troisième récit, *Hérodias*. Il fait quelques recherches sur le sujet à Paris en septembre, puis repart pour Croisset, où il termine ce conte le 1er février 1877. C'est à Paris qu'il finit de le recopier, le 15 février. Entreprise comme par défi, cette triple création lui refait une santé : « Jamais je ne me suis senti plus d'aplomb », déclare-t-il en juillet 1876. Il se retrouve : ses difficultés d'exécution croissent progressivement et il connaît enfin une « effrayante exaltation » en écrivant *Hérodias* (S III, 315).

Publiés d'abord séparément dans la presse, les *Trois Contes* sont édités en volume par Charpentier en avril 1877.

En composant *Saint Julien*, Flaubert réalise sur le tard une idée de jeunesse. Du Camp affirme que cette idée fut conçue en 1846 au cours d'une excursion à Caudebec, et que les vitraux de l'église (qui représenteraient en fait saint Eustache) l'inspirèrent. Il se peut, comme l'observe A. W. Raitts, qu'une dizaine d'années plus tôt, en 1835, des propos d'H. Langlois, très aimé de Flaubert et spécialiste de l'art du vitrail, aient attiré l'attention de l'enfant sur ces vitraux de Caudebec (*cf.* I, 16). En 1856, après l'achèvement de *Madame Bovary*, Flaubert avait entrepris de creuser le sujet; il avait consulté « des bouquins sur la vie domestique au moyen âge et la vénerie », relu la *Légende du beau Pécopin*, de Victor Hugo, par crainte d'éventuelles ressemblances, et annoncé son intention de « faire une couleur amusante ». Mais il préféra de plus longs travaux et pendant près de vingt ans le sujet attendit.

Lorsqu'en 1875 Flaubert le reprend, il veut se distraire d'un labeur décourageant et se délasser par une « petite bêtise *moyenâgeuse* » (VII, 279). La rapidité avec laquelle il établit un plan et commence à rédiger donne à penser qu'il a déjà une vision assez claire de son dessein. Il sait d'ailleurs, comme le montre une lettre à Caroline, de quels livres il aura besoin pour son travail (VII, 265). De retour à Paris, en novembre, il pourra trouver et retrouver les indispensables sources d'érudition.

Si Flaubert désira que fût reproduite dans une édition de luxe la verrière de la cathédrale de Rouen consacrée à la vie de Saint Julien, c'est afin que le lecteur se dise : « Je n'y comprends rien. Comment a-t-il tiré ceci de cela? » (VIII, 207); et si l'histoire racontée est « telle à peu près qu'on la trouve, sur

un vitrail d'église, dans mon pays », c'est entre le *ceci*
et le *cela* et dans cet *à peu près* que s'insère le travail
de l'écrivain : la re-création moderne d'une légende
médiévale, à partir de multiples témoignages littéraires
ou historiques.

Sachant déjà, sans doute, sur quels textes s'était
fixée son inspiration, Flaubert a dû compléter,
abondamment, une documentation préalable. Outre
les *Acta Sanctorum*, la *Légende dorée* (*cf.* les vies de
saint Julien et de saint Christophe), le livre d'H. Lan
glois, l'*Essai historique et descriptif sur la peinture
sur verre* (1832), où le vitrail de Rouen est dessiné et
commenté, lui fournirent les éléments premiers de
son œuvre (et on ne négligera pas la *Légende du
beau Pécopin*). Ces lectures ont influé sur le choix de
certains détails, de quelques images de Flaubert. Mais
son conte se distingue assez nettement de la légende
médiévale proposée par ces ouvrages. Dans ces différentes versions Julien n'est pas tant puni pour son
excessive cruauté et son goût du sang que surpris
par un prodige : un cerf qu'il pourchasse lui prédit
qu'il tuera père et mère (cette scène ne figure pas sur
les vitraux de Rouen). D'autre part, après avoir
commis le double meurtre, Julien mène une vie de
charité en compagnie de sa femme et les deux époux
couchent entre eux l'horrible lépreux (ange ou Jésus).
Ces récits hagiographiques doivent édifier, ils dis-
pensent sur les vertus de Julien une lumière glorieuse,
mais laissent dans l'ombre toute explication qui eût
prêté vraisemblance ou nécessité à l'intervention de
Dieu et au crime de l'homme : le présage est arbitraire,
le parricide sera fortuit. Cette histoire si particulière
de saint Julien a d'ailleurs pu être rapprochée de
récits orientaux et certains de ses épisodes (assassinat
des parents, passage du fleuve) se rattachent à une
riche tradition mythique. Les Vies de saint Julien,
le livre de Langlois donnaient toutefois à l'écrivain

une idée encore vague, mais impressionnante, de sujet à creuser.

C'est sans doute une note de l'*Essai sur les légendes pieuses du Moyen Age* (1843) de Maury qui fournit à Flaubert une référence à un article de Lecointre-Dupont, *La légende de Saint Julien le Pauvre, d'après un manuscrit de la Bibliothèque d'Alençon*, paru dans les *Mémoires de la Société des Antiquaires de l'Ouest* (année 1838). Dans cet article il pouvait lire une adaptation intéressante de la légende. En effet une certaine relation y apparaît entre l'amour de Julien pour la chasse et la malédiction divine que prononce le cerf; il y apparaît également que, si Julien n'accueille pas lui-même ses parents venus en son château, c'est qu'il est de nouveau parti chasser. Certes, comme les autres textes médiévaux, cette version présente des éléments (pèlerinage de Julien, sainte vie menée en commun par les deux époux) que Flaubert ne retiendra pas. Mais des rapprochements indiscutables de textes prouvent que Flaubert a lu et utilisé cette adaptation. Il put y remarquer ces liens entre la nature et le fantastique, entre la passion humaine et l'intervention surnaturelle, qu'il allait savamment nouer. « Une grande volupté à tuer » (qu'indique un résumé quelque peu différent du plan définitif), voilà bien l'aspect nouveau, humainement révélateur, que Flaubert saura d'abord mettre en lumière, pour l'opposer à l'autre lumière, rayonnante, de la fin.

Son imagination ne s'est pas contentée de ce seul texte. Comme ses grandes œuvres, ce court récit cache bien des souvenirs de lectures. A se borner au certain, on apprend, par le *Carnet* 17, qu'il a dépouillé en 1875 de nombreux traités de vénerie, la *Chasse de Gaston Phoebus*, le *Livre du roy Modus*, la *Fauconnerie* de Jean de Franchières, et celle de Tardif et bien d'autres, qu'il y a relevé des termes

spéciaux, des images, des précisions techniques.
D'autre part les dossiers de *Saint Julien* montrent
le même souci de documentation sur la chasse, mais
aussi l'élargissement de la recherche à différents
aspects de la vie au moyen âge. C'est qu'une érudition
historique très précise doit se mêler à l'évocation
légendaire pour que semble ressusciter une inspiration
médiévale.

Dans les premières pages l'idéal château et son
« bon seigneur », les scènes de la vie féodale qui
conduisent à ces présages si douteux, si importants;
plus loin l'énumération épique des hauts faits militaires de Julien, qui entraîne à travers les siècles, à
travers le monde, jusqu'aux contrées fabuleuses du
soleil, de la glace et des fantômes, illustrent ce savant
exercice de fausse naïveté. Flaubert a pris un certain
ton de légende ancienne et parfois va un peu trop loin
pour signaler le pastiche et parfois beaucoup plus
loin pour envoûter l'imagination.

La composition, stricte et simple, s'ordonne en
trois parties, chacune divisée en son milieu par un
blanc. Chaque fois le récit présente une époque de la
vie de Julien, jeune et noble chasseur, parfait chevalier,
saint homme; puis Julien affronte une épreuve brève
et décisive (chasse, meurtre, appel du lépreux).
Deux fois il rompt avec son passé et s'enfuit, et enfin
Jésus l'emporte au ciel. Les ruptures de cette vie
n'en détruisent pas l'unité. Flaubert établit un
minutieux système d'annonces et de rappels, de
correspondances symboliques entre les différents
moments de l'action, entre ses différents théâtres
(*cf.* les deux chasses); et surtout la volonté de Dieu,
constante mais de plus en plus puissamment affirmée,
donne la cohérence d'un destin exemplaire à cette
vie si diverse.

En chacune des trois parties il est donné à Julien
d'atteindre une irréelle perfection dans la réalisation

de son type. D'abord le jeune homme assouvit ses instincts de meurtre dans la chasse; ce sera sa passion; il devient comme une bête. Un jour de merveilleux accord entre lui-même et les choses et les animaux, il achève un massacre immense; comme hors de lui, hors du temps, il va jusqu'à l'extrême de son plaisir et de sa fureur : alors le cerf justicier lui signifie son avenir de parricide. Julien s'enfuit et incarne, avec une semblable perfection, son rôle de héros d'épopée qui accumule les victoires et reçoit la plus prestigieuse récompense, la fille de l'empereur. Il connaît le bonheur et son insuffisance; la tentation obsédante de la chasse surgit à nouveau. Il succombe. Il tue ses parents et fuit pour mourir à lui-même, dans la solitude, le dévouement et la charité : pour s'accomplir à jamais, purifié, racheté, dans le sein du Seigneur.

Tels étant les trois aspects de cette vie, on peut remarquer que Flaubert y trouve certains thèmes de prédilection : la frénésie sanguinaire, le rêve oriental (dans le château « moresque »), l'ascétisme; mais qu'il modifie l'histoire traditionnelle de façon significative : l'épouse qui connaissait la prédiction occasionne le crime puisqu'elle incite Julien à chasser de nouveau, elle ne l'accompagnera pas dans sa vie de pénitence. Les ressources du genre permettent à l'écrivain tout à la fois de s'engager profondément et de dégager subtilement les lecteurs de l'emprise de l'imaginaire. Descriptions d'enluminures, anecdotes merveilleuses, fantaisies d'expression dénoncent la fiction; cependant que le genre légendaire autorise que soient portées à une puissance surnaturelle les passions humaines du sang, de la gloire et de la foi.

Le personnage de Julien est conçu, schématisé, en fonction des trois moments de l'action. Toujours il s'accomplit idéalement et présente de parfaites images de la chasse, de la chevalerie, de la sainteté médiévales. C'est-à-dire qu'à l'inverse d'Emma Bovary, de Salammbô, de Frédéric Moreau, sa vie ne fausse ni ne trahit une aspiration personnelle, un idéal ou un sentiment. Dans les personnages romanesques de Flaubert un écart se creuse et grandit entre la vie rêvée et la vie vécue, qui fait leur complexité et leur insuffisance. Mais Julien coïncide avec lui-même parce qu'il est réduit à sa passion, ou à son type historique. Sa vie réalise les présages qui l'annoncent; les nécessités intérieures, le hasard se subordonnent à une Volonté absolue; il meurt triomphant.

Flaubert a écrit ce conte pour charmer. Le manuscrit et, en particulier dans les brouillons, les suppressions de phrases ou de passages, montrent son effort pour conquérir la forme qui énonce simplement et suggère pleinement. Dans le texte définitif la division en très courts paragraphes, d'une phrase souvent, semble détacher images pittoresques et instants fatidiques. En ce difficile exercice de simplicité la prose atteint une pureté qui fait la perfection de ce bref chef-d'œuvre. Sa beauté lumineuse émeut et rayonne, comme celle que surent élaborer les maîtres du vitrail.

❦❦❦

En terminant son premier récit, Flaubert sait qu'il veut composer un volume et qu'il lui faut songer à varier ses effets. En 1856 déjà, comme il s'imaginait finir vite *Saint Julien*, il se réjouissait à l'idée de pouvoir publier à la fois « du moderne, du moyen âge et de l'antiquité » (IV, 105). En 1877 il réalise encore mieux une telle ambition, car il ménage en un recueil des contrastes d'époques, mais aussi de tons : à l'« effervescent » *Saint Julien* s'oppose un récit moderne et « bonhomme », *Un cœur simple*.

A l'origine, d'après le premier plan connu, il y a le *Perroquet*, qu'aime une vieille servante, Félicité. « Peu à peu il meurt », elle le fait empailler, « lui parle

mort », obtient du curé de le placer sur un reposoir,
à la Fête-Dieu : « Tableau ». Son émotion trop forte
déclenche une attaque et à l'hôpital Félicité a une
« vision mystique. Son perroquet est le Saint Esprit.
Elle meurt saintement ». En comparant cette ébauche
et le texte final, on est tenté de distinguer, peut-être
trop, l'histoire du perroquet et la « vision mystique »
d'une part, la vie de Félicité, ce demi-siècle de servitude,
d'autre part. Certes les deux thèmes sont unis dans
le plan primitif; mais au lieu d'apparaître immédiatement, « Loulou » ne sera plus évoqué qu'au troisième
tiers du texte définitif, parce que la vie de Félicité a
gagné en importance et constitue désormais le sujet
de l'ouvrage. Le travail de Flaubert l'aurait amené à
développer ce second thème, simplement évoqué dans
l'ébauche, de telle sorte que les scènes du reposoir
et de la vision mystique forment la conclusion significative du récit et non plus son épisode principal.
Il a fallu que d'abord, dans la troisième partie, la
tardive éducation religieuse de Félicité prépare, encore
indistinctement, la future confusion entre le Saint-
Esprit et le perroquet, puis que la mort lui arrache
successivement tous ceux qu'elle chérit. Alors
seulement on lui donne le perroquet sur lequel se
fixe enfin son « besoin d'aimer ».

Un sentiment qui réclame un objet d'adoration et
prend une forme idolâtre, une vie douloureuse et
humiliée, ce sont deux idées que Flaubert a creusées
depuis longtemps. On sait comme il juge de l'exigence
religieuse (*cf.* IV, 170), et comme l'attirent les formes
étranges que peut prendre une fascination (*cf.* son
curieux projet de l'*Éléphant de bronze* dans le *Carnet* 19).
L'autre idée, celle de la servante dont la vie monotone
a connu douleurs et passions, apparaît en 1836 dans
Rage et Impuissance; et surtout, dans *Madame Bovary*,
un personnage épisodique, Catherine Leroux, témoigne
devant les « bourgeois épanouis » de ses souffrances et

de sa dévotion. Dans la réalité enfin la vieille bonne de Flaubert, Julie, ne lui avait-elle pas offert l'exemple de son dévouement? Elle lui rappelait son enfance; il aimait s'instruire à l'écouter.

Ces inspirations diverses vont s'unir dans le personnage de Félicité de telle façon qu'*Un cœur simple* semble, par rapport à l'œuvre entier de son auteur, la production révélatrice d'une sensibilité toujours cachée et cette fois-ci montrée. C'est un fait que Flaubert écrit ce conte à un moment exceptionnel de sa vie. Il vient d'échanger avec George Sand quelques lettres sur le droit de l'artiste à exprimer ses convictions morales ou ses sentiments personnels dans son œuvre. S'il n'a point cédé sur les principes, sur la nécessaire impersonnalité de l'art, il a été ému par les objurgations de son amie et pense à elle lorsqu'il écrit *Un cœur simple*. D'autre part, depuis plusieurs années ses chagrins l'ont amené à s'enfermer dans ses souvenirs, et le conte qu'il écrit lui procure maintes occasions de retrouver les images de sa jeunesse. En ce sens, ce récit semblerait particulièrement propre à faciliter épanchements et confidences.

Les travaux de Gérard-Gailly ont remarquablement précisé la part de ces souvenirs, dont Caroline Commanville avait signalé l'importance dans ses *Souvenirs intimes*. Paysages, figures, épisodes... l'écrivain s'accroche au passé et imagine en se souvenant. Pont-l'Évêque, la ferme de Geffosses, la plage de Trouville, ce sont les attaches familiales et le décor des vacances anciennes; le capitaine Barbey, son perroquet, sa fille et sa servante, l'auberge de l'*Agneau d'Or* et la mère David, Flaubert les a fréquentés, observés et déjà, parfois, les a évoqués dans d'autres œuvres. Mais dans *Un cœur simple* il va peindre le pays, les gens, les habitudes de vie, tels qu'il les a connus, et il fait jouer Paul et Virginie là où lui-même s'amusait avec Caroline. Il remonte plus haut encore dans le passé de sa famille : le marquis de Grémanville rappelle le conseiller de Crémanville dont il a seulement entendu parler; le couvent des Ursulines à Honfleur, où Virginie est mise en pension, lui permet sans doute de glisser une allusion au pensionnat où sa mère fut élevée. Il peut aussi marquer et dissimuler un point de repère très personnel : est-ce un hasard si Félicité s'évanouit, ensanglantée par le coup de fouet du postillon, à l'endroit où lui-même tomba victime de sa première attaque de nerfs?

Mais justement ces liens entre son œuvre et son passé restent secrets; car la méthode ne change pas et exclut toute confidence. Flaubert persiste à traiter impersonnellement son expérience et c'est un fait qu'il éprouve beaucoup de difficultés à « mettre en train » (VII, 292) ce conte si « personnel ». Il s'oblige à chercher dans les livres, puis sur place, des « renseignements » (S III, 244) pour transformer en vérités bien établies les souvenirs que la mémoire ne suffit pas à garantir. Un de ses *Carnets* montre par exemple qu'il consulte un livre de Lanté sur les costumes féminins de Pont-l'Évêque au début du siècle. Il y note brièvement ce qu'il remarque dans l'église Saint-Michel de cette ville : « une Sainte Vierge assise les mains jointes au-dessus d'elle un Saint Esprit dans des flammes tordues », « un Saint Michel en bois terrassant le dragon » et le « vitrail de gauche : la crèche — la Vierge à genoux adore le bambin » : cela même que Félicité doit regarder lorsqu'elle mènera Virginie au catéchisme. Les dossiers d'*Un cœur simple* et la *Correspondance* (*cf.* VII, 334) apprennent quels ouvrages fournissent à Flaubert les précisions convenables, c'est-à-dire exactes. Il étudie en particulier l'*Eucologe* de Lisieux, un bréviaire pour s' « instruire dans les processions », le *Traité de la pneumonie* de Grisolles sur les caractéristiques de cette maladie, et plusieurs livres ou articles sur les perroquets. Enfin pour s' « emplir l'âme de perroquet » (VII, 332) il place sur son bureau un bel exemplaire d' « Amazone » empaillé, animal de référence sur lequel travaille son imagination. Car le perroquet des Barbey, ce lointain souvenir, n'a pu donner naissance qu'à l'invention du sujet.

Mais maintenant c'est la « conception » qui gouverne le choix, l'usage et l'adaptation des données de la mémoire et de l'observation. Quand sous un épisode affleure un souvenir (la mort de sa sœur Caroline, la mort de Virginie), l'écrivain exprime et transforme son émotion selon les exigences de l'intrigue et le caractère de ses personnages. On sait par exemple que la bien réelle « tante Allais » mourut fort riche; mais la fictive Mme Aubain connaît la gêne et sera volée par son notaire. Il convient alors que sa maison sente « un peu le moisi », que dans sa ferme de la Touques les poutrelles soient « vermoulues » et que la charreterie tombe en ruines. Ainsi le conte reçoit-il sa « couleur » particulière.

Flaubert a dit son intention : « L'*Histoire d'un cœur simple* est tout bonnement le récit d'une vie obscure, celle d'une pauvre fille de campagne, dévote mais mystique, dévouée sans exaltation et tendre comme du pain frais. Elle aime successivement un homme, les enfants de sa maîtresse, un neveu, un vieillard qu'elle soigne, puis son perroquet; quand le perroquet est mort, elle le fait empailler et, en mourant à son tour, elle confond le perroquet avec le Saint-Esprit. Ce n'est nullement ironique comme vous le supposez, mais au contraire très sérieux et très triste. Je veux apitoyer, faire pleurer les âmes sensibles, en étant une moi-même » (VII, 307). S'il a besoin de préciser que son conte n'est « nullement ironique », c'est que le résumé met en relief la confusion entre le perroquet et le Saint-Esprit, élément premier sur lequel il travailla et qui peut bien paraître très comique. Flaubert se défendrait ici contre sa propre invention et un possible malentendu. Ce faisant il tirerait des effets nouveaux de ce mélange d'ironie et de sensibilité qu'il a toujours goûté et cultivé. Car le rapport entre « blague » et « lyrisme » s'inverserait. Dans *Madame Bovary* et encore dans l'*Éducation* l'ironie défaisait les illusions sentimentales. Dans *Un cœur simple*, au contraire, la sensibilité doit se révéler malgré une apparente moquerie. C'est pourquoi l'œuvre ne produira plus l'effet de réalisme « impitoyable » dénoncé par les adversaires de l'écrivain, sans être du tout, pour autant, un conte larmoyant.

La figure principale, Félicité, peut être rapprochée de deux personnages, l'un épisodique, l'autre secondaire, des grands romans : Catherine Leroux dans *Madame Bovary* et Dussardier, autre cœur simple, dans l'*Éducation sentimentale*. Comme eux elle se distingue d'abord des personnages principaux par cette différence capitale : elle est du peuple. Les prétentions, vanités, idées reçues caractéristiques du bourgeois lui demeurent étrangères ; elle ne pensera pas bassement.

C'est sa dépendance sociale que manifeste la première phrase, par sa construction même : « Pendant un demi-siècle, les bourgeoises de Pont-l'Évêque envièrent à Mme Aubain sa servante Félicité ». Au cours du récit sa position d'inférieure est plusieurs fois rappelée. Une année vient où elle n'a plus le droit de tutoyer Virginie, « ce qui mettait une gêne, une barrière entre elles ». Un jour « Madame » l'indigne, en lui faisant comprendre qu'un gueux comme Victor et une demoiselle comme Virginie ne peuvent avoir les mêmes droits à l'affection. Enfin, lorsqu'au souvenir de l'enfant morte, Mme Aubain et Félicité s'embrassent, cet extraordinaire « baiser qui les égalisait » lui fait chérir à jamais sa maîtresse : un instant Félicité a pu croire échapper à son sort, l'humilité.

« Comme vous êtes bête », lui dit souvent Mme Aubain. Cette bêtise a une signification particulière. Dans les brouillons il est noté que Félicité possède un étrange « pouvoir sur les animaux » et que son demi-sommeil, dans la quatrième partie, est « pareil à celui des animaux, des plantes ». Son affection pour les enfants la fait tout naturellement s'exposer pour les défendre contre le taureau furieux, et regarder Paul et Virginie comme les représentants d'une espèce supérieure. Elle chérit Mme Aubain avec un « dévouement bestial ».

Avec « une vénération religieuse » aussi : les séances de catéchisme lui ont enseigné à aimer les êtres en Dieu, religieusement. Quand le dernier de ceux auxquels elle s'est dévouée, le père Colmiche, meurt, le perroquet est apporté chez Mme Aubain. Alors Félicité reportera sa capacité d'affection sur le merveilleux animal, puisque la vie ne lui offre plus d'être à aimer. D'autre part les leçons du curé l'ont déjà fait s'interroger sur le Saint-Esprit et cette colombe qui le symbolise; elle résoudra grâce à Loulou ce mystère. Et le dévouement s'achève en dévotion. Félicité contractera « l'habitude idolâtre » de prier devant le perroquet. Nature et surnaturel sont simplement unis par cette créature primitive qui, selon une note préparatoire, « voyait Dieu dans la création ».

Le perroquet qui « occupait depuis longtemps l'imagination de Félicité » va l'occuper de plus en plus, jusqu'à la mort. Dans les dernières pages elle est seule, « le petit cercle de ses idées se rétrécit encore... elle vivait dans une torpeur de somnambule... ». Dans la maison, où gagne la pourriture, une infirme agrippera l'oiseau dévoré des vers, ultime et dérisoire trésor de celle qui meurt et n'a plus qu'un reposoir à orner et le ciel à rêver. L'adoration du perroquet apporte à Félicité la consolation vaine et profonde de ses malheurs. Pour avoir beaucoup aimé, elle a beaucoup souffert, et une longue suite d'épreuves, « la misère de son enfance, la déception du premier amour, le départ de son neveu, la mort de Virginie », ont désolé sa vie, sans altérer sa bonté. Avec l' « apothéose du perroquet » Félicité reçoit finalement une récompense illusoire et splendide, qui symbolise un lamentable échec et convient à la simplicité d'un cœur. Par cette alliance de « grotesque » et de « pathétique » Flaubert atteint le but constant de son effort : faire rêver, et il réalise aussi, dans l'ironie, son intention particulière : « faire pleurer les âmes sensibles ». Car l'émotion cachée est à la mesure de l'ironie.

Quant à sa composition, une telle œuvre ne le cède pas en difficultés à *Saint Julien :* à la simplicité dans la grandeur succède la simplicité dans la petitesse. Flaubert ne doit plus raconter le destin exceptionnel d'un être choisi par Dieu pour le pire et pour le meilleur, mais la « vie obscure » d'une servante.

Félicité vit dans l'ombre une existence qu'il lui semble naturel d'aliéner, de tout son cœur. Elle « avait eu » son histoire d'amour; elle n'a plus ensuite qu'à faire profiter les autres de son travail et de sa tendresse. C'est pour Mme Aubain qu'elle économise et marchande obstinément. C'est la communion de Virginie qui l'émouvra jusqu'à l'hallucination; ellemême ne goûtera pas « les mêmes délices » quand elle communiera.

Sa vie de domestique est réglée par les ordres et les habitudes de Mme Aubain. Flaubert conte ces habitudes, enchaîne les scènes familières, dit les petits événements extraordinaires, fait se succéder portraits, anecdotes, descriptions, avec une apparente liberté. Ces menus détails d'une vie commune et typique renvoient toujours à celle qui commande la perspective du récit, ils montrent l'unité de sa vie et de sa croissante désolation. A mesure que le récit avance, l'isolement de Félicité grandit et elle gagne en importance jusqu'à ce qu'elle reste seule, confite en souvenirs et en piété pour l'oiseau merveilleux, jusqu'à ce que sa vie s'achève, banale et pourtant pleine de sens.

Conte de peu de matière, *Un cœur simple* révèle pathétiquement, ironiquement, une vérité humaine essentielle, comme *Saint Julien*, et par ce nouvel exercice de virtuosité littéraire Flaubert réalise l'idéal qu'il déclarait alors : qu'un ouvrage produise, « indépendamment de ce qu'il dit », un pur effet de Beauté par « la précision des assemblages, la rareté des éléments, le poli de la surface, l'harmonie de l'ensemble »; mais, ajoutait-il, « d'un autre côté l'Art doit être bonhomme » (VII, 294). En août 1876, il satisfait tout à la fois ces deux exigences théoriques : c'est de l'une que relevait *Saint Julien*, mais *Un cœur simple* ne néglige pas l'autre.

❧❧❧

A la fin d'avril 1876 Flaubert annonce son projet d'écrire « l'histoire de saint Jean-Baptiste ». « La vacherie d'Hérode pour Hérodias m'excite. Ce n'est encore qu'à l'état de rêve » (VII, 296). Le 19 juin il déclare : « L'histoire d'Hérodias, telle que je la comprends, n'a aucun rapport avec la religion. Ce qui me séduit là-dedans, c'est la mine officielle d'Hérode (qui était un vrai préfet) et la figure farouche d'Hérodias, une sorte de Cléopâtre et de Maintenon. La question des races dominait tout » (VII, 309). Flaubert avait-il pensé à ce sujet avant 1876? C'est très possible. A-t-il reçu son « inspiration » des sculptures qui, au portail nord de la cathédrale de Rouen, lui présentaient le festin d'Hérode, l'exécution du Baptiste et Salomé dansant « sur les mains, les talons en l'air », telle qu'il la représentera? Du Camp l'affirme et la conformité des images sculptée et littéraire implique le rapprochement; Du Camp ajoute que le sujet hantait la cervelle de son ami depuis longtemps. Le certain, c'est qu'en 1876 Flaubert trouve dans l'histoire d'Hérodias une matière très différente des deux vies de saint Julien et de Félicité, quant au pays, à l'époque, au genre, et donc s'assure le moyen de composer « un volume assez drôle ».

Des motifs divers et des intentions multiples ont sans doute amené sa décision. Songer à décrire la danse de Salomé éveillait de très vifs souvenirs personnels de l'Orient. Retourner en imagination vers les paysages contemplés en 1850, traiter d'oppositions et de mélanges de races, écrire un conte sans « aucun rapport avec la religion », mais de grande signification religieuse, devait aussi lui donner « envie de creuser cette idée-là ». Enfin, peindre une figure de « préfet » excite sa verve, comme le prouve d'ailleurs à cette époque son projet de roman moderne *Mr. le Préfet;* son personnage « *doit* commettre tous les crimes par amour de l'ordre ». Surtout, le drame lui-même, sensuel et sanglant, cette fête où la danseuse précède le bourreau, pouvait l'émouvoir singulièrement.

Toutefois cette matière qui lui convient, il se dit qu'il la connaît d'expérience. Il a « peur de retomber dans les effets produits par *Salammbô* », car les « personnages sont de la même race et c'est un peu le même milieu ». Certes la « drogue » sera cette fois-ci romaine et juive et l'action ne comporte pas de batailles. Néanmoins Flaubert sait bien que son troisième conte le rapproche davantage d'un de ses domaines romanesques.

Il entend « se passer, autant que possible, d'explications indispensables » (VII, 353), mais en faisant paraître les Romains, il charge son récit d'implications historiques. Dans ces conditions « faire clair et vif avec des éléments aussi complexes offre des difficultés

gigantesques » (VII, 356), accrues encore par la
volonté de terminer assez tôt pour que le volume et
sa traduction russe par Tourgueneff puissent paraître
au printemps de 1877.

Les lectures savantes de Flaubert et leur mise en
œuvre montrent comment il applique son principe :
« La Réalité, selon moi, ne doit être qu'un *tremplin* »
(VII, 359).

Le dossier du manuscrit, une page du *Carnet* 20,
la *Correspondance* renseignent sur son travail de
documentation. Entre les nombreux livres et articles
dont il se sert, on remarquera, sur la topographie et
l'architecture, son étude d'ouvrages modernes (en
particulier *Land of Moab* de Tristram, *Machaerous*
de Parent) et de textes anciens (comme la *Guerre
des Juifs* et les *Antiquités judaïques* de Josèphe).
On sait que l'orientaliste Clermont-Ganneau lui
communique des « noms dissyllabes » qui peuvent
trouver place dans sa description initiale du panorama.
Il travaille à nouveau l'histoire religieuse dans les
œuvres modernes de Renan *(Vie de Jésus)*, de Michel
Nicolas *(Doctrines religieuses des Juifs, Études critiques sur la Bible)*, de F. de Saulcy *(Histoire d'Hérode)*,
mais aussi relit sa Bible, les prophètes et en particulier
Isaïe, les Psaumes. Il note divers renseignements
relatifs à « l'administration militaire et religieuse »,
aux Parthes et aux Arabes, pour avoir une vue
d'ensemble sur ces questions. Il oriente très précisément ses recherches pour trouver des détails évoca-
teurs, relit Tacite et Suétone sur Lucius et Aulus
Vitellius, consulte pour sa description du banquet
la *Rome au siècle d'Auguste* de Dezobry, extrait du
Mémoire sur les Nabatéens d'E-M. Quatremère une
référence sur le baume de Galaad. L'idée, la vision
générales prennent leur acuité à force de petites
découvertes rassemblées avec une passion scrupu-
leuse.

Ceci fait, le souci d'art impose sa loi, absolument.
Car le désir de précision minutieuse s'allie à une
remarquable négligence de la chronologie. Comme
C. Duckworth l'a bien marqué, dès la scène initiale
la fantaisie historique est aussi certaine que l'habileté
à la dissimuler; les événements auxquels Flaubert
fait allusion (la guerre avec le « roi des Arabes », les
secours attendus de Vitellius, etc.) sont tous inexac-
tement rapportés. L. Vitellius n'était pas, vers 31,
« gouverneur de la Syrie » puisqu'il n'en eut le pro-
consulat qu'en 35; il ne pouvait donc pas être en cette
qualité présent à Machaerous qui se trouvait probablement au pouvoir d'Harith, le « roi des Arabes », lors
de la décollation de saint Jean-Baptiste; l'empri-
sonnement d'Agrippa n'eut lieu qu'en 37, etc. Dans
son récit Flaubert évoque et rapproche des faits qui
se produisirent dans un laps de temps beaucoup plus
étendu, une quarantaine d'années environ. Qu'il
ait en outre commis quelques erreurs involontaires
(position réciproque des Sadducéens et des Pharisiens
dans l'affaire de la Sacrificature) ou volontairement
modifié des indications connues de lui (cf. dans la *Vie
de Jésus*, ce que Renan écrit sur la prison de
saint Jean-Baptiste) importe peu. En revanche il
importe beaucoup que L. Vitellius et son fils apparaissent et que la majesté du peuple romain soit par
eux signifiée et dégradée. Car le boulimique Aulus,
dont les pieds nus vont grotesquement dominer
l'assemblée, gouvernera l'Empire : il offre à l'imagination les ressources de son comportement ignoble
et de sa future grandeur. Aussi bien un anachronisme
conscient peut-il cacher des précisions documentaires :
le même L. Vitellius, proconsul en 36, sera présent à
Jérusalem lors de la Pâque juive et nommera Grand
Prêtre le Sadducéen Jonathas. Sous la modification
des strictes données historiques se décèle encore la
science. Mais si Flaubert a poussé très loin ses recherches

érudites, c'est pour élaborer un conte. A l'instar des classiques, il peut bien commettre les erreurs qui lui permettront de réunir dans un palais quelques illustres personnages pour une action d'un jour, nécessaire et vraisemblable. Cette vraisemblance et cette nécessité de l'art ne se confondent pas avec la vérité historique.

L'effort de concentration n'exclut d'ailleurs pas une certaine dispersion d'effets. Si Flaubert réduit à l'excès son explication de l'intrigue, il détaille longuement la visite de la forteresse, de ses chambres souterraines et de la grotte où demeurent les chevaux merveilleux. Telle image, telle vision apparemment gratuites procurent à l'imagination ses moments de rêverie... Toutefois d'autres descriptions, comme celle du paysage qui entoure la citadelle, ont aussi valeur explicative : montagnes, ciel, gouffres, désert, leur vue accable Antipas, qui se trouble et s'effraye. Une correspondance s'est établie entre le personnage et le décor.

Flaubert fut séduit par l'idée de montrer la « vacherie » d'Hérode à l'égard d'Hérodias et la disparité de ces deux êtres : d'un côté le grand homme « officiel », de l'autre la femme forte qui secrètement ourdit son intrigue et triomphe. De brefs aperçus de Salomé à la fin des deux premières parties, puis sa danse font voir comment Hérodias appâte et enfin confond la sensualité du Tétrarque. Mais ces menées secrètes qui préparent et assurent le dénouement ne révèlent une fatalité bien conduite qu'au moment du succès final. L'action a diversement éclairé la situation critique de Jean et la peur, la haine, la foi qu'il inspire. Elle présente, en une succession de scènes, des personnages typiques par le caractère et par la race.

Antipas ou le « préfet » : en lui Flaubert imagine, dans la lumière orientale, un type d'homme qu'il

goûte et méprise, et, selon sa méthode, il dénonce à
mesure qu'il dépeint. Inquiétudes politiques, crainte
de l'épouse, bassesse devant les puissants, admiration
de faible pour la force de Jean, peur de ses responsabilités expliquent ses attitudes et son soulagement
lorsqu'il croit n'avoir plus à décider : « Ils sont les
plus forts ! je ne peux le délivrer ! ce n'est pas ma
faute ! » Sa lâcheté le pousse vers celle qui le domine :
Hérodias « lui donnerait du courage ; et tous les liens
n'étaient pas rompus de l'ensorcellement qu'il avait
autrefois subi ». Hérodias saura renouveler cet ensorcellement grâce à Salomé, cette autre elle-même,
l'image de ce qu'elle fut[1] ; la jeunesse de sa fille lui
redonne le pouvoir qu'elle-même avait exercé et
oblige le Tétrarque au crime qu'il se refusait à commettre[2]. Il y consent finalement par veulerie, parce
qu'Hérodias l'a voulu, parce qu'il nourrit l'espoir
superstitieux que la prédiction de mort ne le menacera
plus. Le contraste entre l'importance de sa charge et
sa mollesse profonde fait le grotesque intime du
personnage ; elle fait aussi le drame puisque cet homme
faible est le maître du bourreau. Hérodias lui oppose
sa volonté retorse. Femme de proie, orgueilleuse et
intrigante, exaspérée par la faiblesse d'Antipas et par
la violence de Jean, elle ne craint, n'hésite ni ne cède,
mais calcule juste quel amour inspirera sa fille à son
époux : « et l'idée était bonne ».

Contre elle, Jean, que Flaubert nomme Iaokanann
de façon significative (*cf.* l'usage du même procédé

1. C'est ce que, dans un brouillon du manuscrit (Mss. NAF. 23 663,
p. 705 verso), Flaubert marque plus fortement que dans son texte
définitif : « Antipas qui ne l'avait jamais vue la reconnaît tout de
suite — elle ressemble à sa mère jeune — tellement que l'illusion est
complète — un instant il s'est cru fou ».
2. Flaubert eut l'idée (*ibid.*, p. 712) de faire d'abord convenir
Hérode et l'Essénien que Jean-Baptiste pourrait s'enfuir à la faveur
du banquet, ce qui aurait plus nettement opposé l'intention et la
décision.

par Leconte de Lisle), lance du fond de son cachot les imprécations terribles : « C'étaient les paroles des anciens prophètes ». Sa voix souterraine insulte, annonce, fascine; il incarne une force insaisissable, il est « l'homme effroyable ». Cette image et ce langage font savamment revivre la poésie des grands textes bibliques; en présentant saint Jean-Baptiste, Flaubert évoque un type historique, le prophète juif. C'est que son bref récit doit mettre en valeur les aspirations, les traditions des peuples et des races qu'il réunit et oppose. Entre les Orientaux et les Romains l'antagonisme est simple : « Le caractère des Juifs semblait hideux à Vitellius... Son cœur de Latin était soulevé de dégoût... » Mais chaque groupe est divisé. Hérodias reproche sa race à Antipas; les Juifs offrent le spectacle de leurs querelles, l'Essénien s'isole et le Samaritain les hait. De l'autre côté, Rome montre sa puissance et ses divers aspects : ses légionnaires, ses publicains, et Aulus, « cette fleur des fanges de Caprée », plus redoutable encore que son père Lucius Vitellius.

Le drame culmine et s'achève dans la scène du banquet où se succèdent et se mêlent la joie, les colères, le désir. Les cœurs s'épanchent lorsqu'on sert « des rognons de taureau, des loirs, des rossignols, des hachis dans des feuilles de pampre; et les prêtres discutaient sur la résurrection », des couteaux sont brandis contre Antipas, Aulus vomit. Pour apaiser le tumulte des ripailles et des disputes religieuses il faudra que la danse lascive de Salomé excite une convoitise nouvelle, et il faudra que Mannaeï apporte la tête sanglante pour que l'assemblée se réconcilie dans les applaudissements. Aulus se réveille : « Par l'ouverture de leurs cils, les prunelles mortes et les prunelles éteintes semblaient se dire quelque chose ». La fête est finie.

La mort de saint Jean-Baptiste diffère des ascensions mystiques où les âmes de saint Julien et de Félicité connaissaient leur récompense; c'est une exécution, magistralement combinée par Hérodias. Iaokanann est vaincu; lorsqu'il meurt il ne sait pas sa victoire, la réponse du Christ à ses envoyés. Mais son destin est accompli. Flaubert cite au début et à la fin de son récit ses paroles : « Pour qu'il croisse, il faut que je diminue », et la dernière ligne de son plan fournit cette indication : l'Essénien « explique le mythe ». Ce mythe est illustré par l'image finale de la tête que portent les disciples vers la Galilée. Iaokanann devait mourir pour triompher. Un moment Flaubert pensa marquer plus nettement sa victoire par cette image finale : « Soleil levant — mythe — La tête se confond avec le soleil dont elle masque le disque », « des rayons ont l'air d'en partir »[1]. Le texte d'*Hérodias* suggère plus simplement que le Précurseur a rempli sa mission et que son sacrifice annonce une autre venue. Par là Flaubert retrouve en cette « explication du mythe » son idée personnelle que l'histoire est belle par ce qu'elle efface et apporte en sa perpétuelle évolution. Iaokanann, en déclarant nécessaire sa disparition, s'est soumis à l'ordre de la vie et de la mort. Sa récompense est de se survivre par l'action des disciples.

En écrivant *Hérodias* Flaubert s'inspire directement des Évangiles, il raconte un des épisodes les plus célèbres de l'histoire du christianisme, il évoque la personne de Jésus. Or ce conte est certainement, par rapport aux deux autres, le moins capable d'incliner le lecteur vers la foi chrétienne, ou l'acquiescement. L'écrivain a réalisé son intention : « je m'arrangerai de façon à ne pas « édifier » (VII, 309). Il s'agit ici

---

1. Mss., pp. 713 verso et 705 recto. Sans doute Flaubert ne voulut-il pas reprendre une image trop semblable à celle qui conclut la *Tentation de Saint Antoine*. Il l'a cependant indiquée plus discrètement : « ...et les candélabres à l'entour envoyaient des rayons ».

d'histoire; le sujet étant donné, l'imagination historique doit en proposer une illustration qui incite à rêver, et donc à ne pas conclure. Iaokanann meurt-il pour le vrai Dieu? Là n'est pas la question.

C'est aussi par la forme qu'*Hérodias* s'apparente, mieux que les deux autres contes, à l'œuvre romanesque de Flaubert. Une fois de plus l'écrivain vise à une extrême concentration d'effets[1]; mais il l'obtient par des procédés plus variés, par exemple dans les dialogues, que dans *Saint Julien* ou *Un cœur simple*.

❧❧❧

Le public fit bon accueil au livre, dont la vente souffrit, pour la plus grande irritation de Flaubert, des événements du 16 mai.

Si l'on excepte la réaction haineuse de Brunetière, la critique exprima, dans son ensemble, des éloges de l'œuvre et une sympathie pour l'auteur, auxquels Flaubert n'avait encore jamais eu droit. Dans leurs articles, Drumont, Banville, Karl Steen (Mme Daudet), G. de Saint-Valry et Jules Lemaître manifestent leur ferveur respectueuse et leur admiration. Il apparaît que les *Trois Contes* plaisent non seulement pour leur perfection formelle, mais aussi parce qu'ils ne surprennent pas (comme la *Tentation*) ni ne scandalisent (comme *Madame Bovary* et l'*Éducation*). Car le Maître semble maintenant résumer en de courts chefs-d'œuvre toute sa production passée. La beauté de l'ouvrage explique suffisamment de telles louanges. On notera

---

1. Le brouillon apporte des précisions sur ce souci. Par exemple, lorsque dans la première partie l'Essénien Phanuel se présente à nouveau : « Hérode Antipas si faible tout à l'heure, le brutalise — et répète une partie des arguments politiques d'Hérodias — au fond il a peur » (p. 711 recto).

cependant qu'en 1877 le triomphal succès de l'*As-sommoir* signifie l'apparition d'une nouvelle école littéraire, le naturalisme. C'est Zola qui scandalise, tandis que les *Trois Contes* charment (*Hérodias*, plus âpre et difficile, plaît moins). Lorsque Saint-Valry définit le « réalisme idéal » de Flaubert, il le distingue de la littérature nouvelle, pour le louer.

Au demeurant Flaubert déclare dès le 30 mai qu'il ne pense plus à cet ouvrage et qu'il retourne à son roman, à ses deux « bonshommes qu'il faut avancer et finir ».

9 BOUVARD ET PÉCUCHET

« Je ne désire qu'une chose, à savoir : *crever*. L'énergie me manque pour me casser la gueule. Voilà le secret de mon existence. Je suis si indigné *de tout* que j'en ai parfois des battements de cœur à étouffer » (12 janvier 1873).

« Je n'attends plus rien de la vie qu'une suite de feuilles de papier à barbouiller de noir. Il me semble que je traverse une solitude sans fin, pour aller je ne sais où. Et c'est moi qui suis tout à la fois le désert, le voyageur et le chameau » (27 mars 1875).

A partir de 1869 Flaubert, soumis en quelques années à de dures épreuves, montre dans ses lettres par quelles crises de désespoir il passe et comment il réagit à l'adversité. Il exagère ses colères et approfondit ses souffrances : il satisfait son tempérament pessimiste. La vie lui confirme la justesse de ses idées : il vieillit. Aimant déclarer qu'il subsiste, tel un « fossile », dans une nouvelle ère, celle du « muflisme », et que seule l'indignation le soutient, il se répand en invectives qu'il place sous le patronage de saint Polycarpe. Alors ses amis fêtent saint Polycarpe, et il s'en amuse.

Entre 1872 et 1880 il interrompt son travail pour de courts voyages (Vichy, Suisse, Concarneau, Chenonceaux) et paraît disperser quelque peu ses efforts (pièces de théâtre, *Trois Contes*). Néanmoins une grande pensée l'occupe, qui donne une unité certaine à ses dernières années : *Bouvard et Pécuchet*. Le 1er juillet 1872 il écrit à G. Sand qu'ayant fini *Saint Antoine* il va se mettre à un roman moderne qui en fera la contre-partie « et qui aura la prétention d'être comique » (S III, 40). En choisissant un tel sujet, Flaubert procède, suivant son habitude, par réaction contre l'œuvre précédente et la vision dramatique d'une certaine Antiquité qu'il y exposait. Mais avant de prendre sa décision, il l'a longtemps mûrie. Elle le fait revenir à une vieille idée, déjà bien étudiée en 1863; elle implique un changement de sa manière littéraire et une ambition nouvelle. S'il tient à réaliser ce projet, c'est qu'il lui voit une portée intellectuelle considérable et qu'il s'en promet une intense satisfaction morale. Son but, il le définit crûment : « cracher sur mes contemporains le dégoût qu'ils m'inspirent. Je vais enfin dire ma manière de penser » (S III, 56).

En projetant de vomir sa haine, expectorer son fiel, etc., dans un ouvrage comique Flaubert retrouve une inspiration qui depuis sa jeunesse s'était exprimée en diverses productions, mais il la transforme et l'intellectualise; il aimait se moquer du bourgeois et des idées reçues, maintenant il déclarera sa pensée.

Dès 1837 le *Genre commis* présentait une ébauche simpliste où l'on peut apercevoir quelque annonce des futurs copistes. Alors aussi le Garçon commençait à mettre en question les idées et le comportement de l'être bourgeois. Assurément le Garçon n'est plus en 1872 qu'un lointain souvenir. La verve énorme qui l'entraînait dans ses joyeuses aventures, et l'aplomb transcendant avec lequel il assénait ses affirmations contradictoires vont tristement se métamorphoser. Dans la succession de leurs mésaventures, Bouvard et Pécuchet seront d'abord victimes de l'aplomb des autres, les théoriciens et charlatans du savoir; puis ils deviendront les émules consternants du Garçon lorsqu'ils aligneront, dans leurs « tableaux antithétiques », crimes et beautés de l'histoire, opinions contraires, etc. Au rire agressif, à la vitalité prodigieuse d'une créature rabelaisienne, se substitue la morne apparence des deux gratte-papier qui savent, pour l'avoir appris à leurs dépens, quels désenchantements préparent les grandes espérances.

La vieillesse désastreuse, Flaubert jeune avait aimé l'anticiper en la parodiant dans ces exercices de mime dont la perfection saisissante inquiétait son père. Avec Du Camp, avec Bouilhet, il s'était amusé à jouer « les scheicks » gâteux, et cette imagination de la décrépitude offrait des ressources de grotesque triste que sa jeunesse a joyeusement exploitées dans des conversations amicales. Pour discutable que soit l'indication de Caroline Commanville dans ses *Souvenirs Intimes*, selon qui une improvisation de son oncle et de Bouilhet devant l'Hospice des Vieillards de Rouen serait à l'origine de *Bouvard et Pécuchet*, ce témoignage peut reproduire quelque rapprochement fait par Flaubert lui-même. Sans expliquer du tout la genèse du futur livre, il rappelle ce goût précoce et insistant du comique lugubre, qui s'exprimait volontiers par la création d'un couple de vieux amis (*cf.* III, 50). Certes il s'agissait là de fantoches cocasses, d'invention facile. Tout au contraire, lorsque Flaubert reprend sérieusement son « idée de jeunesse », la construction de ses personnages lui posera des problèmes embarrassants puisque les « deux bonshommes » proches mais divers, médiocres mais lucides, seront chargés de présenter comiquement la Tentation moderne, celle du Savoir.

Or ce sérieux, cette profondeur qui doit faire de *Bouvard et Pécuchet* le « pendant » de l'antique *Tentation* rappelle une autre idée de jeunesse et donne à une ambition ancienne sa forme ultime, à la fois romanesque et encyclopédique. Car le projet de dénoncer systématiquement la bêtise contemporaine avait déjà pris une forme élémentaire et prometteuse dans le *Dictionnaire des idées reçues*, si bien apparenté par l'intention à *Bouvard et Pécuchet* qu'il devait être intégré au deuxième volume et fournir une partie de sa conclusion. C'est en 1850, puis en 1852, que Flaubert évoque cet ouvrage ainsi que son désir de lui adjoindre une *Préface* vengeresse, composée « dans un style poussé à outrance, à fusées » (III, 66), qui fait songer au Garçon. De même que le roman posthume, le *Dictionnaire* soulage une colère et vise au comique, et, comme lui, il est destiné à produire un effet « étrange ». Ce relevé des sottises de « l'exécrable *on* », ce rassemblement de « citations, de preuves (qui prouveraient le contraire), et de textes effrayants » (III, 66-67), ce projet de *Préface* « arrangée de telle manière que le lecteur ne sache pas si on se fout de lui, oui ou non » (II, 237-238), cette prétendue documentation impersonnelle qui dirait la convention de manière à laisser le public interdit, annoncent bien le « but (secret) » de *Bouvard et Pécuchet* : « ahurir tellement le lecteur qu'il en devienne fou » (VIII, 175) et lui supprimer toute échappatoire à grand renfort de documents bruts, irréfutables. Une même passion fondamentale et obstinée conduit Flaubert, dans sa vieillesse, à remplacer une *Préface* dans le style du Garçon par un roman philosophique de grande envergure.

Ce roman lui-même, est-ce la lecture d'une médiocre nouvelle de Barthélémy Maurice, *Les deux Greffiers*, qui en a fourni le canevas, comme, *mutatis mutandis*, un admirable tableau de Breughel avait fixé sur le sujet précis de saint Antoine une inspiration préalable? Certaines similitudes de textes permettent de le croire. Cette nouvelle, Flaubert l'a-t-il lue en 1841 dans la *Gazette des Tribunaux* (ou le *Journal des journaux*), ou bien en 1858 dans l'*Audience*? Ses relations avec les rédacteurs de l'*Audience* rendraient vraisemblable la seconde date. Toutefois, les témoignages concordants de Caroline Commanville sur le « sujet qui le préoccupait depuis trente ans », et de

Du Camp (« projet... dont il m'avait déjà parlé en 1843 »), feraient opter pour 1841. De toute façon, il est bien possible que Flaubert ait (re)lu en 1858 l'histoire de ces deux commis-greffiers qui se retirent ensemble à la campagne et, réalisant le rêve de leur vie, connaissent déboires sur déboires à la chasse, à la pêche, en horticulture, s'aigrissent et trouvent enfin le bonheur en reprenant leur ancienne occupation, la copie.

C'est un récit semblable, par sa structure, et aussi par quelques détails, que Flaubert ébauche en 1863. Son esquisse d'une *Histoire de deux cloportes. Les deux commis* présente en effet la particularité notable que la ligne directrice du futur roman y est déjà fermement dessinée. Certes le plan est divisé en trois parties : leur « vie habituelle » avant l'arrivée à la campagne, la suite des tentatives décevantes, la « bonne idée » finale : copier. On sait que l'élargissement du sujet transformera la structure tripartite initiale. Le premier scénario connu, très succinct, n'en fixe pas moins, d'emblée, la conception générale de l'œuvre, et Flaubert écrit, dans deux lettres de mars et mai 1863 (S I, 319; V, 93), qu'il aime « le plan », « l'ensemble » de cette histoire. Il ajoute qu'il craint de se « faire lapider par les populations ou déporter par le gouvernement » et qu'il entrevoit « des difficultés d'exécution effroyables ». La remarque laisserait supposer que déjà l'ambition de l'écrivain vise plus haut et plus loin que ne le donnerait à penser son esquisse.

De toute façon, à cette date décisive de 1863, un sujet est déterminé, qui comprend une revue de différentes activités humaines et inclut le *Dictionnaire des idées reçues*. Personnages, action et quelques détails caractéristiques d'une imagination créatrice (« le jardin a une clairvoie », « tableaux parallèles antithétiques ») montrent que Flaubert a nettement défini la donnée romanesque sur laquelle il pourra rêver, et qu'il va reprendre après l'achèvement de l'*Éducation sentimentale* et de la *Tentation de saint Antoine*.

En fait, comme l'a montré A. Cento dans sa très remarquable édition de *Bouvard et Pécuchet*, Flaubert n'oublie pas son projet entre 1863 et 1869. Son ami Jules Duplan recueille à cette époque des citations pour l'*Album de la Marquise*, fragment de la « copie » destinée aux deux commis, et Flaubert s'intéresse de près à ce travail. Quant au roman lui-même, A. Cento précise d'autre part la chronologie de sa composition. Si l'on peut hésiter sur la date du premier scénario développé, dit Rouen I (1863 ou 1872), il est assuré qu'en 1872 Flaubert se met à travailler sur ce plan et que pendant les deux années de documentation préparatoire il en compose trois autres. Le 1er août 1874 il commence à rédiger; en septembre 1875, arrivé au troisième chapitre, il s'arrête et croit renoncer. En mars 1877 il se remet à la tâche, mais, après cette longue interruption, il modifie la numérotation de ses chapitres et préfère au plan en trois parties une division en deux volumes. Il va poursuivre la rédaction de nouveaux scénarios et du roman jusqu'au jour de sa mort, le 8 mai 1880. A cette date il a écrit à peu près la moitié du chapitre X, le dernier du premier volume, et il a établi, pour la fin de ce chapitre, un plan détaillé. Sachant quelle documentation il a déjà rassemblée [1] pour le second volume, il pense le terminer

---

1. Le 7 avril 1879, dans une lettre à Mme Roger des Genettes, il écrit : le Xe chapitre traitera « de l'Éducation et de la Morale, avec application au Bonheur général de toutes les connaissances antérieurement acquises — restera le second volume rien que des notes elles sont presque toutes (faites) prises. enfin le ch. XII sera la conclusion en trois ou quatre pages. j'aurai donc à vous lire ... [...] ... sans compter le *Dictionnaire des Idées reçues*, entièrement fait. et qui doit être placé dans le second volume » (Collection Spoelberch de Lovenjoul).

en quelques mois, y compris son douzième chapitre où devait se trouver, sous forme d'une lettre adressée au préfet, « la critique du roman ».

Flaubert a des intentions, simples en apparence, et une étonnante ambition.

En affirmant qu'il va dire enfin sa « manière de penser », il paraît désavouer sa doctrine de l'impersonnalité artistique. Une note de ses brouillons indique que ses personnages pourront « après une étude, formuler leur opinion (= la mienne) par des desiderata sous forme d'AXIOMES » (153). La parenthèse montre qu'en fait l'écrivain ne prétend pas intervenir directement. C'est sous le couvert de ses personnages qu'il manifestera sa pensée. Du moins celle-ci sera-t-elle exposée telle qu'il se la formule, ce qui introduit une innovation capitale : Flaubert s'accorde le droit d'insérer, aux moments décisifs, ses propres jugements. S'il déclare cette intention, c'est qu'il conçoit une œuvre très différente des précédentes : non plus roman simple, mais roman d'idées. L'histoire de Bouvard et Pécuchet tendrait-elle alors à présenter la démonstration d'une thèse personnelle? Cette thèse serait singulière, puisque le livre aboutira tout naturellement, avec le *Dictionnaire* et le *Sottisier*, à un second volume où la personnalité de l'artiste disparaît dans un énorme amas de citations documentaires, vision-preuve infernale de la Sottise.

Plus spécialement Flaubert veut tenter « le comique d'idées » (VIII, 26). Cette intention n'est également simple qu'en apparence. Le 29 juillet 1874 il répond à Tourgueneff qui lui avait conseillé de traiter son sujet « *presto*, à la Swift, à la Voltaire » : « S'il est traité brièvement, d'une façon concise et légère, ce sera une fantaisie plus ou moins spirituelle, mais sans portée et sans vraisemblance, tandis qu'en détaillant et développant j'aurai l'air de croire à mon histoire, et on peut en faire une chose sérieuse et même effrayante » (VII, 178). Il retrouve ainsi cet adjectif qu'il avait jadis employé pour qualifier le *Dictionnaire*; en effet « la prétention d'être comique » n'exclut pas un sérieux « effrayant ». Tout au contraire ! Depuis sa jeunesse sa conception du rire implique quelque sadisme intellectuel (*cf.* I, 29; se rappeler le Garçon et Yuk); plus tard il définit le « sens comique » et le rire comme « le dédain et la compréhension mêlés, et en somme la plus haute manière de voir la vie » (IV, 33). Dans *Bouvard et Pécuchet* le comique révèlera la sottise, et désespérera : Flaubert effectue une démonstration très pessimiste par une expérimenta-tion ridicule. Le grotesque doit comprendre la tris-tesse pour faire sentir tout son charme, comme l'amertume doit donner à rire pour que soit conférée sa pleine valeur à ce livre de jugement.

Le désir d' « émettre quelques vérités » (VI, 459) s'est fixé très vite un objectif à la mesure de sa virulence : le plus vaste. Le premier scénario montre l'ambition d'attaquer dans des domaines très divers les idées que reçoit, les blagues qu'honore la sottise des temps. Dès 1863 Flaubert énumère le jardinage, la politique et la littérature, l'histoire, la religion, les sciences et l'éducation. Il accroîtra le nombre des matières étu-diées par Bouvard et Pécuchet, mais la conception même du livre suppose l'ampleur et la diversité de leurs études. D'emblée Flaubert commence des recher-ches fort diverses et lit « de tout » (VI, 442). Théori-quement il lui faudrait en effet se renseigner à peu près *de omni re scibili,* parce que son livre ne peut valoir que par son ensemble et, à la limite, devrait être universel. Quand il le reprend en 1877, il confie à sa nièce : « Dans de certains moments, ce livre m'éblouit par son immense portée » (VIII, 47). C'est qu'il s'exalte, comme à d'autres moments il s'effraye : « Parfois, quand j'y rêve, la tête m'en tourne et je me sens écrasé par le poids de mon ambition »

(VIII, 101). Il se connaît bien et sait qu'il « faut avoir
le génie de l'ascétisme pour s'infliger de pareilles besognes » (S IV, 251). Ce diagnostic, fort juste, n'est pas
nouveau, non plus que son désir de « mettre l'océan
dans une bouteille » (S IV, 255), puisqu'il retrouve des
expressions utilisées, des motivations psychologiques
éprouvées lors d'autres créations romanesques. Mais
il peut justement avoir l'impression que jamais
encore il n'a visé si haut. Maupassant définit *Bouvard
et Pécuchet* « l'histoire de l'*idée* sous toutes ses formes,
dans toutes ses manifestations » : toutes? Flaubert
aurait-il voulu les dire toutes et les dénoncer comiquement? et si bien les présenter et ridiculiser que ce
livre sur Tout soit un livre sur Rien? En ses dernières
années il sait parfaitement qu'il outrepasse les limites
conventionnelles du roman et que l'énormité de sa
tentative laissera, selon une de ses expressions caractéristiques, le lecteur « béant ».

❧❧❧

Vient ensuite la préparation. Or préparer une « encyclopédie de la bêtise humaine » (S IV, 170) exige
évidemment que l'on acquière une science suffisante
pour critiquer les « hommes de science » et découvrir
le comique de leurs idées. Et Flaubert se dit qu'il doit
étudier beaucoup de choses qu'il ignore, et il prétendra qu'une surabondance de documents lui permet de
n'être pas pédant (VIII, 356)! Dès 1872 il sait bien à
quoi il s'oblige : « J'avale force volumes et je prends
des notes. Il va en être ainsi pendant deux ou trois
ans » (S III, 56). La plus grosse part de la documentation de ce roman, où la lecture joue un rôle détermi-
nant, sera donc livresque.

En fait, avant que d'arriver, le 1er août 1874, à la
rédaction de sa première phrase, Flaubert aura lu

plus de trois cent cinquante volumes. Sans beaucoup d'ordre, semble-t-il, durant ces deux premières années où il travaille à la composition de trois scénarios successifs. Il apparaît, par le relevé des ouvrages consultés et les remarques de la *Correspondance*, qu'il se préoccupe d'abord simultanément de l'éducation et de l'agriculture, c'est-à-dire de la dernière et de la première passion de ses personnages, sans négliger pour autant l'étude d'autres sciences qu'il songe à leur faire aborder : médecine, géologie, etc.

Une fois commencée la rédaction, la méthode changera. Le rythme des lectures ne se ralentit pas, puisque le nombre total de mille cinq cents volumes indiqué en 1880 (VIII, 356) est sans doute inférieur à la réalité. Cependant tout chapitre terminé réduit le champ des investigations; chaque étude nouvelle exige une documentation spécialisée. L'enquête d'ensemble fait place à la recherche des livres qui peuvent être utilisés pour le chapitre, le paragraphe, la ligne à écrire, et qui fournissent l'exemple, la citation topiques. Cette question des sources documentaires a été examinée en particulier par R. Descharmes pour la géologie, la mnémotechnie et la gymnastique. Son travail a mis en lumière quelle précision Flaubert observe dans ses références (mais non dans les cita-tions), quelle mesure il garde dans l'utilisation de textes dont il aurait aisément pu tirer des effets d'un grotesque beaucoup plus appuyé, enfin comme il recherche la notation de caractère typique. Ayant repéré certains passages curieux, il agence des épisodes romanesques surprenants. Il concentre l'essentiel des théories en de denses résumés, met en relief cer-taines bizarreries choisies et obtient ainsi ces singuliers effets de grotesque et de profondeur qu'il a très exactement voulus et dosés.

Lorsqu'il a fixé les grandes lignes d'un développe-ment et la suite des épisodes, il cherche les faits qui prouveront, les livres qui étaieront, les paysages qui illustreront ses intentions. On sait qu'il a demandé des renseignements à de proches amis, Laporte, Maupassant, Baudry, Taine, ou à leurs relations (le docteur Devouges pour l'arboriculture). Ses lettres montrent qu'il s'enquiert minutieusement, les réponses reçues apprennent qu'il refuse ou exclut ce qui ne s'adapte pas au schéma préconçu. En particulier la correspondance avec Maupassant sur l'excursion géologique de Bouvard et de Pécuchet fait bien voir qu'en fin de compte Flaubert n'adaptera pas son dessein aux premiers documents proposés, parce qu'il a préalablement décidé que ses personnages devront éprouver tel ou tel sentiment dans tel ou tel cadre géographique qu'il s'agira, ensuite, de trouver. De même il fera plusieurs voyages pour découvrir l'idéal « Chavignolles » avant d'y parvenir en juin 1874 (VII, 159 et 163). Une question de botanique fournit l'exemple le plus significatif de cette façon de procéder. Flaubert veut trouver une plante qui soit « une exception à la règle, et une exception à l'exception » (IX, 32); il s'irrite de l'incompréhension de son correspondant Baudry, apprend enfin l'existence de la « shérarde » et exulte : « *j'avais raison* parce que l'esthétique est le Vrai, et qu'à un certain degré intellectuel (quand on a de la méthode) on ne se trompe pas. La réalité ne se plie point à l'idéal, mais le confirme » (IX, 33). Cette réaction triomphante manifeste sa conviction intime : les documents doivent attester que sa pensée est bien fondée! Ainsi, quand il prépare son chapitre sur l'éducation, il s'informe auprès de Maupassant des ressources que pourrait offrir la Bibliothèque du Ministère de l'Instruction Publique, et déjà présente sa thèse : « Je veux montrer que l'éducation, quelle qu'elle soit, ne signifie pas grand'chose, et que la nature fait tout ou presque tout » (VIII, 353; *cf.* VI, 11-12).

Les matériaux rassemblés doivent devenir œuvre d'art, et même « il faut que ce soit *parfait*. C'est la seule manière de faire passer le fond » (VIII, 346). Cette formule de 1880 éclaire le problème technique que soulève la conception du livre : le sujet, « une revue de toutes les idées modernes », est tel qu'il importe de « faire passer le fond ». Les doutes de Flaubert sur la conception de l'œuvre, ses angoisses devant les insurmontables difficultés de la tâche, son espoir que, s'il réussit, ce sera « le comble de l'art », ou son aveu que le vice fondamental de l'ouvrage, la succession des chapitres-tiroirs, subsistera nécessairement, font sentir que ce problème technique lui fut un drame.

Dans le premier scénario connu, on remarque qu'il ajoute à quelques « essais infructueux. jardinages vignot. — chasses. pêches. agriculture » un « etc », qu'il explique dans le bas de la page en énumérant des matières à traiter. Les scénarios suivants modifieront le plan primitif. La deuxième partie prévue, la suite des apprentissages, va si bien s'accroître qu'elle constituera finalement, à l'exception du chapitre initial, tout le premier livre : soit le *Bouvard et Pécuchet* que nous connaissons. Étant donné qu'il s'agit là des différents sujets d'étude, on voit que plus l'œuvre se développe, moins elle ressemble à un roman. Flaubert en a conscience. Il effectue alors (schématiquement) une double opération. D'une part il abandonne certains épisodes de type traditionnel (par exemple l'idée du voyage à Paris qui fut menée jusqu'au projet d'opposer la bêtise parisienne à celle de la province), en même temps qu'il élargit l'enquête critique. D'autre part, pour compenser cet amenuisement de l'action, il essaie d'instituer un « semblant d'action » (VII, 237) et imagine, en corrélation avec ce système encyclopédique qu'il développe, un système antagoniste, proprement romanesque.

C'est ce que montrent ses notes sur la « méthode »
de son livre (*cf.* 169-170). Il faut « avoir soin que
chaque chapitre ne fasse pas un Ensemble isolé, un
tout en soi... autrement le lecteur s'attendra régulièrement à leur nouvelle déception... multiplier les
attaches et les suspensions »; il faut « rattacher au
personnage secondaire qui paraît dans chaque chapitre des personnages tertiaires, déjà indiqués, pour
que chaque chapitre n'ait pas son personnage d'action,
à l'exclusion des autres, et le nombre des personnages
tertiaires doit aller en augmentant à mesure qu'on
approche de la fin ». Flaubert compose donc un petit
monde imaginaire en fonction des études de ses « bonshommes » et de la progression du livre. A l'action de
Bouvard et Pécuchet correspondent la réaction d'un
personnage choisi et des interventions adventices,
et le système sera constitué de telle sorte que le
« summum de leurs études », l'éducation, déclenchera
le « summum de la Haine publique ». Alors un « tutti »
final rassemblera la foule de ceux qui ont amené
Bouvard et Pécuchet à sentir « peser sur eux comme
la lourdeur de toute la Terre » et les deux amis, bafoués,
désolés, resteront seuls, idéalement.

Flaubert les enserre donc dans un réseau de haines
pour assurer à ce livre de plus en plus chargé d'enseignements le « semblant d'action » de plus en plus
nécessaire. Il organise aussi la succession détaillée
des épreuves instructives pour qu'elle soit logique et
puisse encore sembler naturelle. Suivant sa formule
il tente de « faire passer le fond », de dissimuler ce
qu'impose la structure même de l'œuvre : un plan
encyclopédique et donc artificiel, une action sans
cesse interrompue et qui doit sans cesse être relancée,
et toujours le même passage de l'enthousiasme au
dégoût. On peut songer à la réflexion émue de l'écrivain sur la « fausseté de la perspective » qui manquait
à l'*Éducation sentimentale*; c'est une fausse perspec-

tive que nécessite la conception de *Bouvard et Pécuchet*. Le roman est ordonné selon des vues théoriques, chaque chapitre fournit sa démonstration particulière à l'argumentation générale, les personnages, les épisodes, les discussions servent au développement d'une pensée.

Mais cette logique démonstrative est telle que les problèmes n'admettent pas de solutions, que tout espoir de compréhension avorte et que la passion de la vérité s'y décompose finalement en amour de la sottise... D'après Du Camp, Flaubert aurait désiré que l'on pût croire ce roman philosophique « fait par un crétin »; la boutade n'est pas invraisemblable; dans *Bouvard et Pécuchet* la simplicité du conte, une prose limpide posent au lecteur l'énigme d'une pensée.

❧❧❧

Ce n'est évidemment pas sur l'art de tailler les arbres fruitiers ou de palper les crânes que Flaubert a voulu faire connaître sa « manière de penser ». Mais il aurait volontiers donné à son œuvre l'ambitieux sous-titre : « Du défaut de méthode dans les sciences » (VIII, 336). Quelles sont ses idées sur ces problèmes de méthode et comment les discerner?

On peut procéder de façon indirecte, par des recoupements de textes. Par exemple, la *Correspondance* (*cf.* IV, 170) montre le mélange de répulsion intellectuelle et de respect qu'éprouve Flaubert pour toute croyance religieuse, pour le sauvage « baisant son fétiche » comme pour le « catholique aux pieds du Sacré-Cœur ». Or le chapitre IX se termine par la vision d'une « espèce d'idiot », Marcel, abîmé dans une ferveur qui lui donne « l'air d'un fakir en extase »; Bouvard le traite de « brute » et Pécuchet réplique : « Il assiste peut-être à des choses que tu lui jalouserais, si tu pouvais les voir ». Ces deux jugements complé-

mentaires expriment une idée de Flaubert. D'autre
part, dans les scénarios, il manifeste vigoureusement
ses convictions personnelles sur la politique (qui n'est
pas une science), sur l'histoire (impossible parce qu'on
lui demande plus qu'elle ne comporte et qu'on en a
une idée fausse), sur l'esthétique ou la philosophie.
Ces déclarations indiquent, dans le texte du roman, des
jugements personnels de l'auteur. Enfin Flaubert
reprend dans *Bouvard et Pécuchet* des thèmes, idées
ou scènes qu'il a déjà traités dans d'autres ouvrages.
Par exemple le chapitre sur l'histoire politique des
années 1848-1851 peut être comparé avec l'*Éducation
sentimentale*. L'orientation de la pensée apparaît
semblable et l'on retrouve ses idées sur la signification
du coup d'état et sur l'égale méchanceté de la plèbe
et de l'aristocratie. De même les discussions entre le
curé Jeufroy et les deux amis peuvent être rappro-
chées de la *Tentation de Saint Antoine* et de *Madame
Bovary*, des combats de la Logique, de la Science et
d'Hilarion avec Antoine, ou des disputes entre Bournisien et Homais.

Il arrive aussi que l'écrivain intervienne directement : par exemple sur le nihilisme et la « certitude que
rien n'existe » (490). Mais surtout Flaubert peut,
comme il l'écrit dans les scénarios, faire exprimer ses
idées personnelles par ses personnages. Il a décidé de
conclure certains développements par des « desiderata sous forme d'axiomes ». Les plus significatifs
de ces axiomes sont aussi les plus généraux. Que
Bouvard déclare : « La science est faite suivant les
données fournies par un coin de l'étendue. Peut-être
ne convient-elle pas à tout le reste qu'on ignore, qui
est beaucoup plus grand, et qu'on ne peut découvrir » ;
que Pécuchet affirme : « Tout passe, tout croule, tout
se transforme. La Création est faite d'une manière
ondoyante et fugace » ; que tous deux admettent :
« jamais l'histoire ne sera fixée » ; qu'enfin Bouvard

s'indigne que l'on fasse du Créateur un homme et que Pécuchet l'approuve : « Le monde s'est élargi. La Terre n'en fait plus le centre... et ce rapetissement de notre globe procure de Dieu un idéal plus sublime » : dans tous ces cas c'est Flaubert lui-même qui formule son opinion.

Ces affirmations présentent la particularité de suspendre le jugement et de constituer, selon le terme du brouillon, des « desiderata ». Que sait l'homme? Flaubert relance l'interrogation de Montaigne et l'adapte à son époque. Il reprend la leçon de ce doute créateur de liberté, qui enseigne la raison et sa mesure. Il s'inspire de cette passion critique, maîtresse de vérité, et, maintenant, de science.

La *Correspondance* renseigne alors assez précisément sur son attitude et sur certaines réactions intellectuelles qui expliquent ses prises de position philosophiques. Il ressent un intense et égal dégoût à devoir lire tant d'ouvrages très opposés, matérialistes, spiritualistes, apologétiques. Il va des uns aux autres et, tandis que les Jésuites lui donnent « envie de retourner à d'Holbach » (VII, 67), il estime que les positivistes français « tournent au matérialisme bête, au d'Holbach » (VIII, 107). En somme, résume-t-il : « Tous ignorants, tous charlatans, tous idiots qui ne voient jamais qu'un côté d'un ensemble » (VIII, 327)! Il récuse avec une égale vigueur « ceux qui ont le bon Dieu (ou le non-Dieu) dans leur poche », ceux qui « croient avoir trouvé l'explication » (VIII, 327) : « quel néant! et quel aplomb! » (VIII, 203). Idées contraires, « tempéraments » semblables; sectarisme, bêtise. Le mépris furieux de toute affirmation dogmatique, partielle, partiale, la dénonciation de ce défaut de méthode dans le domaine de la connaissance donneront bien son inspiration intellectuelle fondamentale à l'écrivain. Les charlatans se font concurrence et les sectaires rêvent de s'exterminer : que le comique console la vertu (*cf.* VII, 132)! Que soit simplement, précisément, montré comme ils s'entre-déchirent et comme ils se ressemblent.

Quelle croyance positive, ou quel mythe personnel, Flaubert oppose-t-il à tous ces « idiots »? La vraie méthode, celle de la science, implique le refus de toute « métaphysique » et l'observation impartiale et critique des phénomènes; il faut ne pas prétendre mesurer l'infini, mais savoir que la vie est éternel problème, chercher à connaître et non pas à « conclure ». C'est pourquoi, en philosophie, Flaubert admire particulièrement deux penseurs, contre tous les autres : Spinoza et Spencer. Ainsi se réfère-t-il avec joie, après avoir injurié matérialistes et spiritualistes, à Spinoza : « Cet « athée » a été, selon moi, le plus religieux des hommes, puisqu'il n'admettait que *Dieu*. Mais faites comprendre ça à ces messieurs les ecclésiastiques et aux disciples de Cousin! » (VIII, 327). De même, après un semblable accès de colère, il jugera Spencer « un vrai positiviste, chose rare en France » (VIII, 141). La lettre et les dissemblances de leurs systèmes importent peu. Flaubert interprète Spinoza selon son tempérament et trouve dans Spencer le philosophe moderne qui, par sa théorie de l'Inconnaissable, fonde en raison l'éternelle exigence de religion et le perpétuel devenir de la science; qui ruine ensemble l'irréligion sectaire et le dogmatisme religieux (et politiquement le socialisme révolutionnaire; *cf.* S. IV, 275). D'où la similitude des motifs pour lesquels il admire tant l'athée très « religieux » et le « vrai » positiviste : ils interdisent ces « *deux impertinences égales* » (V, 367), le matérialisme et le spiritualisme.

Mais leurs doctrines ne seront pas enseignées dans *Bouvard et Pécuchet*. Les deux amis devront renoncer à comprendre l'*Éthique*; les *Premiers Principes* ne seront même pas mentionnés. Car ce roman philosophique n'est pas un roman à thèse. L'auteur l'a voulu comique, et non didactique; c'est la bêtise qu'il dévoile, et une leçon négative qu'il dispense : voilà comme il ne faut pas cultiver son jardin.

❧❧❧

Si l'on considère l'histoire de Bouvard et de Pécuchet dans son ensemble, depuis leurs premières aspirations au savoir (« Au fond d'un horizon plus lointain chaque jour, ils apercevaient des choses à la fois confuses et merveilleuses »), jusqu'à l'annulation finale (« tout leur a craqué dans les mains. Ils n'ont plus aucun intérêt dans la vie »); si l'on regarde ses étapes successives dans les chapitres et dans les développements particuliers de chaque expérience, l'œuvre peut apparaître comme une entreprise de démolition intellectuelle, organisée en vue de conclusions provisoires, puis d'une conclusion définitive, toutes désolantes.

Quels qu'aient été les efforts de Flaubert pour diversifier le déroulement de ses épisodes, il n'a pu éviter de reproduire le plus souvent un certain schéma. Bouvard et Pécuchet s'engouent d'une idée, d'un projet ou d'une étude. Ils cherchent les livres qui leur enseigneront ce qu'il faut connaître et s'informent avec conscience auprès des spécialistes, s'exaltent, se procurent manuels, cours, guides, suivent avis, préceptes, indications, et ratent. Ils ont accumulé les lectures et appris que « les auteurs » se contredisent; ils savent qu'ils ne peuvent savoir et abandonneront par dégoût, logiquement. Ils sont alors prêts à parcourir un nouveau cercle de cet enfer pavé de livres et reviendront à leur point de départ, mission accomplie, démonstration achevée.

Chaque nouvelle tentative pose sa question. Ils vont s'apercevoir qu'ils ne pourront la résoudre en dépit, à cause de toutes les réponses que les livres fournissent, et de tant d'affirmations incompatibles et décisives. Les géologues, comme les historiens, comme les médecins, et les vrais, et les faux savants s'opposent les uns aux autres. Les ouvrages qui disent la science et signifient l'ordre du monde selon l'esprit révèlent l'affolant désordre d'opinions émises à tort, à travers, à raison peut-être. Par exemple Bouvard et Pécuchet, préoccupés de vérités médicales, s'étonnent que « les calmants soient parfois des excitants, les vomitifs des purgatifs, qu'un même remède convienne à des affections diverses, et qu'une maladie s'en aille sous des traitements opposés ». Non seulement, en effet, les avis diffèrent, mais la pratique dément la théorie : « Contrairement aux auteurs les pigeons qu'ils saignèrent l'estomac plein ou vide moururent dans le même espace de temps » ! Le médecin de Chavignolles, un praticien, en a pris son parti : « La cause et l'effet s'embrouillent », répondait Vaucorbeil. Son manque de logique les dégoûta ». Bouvard et Pécuchet exigent une logique des faits, ils réclament l'explication des choses. Celle qu'ils peuvent trouver dans les livres (« Toutes les viandes ont des inconvénients ») risque de compliquer l'existence (« Quel problème que celui du déjeuner ! »). Ils sont amenés à s'interroger : « Ils ne savaient que résoudre devant la divergence des opinions ». Ainsi progressent-ils de l'enthousiasme à la désillusion, à l'incertitude : « Où est la règle alors ? »

Maupassant définit *Bouvard et Pécuchet* « une promenade dans le labyrinthe infini de l'érudition avec un fil dans la main ; ce fil est la grande ironie d'un penseur qui constate sans cesse, en tout, l'éternelle et universelle bêtise » : d'un écrivain pour qui depuis longtemps « l'ineptie consiste à vouloir conclure » (II, 239) et qui a passionnément amassé les références. Il lui suffit parfois de citer ou de résumer quelque sottise réjouissante de grotesque, mais surtout il oppose, mêle, brouille doctrines et théories, et dans cette « revue de

toutes les idées modernes » fait parader la sottise.
Très raisonnablement Bouvard et Pécuchet en arri-
vent au scepticisme et énoncent les axiomes flaubertiens. Ils ont été poussés vers une impasse et savent le
reconnaître. Ils ont compris la farce.

Quelle farce? celle de la connaissance, que leur
révélèrent « les auteurs »? celle du christianisme,
expliqué par le curé Jeufroy? celle de l'amour, grâce
à Mᵐᵉ Bordin et à Mélie? Ils ont été édifiés, mais
comiquement.

C'est leur faute, ou leur fatalité : ils sont comiques.
Leurs réflexions et leur comportement témoignent de
leur zèle méritoire à se rendre ridicules, du début à la
fin du livre. Voici Bouvard qui, saisi par « le délire de
l'engrais », rêve devant la fosse à fumier, ou se tré-
mousse dans sa baignoire pour élever la température
de l'eau; ou Pécuchet qui, monté sur ses échasses,
tombe lamentablement dans les rames de haricots;
ou les deux compères à la recherche des fossiles, d'un
sujet de roman, de l'amour... Le blond et le brun, le
gras et le maigre courent du même train : « une, deux;
une, deux — en mesure ! comme les chasseurs de Vin-
cennes ». Ensemble, avec un sérieux désopilant, en
fonction de l'idéal du moment, ils prétendent imiter
et contrefont les hommes de savoir, d'expérience ou de
foi. Quel plaisir pour Pécuchet de reproduire « la pose
du jardinier qui décorait le frontispice du livre »,
de rêver du martyre, et, avec Bouvard, d'espérer
« souffrir pour la science » !

C'est qu'ils sont vraiment sérieux et possédés par
un authentique désir du vrai, du beau, du bien. Flaubert, qui les a fait passer de l'état de « cloportes » à
celui de « bonshommes », peut les élever à la dignité
de ses porte-parole. Car ces deux silhouettes caricaturales, ce sont les êtres en qui sa nature « bouffonnement amère » et son intelligence éprise de sottise ont
pu se retrouver : « Leur bêtise est mienne et j'en

237

crève » (VII, 237). Ils seront grotesques à perpétuité comme le demande la conception du sujet, et d'autre part émouvants par leur amitié immédiate et profonde, leur désir d'apprendre, leur sincérité : « ayant plus d'idées ils eurent plus de souffrances ». Les voilà qui vont progresser jusqu'à ne plus pouvoir tolérer la bêtise.

En un sens, comme Frédéric ou Emma, ils vivent un mythe et découvrent la réalité décevante. Mais ils ne cherchent pas l'être unique, réel ou rêvé; leur manie prend des formes comiquement variées, de la toquade aux plus hautes aspirations, et les emporte sur des chemins qui zigzaguent et les égarent sûrement. En particulier leur désir de la connaissance en fait les champions d'un idéal illusoire. « La soif du Vrai les leurre. Ils veulent à toute force connaître Dieu, la Cause » (105), indique le sixième scénario, pour la philosophie. Ils s'imaginent que l'inconnaissable mystère se trouve et que « les auteurs » le dévoilent. Une telle passion ne dégrade pas. Leur sottise est commune, non vulgaire.

Tantôt donc ils ont l'apparence de purs grotesques (fabrication de conserves, gymnastique) et tantôt impressionnent par leurs efforts pathétiques (philosophie, religion). En général ils unissent diversement bêtise et sagacité, selon les chapitres ou dans un même chapitre. Mystère du Sphinx ou secret de Polichinelle, gravité ou pitrerie... les sujets se succèdent, les personnages varient et l'écrivain complique ses effets.

Flaubert joint la mystification à l'enseignement, entremêle argumentations pertinentes et propos insanes, idées personnelles et absurdités. Par exemple, dans le chapitre de la Littérature, sérieux et bouffonnerie alternent vivement. Flaubert prête à ses personnages son enthousiasme de jeunesse pour le roman historique et pour le drame romantique, et reproduit ses critiques ultérieures; plus subtilement, il les fait admirer et

jouer avec feu la tragédie classique qu'il aime paro-
dier ; puis Bouvard et Pécuchet vont, à l'instar de leur
créateur, condamner la critique théâtrale et « tous les
faiseurs de rhétoriques, de poétiques et d'esthétiques ». D'où une variété remarquable d'effets. Les
oppositions tranchées n'excluent pas les nuances ou
les ironies déguisées : le professeur Dumouchel exprime
un moment la pensée personnelle de Flaubert, et il
indique ensuite quels « auteurs » énoncent les règles
de tous les styles ! L'écrivain déclare ses convictions
en même temps qu'il se moque et l'on songe à *Candide*,
au sénateur Pococuranté ; mais Flaubert imagine
un double « Troppocurante », deux petits bourgeois
qui se fourvoient péniblement et découvrent à force
d'erreurs sa « manière de penser » : ses embarras
(« Ils se perdaient ainsi dans les raisonnements » ;
cf. VII, 294), ses formules brutales (« On n'aime pas
la littérature »), son opinion (« Il y a, pourtant, un
Beau indestructible, et dont nous ignorons les lois,
car sa genèse est mystérieuse »).

Autres exemples. A la fin du dixième chapitre,
Bouvard émet des « idées drôles » (c'est-à-dire fort
raisonnables) sur l'instruction primaire, puis les deux
amis, excités par des discussions, vont développer
leurs « conceptions » : « remplacer le nom de famille
par un numéro matricule », etc. Ou bien, au quatrième
chapitre, ils abordent l'histoire de la Révolution
française et recourent « à M. Thiers ». Flaubert enchaîne
les images caricaturales et les évocations émouvantes,
force brusquement le comique par une réflexion
stupide et des déclarations partisanes, approfondit
la discussion, propose sa pensée personnelle et conclut
sur le mode grotesque, ou sérieux, ou énigmatique :
Bouvard et Pécuchet n'ont plus « une seule idée
d'aplomb », renoncent, et en même temps éprouvent
le besoin de la Vérité pour elle-même. Ont-ils échoué ?
Sont-ils plus ridicules que s'ils montraient sur ce sujet

beaucoup d'aplomb? En ces pages denses et neutres la distance entre l'écrivain et ses personnages varie, les rapports de sympathie et d'ironie s'inversent, les effets divers se succèdent, se renforcent, s'annulent et la conclusion abolit le problème pour que naisse une exigence plus haute. Mais que signifie cette leçon, ce besoin ardent de Vérité, s'il est chimérique et ne peut être satisfait?

Ceci : que les deux bonshommes vont recommencer, en un autre domaine, pour échouer encore. Dans les forêts de vains symboles, absurdes ou profonds, où ils déambulent, Bouvard et Pécuchet connaissent ainsi les catastrophes successives et apprennent la vanité du voyage; mais ces désespérés seront repris par l'espoir...

Un tel comique d'échecs à répétition évoquerait Sisyphe, qui d'ordinaire ne fait pas rire. Or ce mythe glorieux, ils le vivent dans la médiocrité, à l'enseigne du banneau qui emporte les pierres de la butte : « Tout le long de l'année, du matin jusqu'au soir, par la pluie, par le soleil, on voyait l'éternel banneau avec le même homme et le même cheval, gravir, descendre et remonter la petite colline ». Arrive enfin le jour où le but est atteint : « Une chose étrange, c'est que la Butte enfin dépierrée donnait moins qu'autrefois ». Alors? « peut-être qu'il n'y a pas de but? » comme le soupçonne un jour Bouvard. N'importe; les deux bonshommes s'agitent et répètent leur mouvement monotone et obstiné de mouches sur une vitre.

Flaubert a bien voulu, comme l'écrit Du Camp, « ridiculiser non seulement ses personnages, mais les connaissances qu'ils cherchent à acquérir ». Il exerce son ironie contre les trompés et les trompeurs, contre ses héros et contre leurs adversaires. Que Jeufroy ait tort ne donne pas raison à Pécuchet; que celui-ci l'emporte, il ira lire le Curé Meslier dont les lourdes négations le choquent, et il se rejettera sur l'histoire des martyrs chrétiens, qui l'enthousiasme... Devant cet incertain spectacle de l'incertitude, le lecteur, suivant le vœu de Flaubert, hésite.

🙖🙖🙖

Le récit lui-même est-il vraisemblable, croyable? L'irréalisme est patent, comme R. Descharmes l'a prouvé en détaillant les fantaisies de sa chronologie. Les deux hommes sont âgés de quarante-sept ans au premier chapitre, et d'environ quatre-vingts ans à la fin du livre. Pourtant ils n'ont jamais paru ressentir les atteintes de la vieillesse et, dans le monde immuable où ils vivent, aucun personnage secondaire ne meurt, aucun ne quitte Chavignolles. Quelques repères historiques (1848-1851), d'éparses indications de jours et d'époques ont une valeur suggestive (saisons, atmosphère politique) ou symbolique (la nuit de Noël où ils se rendent à la messe). Flaubert semble se soucier assez peu d'ordonner précisément la durée d'une action qui s'insère dans le temps et ne s'y soumet pas.

Tout à la fois il a su maintenir le semblant de réalité romanesque nécessaire, et n'a pu faire que Bouvard et Pécuchet ne soient les comiques serviteurs de son argumentation. Or les nécessités de leur service sont telles qu'ils doivent successivement jouer les agriculteurs, les médecins, les hommes de lettres, les pédagogues. Les ruptures de l'action imposent ces changements de rôles où se défait leur cohérence. Transformables à merci, en fonction du problème posé, les personnages principaux deviennent des figurants et la structure de l'ouvrage leur donne une apparence mécanique : le ressort est remonté à chaque début de chapitre, le mouvement s'arrête à la fin. Créatures de vérité problématique et de vraisemblance douteuse, ils ne vivent pas une destinée humaine possible, mais servent à mettre en question tout ce qu'ils lisent, font apprennent, et jusqu'à l'authentique ambition qu'ils ne réaliseront pas.

Leur faisant pièce, les personnages secondaires ne mettent rien en question. Sans originalité individuelle marquante, ils fournissent l'image assez conventionnelle de certains types sociaux : le fermier, le gentilhomme, le curé, etc. Mais l'image est toujours accusatrice. Flaubert n'a dans ce groupe imaginé aucune figure sympathique. A Chavignolles, les représentants de la bassesse bourgeoise, ouvrière et paysanne doivent détester les deux intrus qui ne « vivent pas comme les autres » (24) et veulent introduire des améliorations. Cette hostilité générale aura « pour cause plutôt des idées contrariées que des intérêts combattus, la bêtise l'emportant même sur l'égoïsme ! » (71), est-il expliqué dans les brouillons. Bouvard et Pécuchet ratent, tandis qu'à côté d'eux, « comme une ironie sanglante s'étale la prospérité de gens qui ne se donnent pas tant de peine — triomphe de la routine et du hasard » (136). Leur fermier les gruge, Mme Bordin organise sur leur domaine la belle exploitation qu'ils rêvèrent, Gorju les trompe. Ils feront bien rire lorsqu'ils répandront de sages conseils d'hygiène : « Allez donc, farceurs ! n'essayez pas de nous en remontrer », leur répliqueront les villageois. Ces originaux ont voulu s'élever, élever les autres : coupables d'idéalisme ils échoueront, coupables de désintéressement ils paieront ! Ces hommes de bonne volonté méritent bien une leçon. Ils seront humiliés par ceux qui ne les valent pas.

Les basses moqueries de Chavignolles fournissent l'accompagnement humain d'une autre dérision, celle de l'incompréhensible réalité qui déjoue leurs efforts et leurs raisonnements : car « la logique ne gouverne pas le monde ou du moins notre logique » (159). Bouvard et Pécuchet doivent en effet mettre leurs idées à l'épreuve des faits. Or, en voulant trouver la règle, ils découvrent l'irrégularité. S'il advient que la réalité se fasse leur complice, en particulier contre Vaucorbeil (expérience de télépathie, guérisons de Mme Bordin et de Marcel), c'est victoire du comique, du hasard, et une leçon qui enseigne le doute nécessaire à toute bonne méthode. Mais le plus souvent ils se heurtent à l'invincible résistance des choses. « Bouvard tâcha de conduire les abricotiers. Ils se révoltèrent. » Pécuchet emprunte un fusil « pour tirer des alouettes; l'arme éclatant du premier coup faillit le tuer ». L'univers, qu'ils croient ordonné en belles synthèses conformes aux promesses des livres, se révèle indifférent ou hostile aux désirs et à la logique de l'homme. D'insolites phénomènes répondent à l'arbitraire des théories. Dans leurs médiocres plantations les deux amis pourront admirer un chou prodigieux, orgueil de Pécuchet, et ce « sophora japonica qui demeurait immuable, sans dépérir, ni sans pousser»! Et, tout à coup, un orage détruit le verger; dans le pêle-mêle du désastre, « à peine s'il restait parmi les pommes quelques bons-papas — et douze tétons-de-Vénus »... Ce sont là jeux de mots et jeux de la nature.

Mais eux-mêmes, lorsqu'au gré de leurs passions successives ils s'enquièrent et consultent catalogues ou manuels, ce sont bien les mots étranges et savants qui d'abord les séduisent. Les termes techniques leur paraissent donner aux choses une réalité idéale, promesse de science et assurance de l'espoir. Cependant la terminologie parfois les rebute (nomenclatures d'anatomie) et plus souvent les embarrasse. Que signifie tel monument? Ce caillou, ces fonts baptismaux furent-ils une hache celtique, une cuve druidique? Ces questions insolubles les font hésiter, se tromper. Les objets eux-mêmes, que leur amour de la connaissance les induit à posséder, peuvent les fasciner (cadavres postiches), leur plaire, les inquiéter.

Leur singularité impressionne et leurs rapprochements produisent des effets curieux. Par exemple, le musée archéologique que Bouvard et Pécuchet constituent de leurs trouvailles hétéroclites rassemble un arbre généalogique, un décime rendu par un canard, une hallebarde, pièce unique, etc. Ou bien d'un très banal jardin les deux bonshommes parviennent, une fois leur goût éduqué, à faire ce « quelque chose d'effrayant » que contempleront leurs invités : un labyrinthe, un tombeau étrusque, une espèce de Rialto, une pagode chinoise y voisinent, et l'assemblage de ces grotesques merveilles doit bien stupéfier.

Ces ensembles aberrants, que l'on a pu comparer à des collages, étonnent par d'étranges juxtapositions, par une complication raffinée qui déconcerte l'imagination. Fragmenté, recomposé, le réel prend une apparence fausse, la fausseté impose sa réalité, le comique amuse, gêne, ahurit. Puis ces ensembles se disloquent. Bouvard et Pécuchet délaissent leur musée et leur jardin, cassent la statue de saint Pierre, vendent la hallebarde, et substituent au musée une crèche, une cathédrale en liège, un saint Jean-Baptiste en cire, etc. Mais des objets subsisteront, témoins d'une passion révolue, comme demeurent au grenier de la mairie les bustes en plâtre des anciens souverains; les uns rappellent les enthousiasmes passés des deux amis, les autres l'histoire de France, et tous restent là : pour rien?

Quand, à plusieurs reprises, Bouvard et Pécuchet aménagent et transforment le décor de leur vie, ces fréquentes modifications accentuent l'impression de bizarrerie. Chaque passion nouvelle exige en effet son désordre nouveau. Des images cocasses défilent. Lorsqu'ils entreprennent de « s'améliorer le tempérament par de la gymnastique », ils se servent du tilleul abattu comme d'un mât horizontal, replantent une poutrelle des contre-espaliers pour s'exercer à grimper,

se contorsionnent avec les « bâtons orthosomatiques »,
sautent par-dessus les fossés avec de longues perches,
« et les villageois se demandaient quelles étaient ces
deux choses extraordinaires, bondissant à l'horizon ».

Cependant l'absurdité qui se fait jour n'est pas
gratuite, mais réglée méthodiquement et chargée
d'une signification comique. C'est un manuel qui a
prescrit l'usage de ces objets, déclenché cette série
d'actions surprenantes. C'est en fonction d'idées que
les objets sont achetés, employés, abandonnés. C'est
pour affirmer une pensée sérieuse que se développe
une imagerie saugrenue. Si les historiens Bouvard et
Pécuchet relèvent l'importance qu'eurent les ponts
dans la vie du duc d'Angoulême, n'est-ce pas que la
biographie qu'ils méditent d'écrire doit y trouver son
rapport fondamental, celui qui nie et parodie l'explication, et qui convient à une personnalité insigni-
fiante ? La conception de l'œuvre inspire cet illogisme,
ces tableaux surprenants, la perpétuelle fragmenta-
tion de la réalité et des épisodes, comme les changements de rôle des personnages principaux.

D'où la valeur du détail dans ce roman dont Flaubert croyait qu'il vaudrait uniquement par son ensemble. Il a dû imaginer une quantité d'actes, d'attitudes,
d'épisodes qui manifestent la déraison humaine. Son
abondante documentation s'est alors transcrite de
façon concrète dans la succession de courts paragraphes qui découpent, isolent, amassent les images ou
les réflexions. Cette disposition caractéristique du
texte met en relief la précision méticuleuse des descriptions, des récits, des dialogues. Paysages (falaises
de Fécamp), portraits (le curé, Mme Bordin, le comte
de Faverges), expériences diverses, événements menus
ou d'importance (l'incendie des meules, le procès),
propos familiers ou références savantes, poses banales
ou gesticulations ridicules, scènes esquissées ou déve-
loppées (repas), costumes révélateurs (Gorju), décors

(musée, jardin), épisodes significatifs (le pèlerinage)...
les exemples fourmillent qui illustrent ce réalisme
pointilleux. L'effort poursuivi par Flaubert depuis
Madame Bovary pour signaler le détail caractéristique, pour définir exactement l'objet, l'être ou le
mouvement, lui a fait acquérir cette sûreté de touche
qui de quelques mots fait jaillir l'illusion.

Par rapport à ses œuvres précédentes, la mise en
évidence du comique, ces dénombrements d'exemples,
ces échantillonnages produisent des effets tout nouveaux. De même que la porte aux pipes présente en
bel ordre « des turcos, des femmes nues, des pieds de
cheval et des têtes de mort », de même le romancier
ordonne régulièrement les comiques expériences de
ses héros, ces contrefaçons de l'expérience humaine.
Littérairement, tous ces dits et faits de Bouvard et
de Pécuchet, fixés sur le papier comme fleurs ou papil-
lons de collection, semblent alignés, étiquetés, et non
plus produits d'une authentique vie romanesque : ils
enseignent l'illusion et la sottise. Bouvard et Pécuchet doivent assurer leurs pitoyables représentations;
ils s'exécutent. Ils jouent faux et ils disent vrai; ils
démontrent l'erreur et ils concluent justement.

La morne succession de tentatives vaines et de problèmes irrésolus révèle le comique de diverses prétentions humaines et confond dans une même ruine
croyances, idées, doctrines. Les deux compagnons
s'emploient sérieusement à montrer le grotesque de
leurs activités, et le non-sens de leurs ambitions
exaltantes ou ridicules. Toujours la bêtise et la blague
universelle reparaissent, sous des formes très diverses :
un festin termine le chapitre de l'hygiène et un essai
de suicide, celui de la philosophie. L'ironie de Flaubert réduit choses et êtres à leurs dérisoires apparences,
à leurs simulacres comiques. N'échappent guère à
l'ironie qu'un beau sentiment, l'amitié de deux
hommes; qu'une certitude, affligeante ou consolante,

la mort; et la nature immense, mer, ciel, terre, apparaît à certains moments choisis, par échappées poétiques, comme le signe universel du changement, de l'indifférence et de la profondeur insondable.

Flaubert a bien tenu sa gageure, réalisé ses intentions, exprimé la grande fureur qui l'animait. Il le fait comme s'il dressait, sans passion, un bilan catastrophique où figurent les opérations et où s'inscrivent les résultats régulièrement décevants. Comme, après les chocs épiques de *Salammbô*, le silence et la solitude succédaient aux carnages; comme, après ses dramatiques visions, saint Antoine demeurait seul et toujours possédé par son exigence de foi, Bouvard et Pécuchet resteront seuls et se dévoueront à leur tâche. Mais, à la différence des héros antiques, leurs angoisses et leurs combats n'étonnent plus par leur violence ou par la splendeur de visions stupéfiantes. Dans un terne décor des personnages médiocres s'agitent laborieusement et se découvrent sots en découvrant la sottise humaine. Les impressions contrariées de farce et d'énigme, les brusques aperçus de vérités sur fond d'imbécillités, ces lumières qui clignotent et cette ombre qui grandit, désorientent et ahurissent. Dans un monotone vertige tournoient idées et personnages. Tout effort d'intelligence, lorsqu'il aboutit, s'abolit.

Ou plutôt s'abolirait si un nouvel ouvrage n'apportait la vengeance de tant d'espoirs trompés et ne présentait à l'avenir le monument de la stupidité de l'homme. Bouvard et Pécuchet se remettent à copier. Un second volume en naît qui va fonder sur d'irréfutables témoignages la vérité du roman préliminaire, lui donner son équilibre et sa raison d'être.

❧❧❧

Flaubert a précisément fixé les derniers mouvements de son dixième chapitre. Mais le plan du second volume demeure à l'état d'esquisse. Flaubert avait résolu de le composer d'un onzième et énorme chapitre, la copie, et d'un douzième, une brève récapitulation comique. Bouvard et Pécuchet devaient trouver un rapport confidentiel du médecin au préfet, où ils auraient été dépeints comme « deux imbéciles inoffensifs ». Ce rapport eût fourni le résumé et la critique de tout le livre; ils l'auraient consciencieusement recopié... Flaubert a donc prévu une conclusion double, générale d'abord et théorique, particulière ensuite et terminant l'ouvrage par une ultime dérision.

Quant à la copie, il avait, dès 1863, projeté d'y insérer le *Dictionnaire des idées reçues*, l'*Histoire de l'art officiel*, « tout ce que l'on veut comme contrastes de faits, pastiches de style », « des extraits de critique idiots dans tous les genres ». L'intention première, encore vague, a été peu à peu précisée. Il fallait assurer une certaine diversité d'effets et atteindre le but depuis longtemps fixé : établir sous une forme apparemment objective l'effrayant dossier de la sottise humaine, telle que l'ont illustrée les meilleurs auteurs (le *Sottisier*), telle que la propage cet être « plus bête qu'un idiot... tout le monde » (le *Dictionnaire*). D'autre part Flaubert entendait relier ce dossier à l'action du roman par des « attaches » narratives, et évoquer, en même temps que l'activité des deux copistes, la vie, la réussite de certains personnages secondaires.

Bouvard et Pécuchet auraient d'abord copié au hasard ce qu'ils trouvaient, des manuscrits, des « papiers imprimés » d'espèce commune, irritants d'insignifiance. Puis « ils éprouvent le besoin de faire un classement » et répartissent, non sans difficultés et cas de conscience, leur copie en différentes sections. L'exercice et le comique se seraient alors compliqués. Ils auraient classé leurs documents et distingué des spécimens de tous les styles; composé des parallèles (crimes des peuples, des rois; bienfaits et crimes de la religion) et une « histoire universelle en Beautés »;

fait le *Dictionnaire des idées reçues* et le *Catalogue des idées chic*; copié des « morceaux poétiques ». Au-delà de la simple reproduction, Flaubert élabore un ensemble qui doit surprendre le lecteur par l'indiscutable réalité des citations et par l'inquiétante justesse de textes arrangés, contrastés, fabriqués à dessein.

La transcription de documents bruts satisfait d'abord la jouissance haineuse qu'il ressent à déceler la bêtise. Copier devient la vengeance stricte, impersonnelle, et complète. Il suffit d'exposer la sottise pour la dénoncer et l'accumulation des références, la renommée de certains auteurs cités impressionnent. Des rapprochements astucieux auraient sans doute mieux mis en valeur les articles du *Sottisier* qu'il ne paraît dans le dossier publié. Mais l'idée fondamentale est nette et révélatrice. Dans ces listes où l'écrivain disparaît pour que s'étale l'imbécillité, Flaubert, invisible et présent, inscrit, amuse, trouble.

Deux autres procédés devaient accroître et parfaire la confusion : l'antithèse et le pastiche. Les parallèles antithétiques différencient, mais égalisent le bien et le mal, décomposent en « jugements contradictoires sur les choses et les hommes de l'histoire contemporaine » toute réflexion sur les événements, ruinent les idéaux politiques opposés, le royaliste et le populaire. L'élément de mystification introduit par des « indications bibliographiques imaginaires » aurait été développé en pastiches de différents styles (conservateur, radical, officiel, mondain, etc.). Ces représentations typiques et caricaturales de certaines façons de penser et d'écrire révèlent, mieux encore que les antithèses, le comique de leur sérieux et l'inanité de tels langages. Nier en contredisant, nier en pastichant, ces deux exercices ne font pas seulement hésiter, ils frappent d'interdiction. C'était bien le but de Flaubert lorsqu'il méditait le *Dictionnaire des idées reçues*. Car son texte mêle trouvailles et inventions diverses (expressions communes, clichés littéraires, plaisanteries, ébauches d'absurdes dialogues, renvois d'une définition à d'autres semblables et contraires). Il ne constitue pas un simple relevé, mais une véritable création littéraire. Dans ce guide du savoir-parler en société, les bêtises ne sont pas seulement banales, mais convenables, indiquées, prescrites.

Ainsi Flaubert songeait-il à graduer ses effets dans ce second volume où Bouvard et Pécuchet se vengent de leurs échecs. Le dernier épisode, la découverte de la lettre de Vaucorbeil, devait compléter l'ahurissement du lecteur puisqu'après une courte hésitation les « deux imbéciles inoffensifs » auraient copié ce résumé critique de « tout ce qu'ils ont fait ». Imperturbablement grotesques, ils perpétuent la condamnation de leur censeur; mais leur humilité illustre une dernière fois la méchanceté et la sottise de ceux qui les ont poursuivis de leur haine. Dans le renoncement et la constatation qu' « il n'y a que des Faits — des phénomènes », ils atteignent la certitude définitivement reposante de l'« égalité de tout » et une indifférence souveraine. Rien ne compte plus que leur tâche : « Il faut que la page s'emplisse »... Et le livre devait se terminer sur une image, contrepartie de saint Antoine en prière, la vue des deux bonshommes, vaincus et sauvés, désillusionnés et joyeux, « penchés sur leur pupitre et copiant ».

Comme autrefois, puisqu'ils ont retrouvé leur occupation passée. Mais c'était jadis leur métier et ils en avaient souffert. Maintenant « ils ont trouvé le bonheur » et, après tant d'agitations, la paix. Ces deux employés exemplaires sont enfin devenus ce qu'ils ont mérité d'être : commis à l'enregistrement de la bêtise humaine. Leurs mésaventures leur ont appris leurs torts et une sagesse : il ne faut plus prétendre agir et conclure, mais inscrire, reproduire. Le grattement de leurs plumes sur le papier fait leur joie, il signifie leur présence et leur absence au monde, et l'encyclopédie critique en farce qu'ils copient sera le monument de leur persévérance et du grotesque triste.

Par ce projet de « la copie » Flaubert semble nier tout effort de style et de création artistique; mais il se représente encore, comiquement, dans ces personnages qui font à leur manière du « réel écrit », afin que subsiste quelque chose. Et c'est ainsi qu'il trouve dans les deux copistes son ultime déguisement littéraire et donne le témoignage de son désenchantement et de son nihilisme. Toute illusion dénoncée, rien ne demeure que la volonté de persévérer dans son être et de cultiver la désillusion.

ɷɷɷ

Le 8 mai 1880 Flaubert meurt. *Bouvard et Pécuchet*, inachevé, sera publié posthume dans la *Nouvelle Revue*, puis en volume (1881). Le « but (secret) : ahurir le lecteur » fut atteint. Non point certes sur Barbey d'Aurevilly : le roman lui donne l'occasion d'un éreintement nécrologique où il ressasse ses injures. Mais que d'embarras montre un ami de Flaubert, Céard, devant l'œuvre « inquiétante », qui laisse « le lecteur indécis et l'esprit en suspens » ! Son indéniable déception et sa gêne furent partagées... Les discussions sur le sens de *Bouvard et Pécuchet* pouvaient commencer.

Une autre indication de la *Correspondance* (VIII, 92) sur l'ouvrage : « Qu'il soit peu compris, peu m'importe, pourvu qu'il me plaise, à moi... et à un petit nombre ensuite », s'est également vérifiée. Toutefois le petit nombre, dont fit bientôt partie R. de Gourmont, a d'autant plus grandi que des mouvements littéraires ultérieurs favorisèrent le goût et l'intelligence d'une œuvre qui semble ne répondre à côté que pour interroger juste.

Flaubert avait songé qu'après l'achèvement de *Bouvard et Pécuchet* il pourrait entreprendre de réaliser certains projets, et en particulier cette *Bataille des Thermopyles* qu'il avait à cœur de composer. Il avait noté certains sujets de romans modernes dans ses *Carnets*, et ses esquisses donnent à rêver sur les renouvellements possibles de son art ou d'éventuelles reprises de thèmes ou d'effets. Mais sa mort brusque fait de *Bouvard et Pécuchet* la fin réelle et significative de toute son œuvre. Par son style, le roman inachevé montrerait qu'au terme de son évolution l'écrivain est parvenu à un savant dépouillement de sa prose, et qu'il tend à un idéal d'extrême concision et d'apparente simplicité. Et par ce réquisitoire contre la sottise humaine, Flaubert donne sa forme définitive, celle d'un « testament » romanesque, à une haine qui l'a occupé toute sa vie et l'a inspiré depuis ses premiers essais littéraires. Enfin le très étonnant projet de consacrer tout le second volume à la présentation d'un énorme dossier laisse encore distinguer certaines caractéristiques de la création flaubertienne.

En effet, l'idée de reproduire des documents choisis de telle sorte qu'il suffise de citer pour confondre peut remémorer le désir de l'enfant qui, à neuf ans, voulait écrire les bêtises de « la dame qui vient chez papa ». Toutefois, lorsqu'en 1880 cette impulsion initiale se retrouve sous la forme du *Sottisier*, il peut paraître qu'une vie tout entière vouée à l'expression de la Beauté s'achève en son reniement. La copie remplace le rêve du « réel écrit » et l'écrivain semble renoncer à ses idées sur la réalité, « tremplin » de l'artiste, et sur la justice supérieure de l'art. La documentation n'impose plus une discipline, elle devient sa propre fin; une révolte jadis sublimée en une esthétique se satisfait d'établir un catalogue de citations brutes. De même, un comique de juxtaposition simple, la suite des « tableaux antithétiques », peut rappeler l'ironie que le romancier a, sa vie durant, cultivée dans son œuvre. Mais il avait appris à varier et à nuancer les contrastes internes et externes qui donnent à ses personnages et à ses récits leur relief ou la profondeur de significations discutables; ainsi pouvait-il dévoiler progressivement les aspects opposés d'une réalité qu'aucun jugement simple ne définit, et présenter, par la grâce des artifices littéraires, une vision du monde qui fasse rêver et peut-être réfléchir. En choisissant de frapper son lecteur par l'évidence comique des contradictions, Flaubert schématise parodiquement ces savants équilibres, aux effets divers, qu'il avait su ménager. De même encore, les pastiches qu'il médite de composer peuvent évoquer les exercices de style par lesquels ce prétendu réaliste se jouait de la réalité, ou les exercices de mime auxquels cet acteur né se complaisait. Dans cette dernière et surprenante tentative, Flaubert semble retrouver en sa fin ses commencements et réduire certaines des ambitions les plus typiques de son génie à leur principe.

CONCLUSION

D'ABORD voir dans le monde la comédie ou le drame de l'existence et y découvrir ensuite un spectacle tout à la fois grotesque et pathétique, vouloir reproduire et dénoncer idéalement ce spectacle en des ouvrages où l'écrivain s'efface pour s'affirmer, cette appréhension singulière de la réalité et ces intentions complexes de l'artiste manifestent la personnalité de Flaubert et orientent l'effort de sa vie. Il se cherche à force d'essais littéraires et se trouvera par l'invention des formes originales, œuvre ou style, en lesquelles il saura se résoudre et s'accomplir supérieurement.

Très tôt il aperçoit en la littérature son moyen et sa fin, ce pour quoi il est fait. A quatorze ans, dans *Un parfum à sentir*, il proclame : « Écrire, c'est s'emparer du monde... c'est sentir sa pensée naître, grandir, vivre ». A dix-neuf ans, il reconnaît dans ses *Souvenirs Intimes* son incoercible envie : « je suis affamé de me conter à moi-même ». Ces deux désirs de conquérir le monde et de se raconter se rejoignent; c'est par la création littéraire que cet « homme-plume » (II, 364) se sentira vivre : « Je sens par elle, à cause d'elle, par rapport à elle, et beaucoup plus avec elle ».

Sa décision de vivre en littérature fut aussi radicalement appliquée que faire se pouvait à partir de ses attaques de nerfs. Il connut alors un moment crucial et vit le signe de son destin dans ces crises qui amplifiaient extraordinairement un mal ordinaire, une gêne, un trouble sans cesse entretenus. Il prit les décisions que lui parurent justifier sa vocation et sa nature.

Si Flaubert, lorsqu'il s'explique sur lui-même et sa constitution psychologique, insiste d'une part sur l'intensité de ses réactions émotionnelles et d'autre part sur la mollesse de son tempérament, sur sa nervosité et sur son insurmontable apathie (II, 3), ces deux aspects de la conscience qu'il a de soi s'accordent peut-être, l'indifférence profonde amortissant les chocs d'une sensibilité ravageante. Mais lui-même souffre doublement et s'embarrasse de son désaccord. Tantôt il éprouve trop vivement la « pénétration de l'objectif », tantôt il se sent désespérément malléable et comme hors du jeu. Vibrant et dégoûté, il s'irrite et se partage. Exaspérations nerveuses et calmes plats des langueurs, attentions passionnées et rêves lointains, gaîtés énormes et fureurs vengeresses..., il abonde en ses sens divers et pousse à l'extrême, et jusqu'à l'artifice, son malaise. Car le travail de l'esprit et aussi certaines lectures (de grands et petits romantiques) accentuent le trouble caractériel, accroissent les divergences intérieures. Révolté, malheureux, il pense détester la vie et douter de lui-même.

Il cultivera sa révolte : « Je dissèque sans cesse ; cela m'amuse, et quand enfin j'ai découvert la corruption dans quelque chose qu'on croit pur, et la gangrène aux beaux endroits, je lève la tête et je ris » (I, 39). Analyser assure la vengeance, satisfait intellectuellement cette indignation fondamentale qu'à la fin de sa vie il déclarera seule capable de le soutenir. Et rire, lorsque l'on a touché juste, c'est encore mépriser, insulter, à l'instar de « Rabelais et Byron, les deux seuls qui aient écrit dans l'intention de nuire au genre humain et de lui rire à la face » (I, 29). Il est bon de dégrader et de démoraliser les hommes, de les convaincre de leur indignité. Le Garçon, Yuck s'y emploieront joyeusement.

Mais contre lui-même Flaubert s'ingénie aussi bien. Il s'attaque et se « dissèque » avec la même joie destructrice. Passionné de s'observer, se dégoûtant du spectacle qu'il s'offre, heureux de se l'offrir, il se scrute avec l'orgueil de se sentir supérieur, avec l'angoisse de se figurer inconsistant, faux, manqué. Alors, se contredisant, se contrefaisant, il se dit qu'il joue la comédie, s'exhausse, se rabaisse et ne peut trouver sa « vraie hauteur ». Il croit qu'il s'empêche d'être simplement soi : il se découvre; cet empêchement, c'est lui-même et son ambition.

Par la force de la volonté et du génie, Flaubert transformera sa gêne et, faisant servir à l'art ce qui devait le desservir dans la vie, il fit réellement son salut par la littérature : la conquête de la beauté ne lui donna-t-elle pas enfin, dans la tension de l'effort, son équilibre vital, et dans le plaisir des réussites, la forme idéale d'un accord avec soi? L'irritation nerveuse, l'angoissante irrésolution, la conscience ambiguë qu'il a d'être et de n'être pas au monde, se métamorphoseront en une sensibilité sublimée, transférée dans l'œuvre, en imaginations précises et diverses, en l'heureux détachement du créateur et de sa création. Refusant une participation ordinaire à la vie, il se créera ses manières de vivre, qui seront romanesques. D'abondants témoignages écrits montrent comment un impérieux souci de rester à l'écart, des dons magnifiques et la constance d'une volonté purent assurer la gloire exemplaire d'un homme si parfaitement dévoué à l'Art qu'il voulut disparaître du monde par la solitude, de son œuvre par l'impersonnalité.

Mais d'abord, en ses premiers essais, il cherche ce qu'il peut être, il tente d'exprimer la « force intime » qu'il se sent dans le cœur, que personne ne peut voir et qu'il désespère de faire connaître *(Agonies)*. Se conter à soi-même, c'est également s'abandonner aux inspirations variées que ses lectures lui proposent. Confidences lyriques, visions d'histoire, envolées philosophiques dessinent ses fuites vers l'imaginaire. Toute forme peut être bonne pour se dire, pour s'évader, pourvu que sentiments, sensations et idées étonnent ou exaltent très vivement. Ces productions ont en effet un caractère commun : l'excès. Or l'excessif ici n'est pas insignifiant. Il marque la crise de l'ado-

lescence, la violence dramatique d'une révolte qui
trouve sa justification dans l'outrance et ses modèles
dans le romantisme. Quand éclate le rire du Garçon,
quand Smarh épuise toutes les jouissances de la terre,
Flaubert imagine, sous le déguisement bourgeois ou la
fiction poétique, des êtres qui aillent au-delà, trop
loin. Lui-même, littérairement, veut composer une
œuvre « bizarre et indéfinissable » *(Agonies)*, poussant
le scepticisme « jusqu'aux dernières bornes du désespoir » et jusqu'à la folie *(Mémoires d'un fou)*, « quelque
chose d'inouï, de gigantesque, d'absurde » *(Smarh)*.
De tels espoirs suscitent aisément, à la relecture, un
sentiment d'échec. Alors Flaubert méditera son insatisfaction et en creusera l'amertume, cette « synthèse
et... ironie » de la vie *(Novembre)*. N'est-ce pas qu'à
tout effort répond la déception, comme à toute affirmation sa négation, pour qu'enfin l'amertume finale
puisse fondre ensemble l'aspiration et le regret? Avec
Novembre en particulier, Flaubert commence à découvrir ce motif fondamental où trouvent à s'exprimer, à
se correspondre, ses puissances de rêve et de désillusion.

Lui qui déclare ne pouvoir imaginer un bonheur ou
un amour sans aussitôt concevoir leurs suites fatales
(et satisfaisantes pour l'esprit) : l'usure, l'inévitable
fin, rapide ou lente, lui qui affirme n'avoir jamais vu
une femme nue sans penser à son squelette, un enfant
sans songer au vieillard qu'il deviendrait, il va se
constituer un idéal de vie qu'en 1845 le portrait de
Jules, dans l'*Éducation sentimentale*, représentera.
Il exclura désormais de ses visées d'avenir la funeste
idée de bonheur et l'ambition d'une quelconque réussite sociale. Pour idéal de bonheur il se propose la
stagnation; à la gloire autrefois rêvée il préfère une
obscurité voulue; pour lutter contre la tentation de
vivre selon les illusions communes il s'entourera d'un
« mur stoïque ». Il détermine alors, en théorie, son

programme de travail et se fixe le droit chemin à suivre dans l'existence.

C'était se préparer des mécomptes, comme le montrent parallèlement l'aventure de sa liaison avec Louise Colet et sa mésaventure de la première *Tentation de Saint Antoine.* Un tel sujet devait trop bien satisfaire ses plus vives ferveurs d'esprit pour qu'en appliquant ses nouvelles théories il oubliât ses anciennes facilités : il s'imagina saint Antoine et perdit sa cause. Après cet échec, il choisit, au lieu d'un sujet enthousiasmant, le « pensum » de *Madame Bovary.* Là, croit-il, tout (personnages, histoire) lui est irréductiblement étranger, mais il retrouve la trace de précédents essais *(Passion et Vertu, Novembre)* ; et s'il s'oblige à l'impersonnalité, il se reconnaîtra dans la personnalité de son héroïne ; et s'il déteste les réalités bourgeoises, il s'attache avec passion à les reproduire. Ainsi découvre-t-il sa nouvelle manière. Son roman, pris dans son ensemble, décor, action, personnages, forme un système complexe de représentation de la réalité ; et l'auteur exprimant sa propre complexité par ce système croit y disparaître. C'est en s'emparant du monde que Flaubert se conte à lui-même.

Après le chef-d'œuvre décisif, ses principes et sa méthode sont arrêtés, et chaque ouvrage lui sera l'occasion de s'ouvrir un nouveau domaine romanesque. Si l'on met à part les deux reprises de la *Tentation de Saint Antoine* (en 1856 et 1869) et la rédaction des *Trois Contes,* Flaubert écrivit quatre grands romans. Par *Madame Bovary* il a conquis son originalité littéraire ; *Salammbô* fixe son rêve de l'Orient antique ; avec l'*Éducation sentimentale,* il se retourne sur son passé et considère l'histoire de sa génération ; dans *Bouvard et Pécuchet,* il expose sa manière de penser et donne son jugement final sur l'homme et les œuvres de l'homme. Quelles que soient la variété des conceptions et la singularité des effets chaque fois obtenus, ces aspects divers de l'œuvre flaubertien manifestent la permanence d'intentions fondamentales et la répétition obstinée d'efforts semblables : l'orgueilleuse ambition d'un homme qui ne fut pas « noué », comme en a médit Du Camp, mais au contraire s'astreignit à nouer les fils divers de sa personnalité.

« Il y a en moi, littérairement parlant, deux bonshommes distincts : un qui est épris de *gueulades*, de lyrisme, de grands vols d'aigle, de toutes les sonorités de la phrase et des sommets de l'idée ; un autre qui fouille et creuse le vrai tant qu'il peut, qui aime à accuser le petit fait aussi puissamment que le grand, qui voudrait vous faire sentir presque *matériellement* les choses qu'il reproduit ; celui-là aime à rire et se plaît dans les animalités de l'homme » (II, 343-344). Flaubert analyse ici ses dispositions d'écrivain ; sa dualité, il la surmontera précisément en littérature, par la création de son œuvre. Mais lorsqu'il distingue en lui-même ces aptitudes contraires, il s'inspire d'une autre opposition, insurmontable, selon laquelle s'ordonne sa vision générale du monde : celle de l'aspiration idéale et de la réalité secrète. Son œuvre la reproduit sous des formes variées, par tant de personnages que d'inassouvissables rêves conduisent aux échecs nécessaires. Les « figures primordiales » de la *Tentation*, le Sphinx et la Chimère, la symbolisent.

La Chimère « découvre aux hommes des perspectives éblouissantes », mais le Sphinx demeurera l'Inconnu et les deux bêtes mythiques vivront une commune fatalité : elles ne s'uniront jamais. Ainsi Flaubert pense-t-il, à l'âge de seize ans, que « jamais l'homme ne connaîtra la Cause, car la Cause, c'est Dieu » ; et à plus de quarante ans il écrit : « La recherche de la Cause est antiphilosophique, antiscientifique » (V, 148). Si le vocabulaire change, la pensée reste fondamentalement la même. Un mystère existe au-delà de notre prise, qu'il faut reconnaître et renoncer à connaître. Il ruine toutes prétendues explications religieuses et philosophiques. C'est une sottise humaine que d'expliquer Dieu en dogmes et prétendre définir l'Infini. Mais c'est une sottise anti-humaine de nier le sentiment qui signifie ce mystère. Flaubert, en particulier, exprimera sa sympathie profonde pour les modes de vie mystiques et montre une parenté certaine d'aspiration avec ceux qui se détournent d'ici-bas pour se consacrer à la pure et vaine adoration. Se perdre en Dieu, comme eux? Flaubert refuse leurs « conclusions » trop humaines. De même il récuse les solutions que proposent les philosophes; autant de systèmes, autant d'hypo-thèses contradictoires. Pour qu'une doctrine philo-sophique le satisfasse, il faudrait tout ensemble qu'elle comprenne l'Être dans sa totalité et ruine la prétention humaine à l'explication ultime. Toute sa vie il louera l'éminente qualité de deux penseurs, du panthéiste Spinoza, du sceptique Montaigne : l'un affirme Tout et l'autre déclare ne rien savoir. Quant à lui, ne pas conclure sera sa conclusion.

Mais la réalité est là et sa présence s'impose à l'esprit. Elle existe dans la lumière de son évidence immédiate, dans son infini concret, dans sa vie per-pétuellement renouvelée. La nature peut enthou-siasmer comme Dieu et saint Antoine peut bien succomber à la tentation d' « être la matière » et de se perdre en elle. Mais non celui qui l'imagine. Car c'est toute la réalité qu'il veut saisir en esprit : non pour se perdre, mais pour s'en emparer et pour se trouver. Or l'Art, sa conception de l'Art, lui en donne l'espoir et le moyen. Si, dans sa jeunesse, il s'est plu à considérer le monde comme un simple spectacle et à cultiver un détachement d'esthète, le spectateur s'est passionné pour le spectacle offert à son observa-tion. L'expérience personnelle lui a révélé l'infinie richesse de la réalité, source et ressource éternelles de l'imagination; l'exemple des maîtres géniaux (Homère, Shakespeare) lui montre comment leurs grandes œuvres précisément reflètent cette réalité. À méditer leur leçon, on apprend que « la première qualité de l'Art et son but est l'illusion » (III, 344), qu'il constitue une « seconde nature » (III, 62).

La nature elle-même garde son secret; l'Art ne l'explique pas, mais il la fait voir, et il reproduit toute la réalité, celle du Sphinx et celle de la Chimère. Que l'artiste doive être « œil » ne signifie pas qu'il choisisse un point de vue particulier, mais plutôt qu'il tente, à force de contempler et d'observer, de parfaitement réfléchir puis représenter les choses. Si son œuvre obtient de « faire rêver », c'est que, comme la réalité première, elle étonnera son admirateur par la profondeur cachée en sa simple existence. Comme la réalité encore, elle doit se suffire à elle-même, sans que l'auteur intervienne personnellement ou prétende « conclure ». Tel Dieu dans l'univers, il sera dans sa création « présent partout, et visible nulle part » (III, 62). Mais sa propre individualité est négligeable : « l'Art n'a rien à démêler avec l'artiste » (III, 4).

Le devoir de l'écrivain, c'est de faire les phrases qui recréent la nature, de la métamorphoser en l'Idée où forme et contenu se fondent merveilleusement. « Où la Forme, en effet, manque, l'idée n'est plus. Chercher l'un, c'est chercher l'autre. Ils sont aussi inséparables que la substance l'est de la couleur et c'est pour cela que l'Art est la vérité même » (II, 416). Alors s'effectue cette « fusion divine où l'esprit, s'assimilant la matière, la rend éternelle comme lui-même » (ES, 1845, p. 258). Alors la réalité trouve sa fin véritable et son parfait achèvement : les termes exacts qui la transcrivent, le rythme d'un style, ses sonorités définitives. Il s'agit, selon la formule de Thibaudet, de « transposer la nature des choses en des natures de phrases », de la reproduire de telle sorte qu'une prose idéalement juste la reconstitue en une réalité seconde et ultime. Cette intention gouverne les efforts de Flaubert.

C'est pourquoi sa « mystique » de la forme implique une conception « réaliste » de l'art : à l'erreur de la pensée correspond le défaut du style et inversement. Il faut représenter le réel avec une précision scientifique et l'écrire en une langue impeccable pour que soit atteinte la « justice supérieure » de l'esthétique. Mais, au-delà de cet idéal du « réel écrit », la beauté d'une forme ne signifie-t-elle pas par elle-même? Flaubert, « le style étant à lui tout seul une manière absolue de voir les choses », envisagea de faire « un livre sur rien, un livre sans attache extérieure, qui se tiendrait de lui-même par la force interne de son style » (II, 345-346). C'est, en un sens, à cet anéantissement du sujet qu'il aspirait, pour d'autres raisons.

Si, dans ses premières œuvres, avec une grandiloquence naïve, il aime invoquer le Néant et imaginer l'abolition de toute vie sur la terre, il sait, dans sa maturité, subtilement composer et présenter la réalité de telle façon qu'elle se défait et s'épuise sous le regard qui la comprend et dans la forme qui l'exprime. Déjà certains de ses projets décèlent cette tendance : par exemple son schéma de roman sur l'Oriental qui se civilise et l'Occidental qui s'orientalise est significatif de ce processus par lequel des personnages ou des événements s'opposent, s'équilibrent, s'annulent.

Dans ses romans modernes, les héros vont progressivement apprendre l'inanité de leurs efforts et le mensonge de la vie (tandis que les ouvrages antiques d'une part dénoncent l'époque moderne et d'autre part décrivent un passé mort), et chaque œuvre s'achèvera sur la dérision de son propos : la croix d'Homais, le souvenir de la Turque, un *Sottisier*. Considérés dans leur ensemble, dans les relations entre personnages, dans le déroulement de leurs actions, ces ouvrages apportent la négation globale et détaillée de ce qu'ils présentent. L'ironie fondamentalement nihiliste de Flaubert répond à une exigence ou une tentation intérieure, elle imprègne littérairement son imagination, elle s'exerce dans le scrupuleux établissement de la réalité romanesque. Si disséquer est une vengeance, représenter signifie mieux encore : se donner pour rejeter, changer le réel en ce « quelque chose qui en a l'apparence et qui en est la négation, c'est-à-dire l'Idée, la contemplation de l'immuable » (I, 310). Présenter suffit : l'implacable reproduction découvre et dénonce exactement. Il ne faut pas conclure : l'exposé du problème est sa solution. Et l'illusion de l'art se révèle plus vraie que la vie puisqu'elle y ajoute la conscience d'une illusion. La révolte et le désir de vengeance qu'inspirait le monde à Flaubert adolescent peuvent être satisfaits; il a inventé littérairement sa parfaite revanche. Il y trouve la « mesure » de sa personnalité. Ses réactions immédiates et complexes d'attachement et de haine se transforment en volonté de faire voir et de nier, en exercices de sympathie et de détachement esthétiques; son indécision et ses doutes s'expriment dans le refus de prendre parti, dans la règle de l'impassibilité. Il produit son image originale du monde qui donne à comprendre, dans leur nécessité supérieure, le rêve et l'amertume, les erreurs de la Chimère et le mystère du Sphinx, la « blague » et le désastre universels : une synthèse réaliste, illusoire et ironique dont la Beauté sera la révélation.

Ce long combat qu'il livra pour la révéler, Flaubert l'a dit dans sa *Correspondance*, où, une fois son travail accompli, et oubliée la discipline forcenée à laquelle il se soumettait, il pouvait enfin revenir à lui-même et à l'amitié, découvrir son âme et libérer son génie. Son idée que les lecteurs devaient ignorer comment il avait vécu, il la démentait alors, travaillant, sans le savoir, à un autre chef-d'œuvre, tout contraire à sa doctrine.

La *Correspondance*, diverse par le ton, une par l'inspiration fondamentale, fait paraître, à côté des créations parfaites, la volonté de perfection et, à côté de
l'impassibilité conquise, la passion qui la conquiert.
Elle donne l'accompagnement humain et la contre-
partie artistique des ouvrages destinés à la publication. Elle apprend la vie d'un homme et sa morale
d'écrivain : comment une manière de penser put
devenir sa manière de vivre.

« J'aime mon art d'un amour frénétique et perverti,
comme un ascète le cilice qui lui gratte le ventre... Je
me hais et je m'accuse de cette démence d'orgueil...
Un quart d'heure après, tout est changé; le cœur me
bat de joie » (II, 394-395). Ces tourments et ces joies
de la création, Flaubert les cultive passionnément et
leur consacre sa vie. Car « le seul moyen de la sup-
porter, c'est de l'éviter. Et on l'évite en vivant dans
l'Art » (IV, 182). En effet, de même qu'il transpose le
réel en beauté, l'art métamorphose la vie du créateur.
Telle fut l'expérience que vécut Flaubert. Loin des
hommes et de leur société, tout entier en sa création, il
dispose librement, divinement du monde et de lui-
même : « Voilà pourquoi j'aime l'Art... tout est liberté
dans ce monde des fictions. On y assouvit tout, on y
fait tout » (II, 415). Alors il peut bien souffrir dans «les
affres du style », douter et désespérer de soi; il sait qu'il
le veut, qu'il ne changera point et que sa religion de
l'art est sa raison de vivre. Encore jeune, en 1850, il
s'inquiétait : « Je crèverai à soixante ans avant d'avoir
une opinion sur mon compte, ni peut-être fait une
œuvre qui m'ait donné ma mesure » (II, 146). En
1880 il hésite toujours sur la valeur de ce qu'il écrit
(S IV, 297), mais depuis longtemps il ne s'inquiète
plus de mourir : il s'est dévoué et accompli, ses œuvres
témoignent et demeurent. Le reste importe peu. Qu'il
rentre dans le grand Tout : « la mort n'a peut-être pas
plus de secrets à nous révéler que la vie » (VI, 126).

NOTE BIBLIOGRAPHIQUE

On voudrait que ce choix, très limité, de livres et d'articles invite à de nouvelles recherches sur Flaubert... et l'on renvoie d'abord aux bibliographies générales bien connues, et en particulier à celles, récentes, d'O. KLAPP et de R. RANCŒUR, puis aux études bibliographiques suivantes :

- in : R. DESCHARMES et R. DUMESNIL, *Autour de Flaubert*, 2 vol. Mercure de France, 1912.
- R. DUMESNIL et D. L. DESMOREST, *Bibliographie de G. Flaubert*, L. Giraud-Badin, 1937.
- S. CIGADA, *Un decennio di critica flaubertiana (1945-1955)*, *Rendiconti dell'Instituto Lombardo di Scienze e Lettere, Classe di lettere*, vol. 91 (1957).
- P. MOREAU, *État présent de notre connaissance de Flaubert*, *Information Littéraire*, mai-juin 1957.

TEXTES

1. Nombreuses éditions (Pléiade, Garnier, Bibliothèque de Cluny, Éditions Rencontre, l'Intégrale aux éd. du Seuil), entre lesquelles on distinguera :
- L'édition Conard des *Œuvres Complètes* qui comprend la *Correspondance* (9 volumes) et son *Supplément* (4 volumes).
- L'édition des principaux ouvrages (à l'exclusion des œuvres de jeunesse et de la *Correspondance*) parue aux Belles Lettres (cf. les introductions dues à R. DUMESNIL).
- Une édition de la *Correspondance* (Pléiade) est actuellement préparée par J. BRUNEAU; les grands mérites de ce flaubertiste font que l'on attend avec beaucoup d'impatience et d'espoir les résultats de son travail.

2. Certains textes très intéressants n'ont pas été publiés dans les éditions citées :

- *Flaubert et ses projets inédits*, éd. M. J. DURRY, Nizet 1950 (texte des *Carnets* 17, 19 et 20, remarquablement édités et commentés; ce livre doit être consulté en particulier pour toute recherche sur *L'Éducation Sentimentale* et *Bouvard et Pécuchet*).

- *Souvenirs, Notes et pensées intimes*, avant-propos de L. Chevalley-Sabatier, Buchet-Chastel, 1965.
- *La Spirale*, avec l'étude, intitulée *Une trouvaille*, d'E. W. Fischer, *La Table Ronde*, avril 1958.
- *Le Second Volume de Bouvard et Pécuchet*, établi et présenté par G. Bollème, Denoël, 1966.

3. Certaines éditions de textes connus se signalent par leurs précisions nouvelles et la richesse de leurs annotations :

- *Dictionnaire des Idées Reçues*, éd. diplomatique des trois manuscrits de Rouen, par L. Caminati, Nizet, 1966.
- *Trois Contes*, Introduction, notes and commentary by C. Duckworth, Londres, Harrap, 1959.
- *Bouvard et Pécuchet*, éd. critique précédée des scénarios inédits par A. Cento, Nizet, 1964.

SUR GUSTAVE FLAUBERT, SA VIE ET SON ŒUVRE

1. Biographie

- Gérard - Gailly, *Le Grand amour de Flaubert*, Aubier, 1944 (L'idée que Mme Schlésinger fut « l'unique passion » de Flaubert doit être nuancée, mais cet ouvrage demeure une initiation nécessaire à toute recherche sur la question).

2. Ouvrages sur l'homme et l'œuvre

- J. Suffel, *Gustave Flaubert*, Éd. Universitaires, 1958.
- R. Dumesnil, *Gustave Flaubert, l'homme et l'œuvre*, Desclée de Brouwer, 1947 (importante étude d'ensemble de l'éminent et très regretté flaubertiste).
- A. Thibaudet, *Gustave Flaubert*, Gallimard, 4e éd. 1935 (à corriger sur certains points, mais les analyses et la vue générale de l'œuvre flaubertienne gardent une valeur insigne).
- M. Nadeau, *Flaubert*, Denoël, 1969 (recueil des intéressantes préfaces aux *Œuvres Complètes* des Éd. Rencontre).

3. Études diverses sur l'œuvre

- E. Auerbach, in : *Mimesis* (Berne, 1946) ; trad. fr. Gallimard, 1968.
- B. Bart, *Flaubert's Landscape descriptions*, Ann Arbor, University of Michigan Press, 1956.

- V. Brombert, *The Novels of Flaubert*, Princeton, 1966 (étude pénétrante et originale de toute l'œuvre).
- G. Bollème, *La leçon de Flaubert*, Juillard, 1964.
- J. Canu, *Flaubert auteur dramatique*, Les Écrits de France, 1946.
- A. Cento, *La « Dottrina » di Flaubert*, Naples, 1964.
- L. Degoumois, *Flaubert à l'école de Gœthe*, Genève, 1925.
- H. Friedrich, in : *Drei Klassiker des französischen Romans*, Francfort, 1950.
- G. Genette, *Silences de Flaubert*, in : *Figures, Essais*, Éd. du Seuil, 1966.
- R. Giraud (éditeur) *Flaubert. A collection of Critical Essays*, Englewood Cliffs, Prentice-Hall, 1964.
- H. Guillemin, *Flaubert devant la vie et devant Dieu*, Plon, 1939.
- A. Y. Naaman, *Les débuts de Gustave Flaubert et sa technique de la description*, Nizet, 1962.
- J. Pommier, in : *Dialogues avec le passé*, Nizet, 1967 (études magistralement conduites sur noms et prénoms dans Madame Bovary, les maladies de F., sensations et images chez F., F. et la naissance de l'acteur).
- G. Poulet, in : *Études sur le temps humain*, Tome I, Plon, 1950; et in : *Les Métamorphoses du Cercle*, Plon, 1961 (deux contributions importantes).
- M. Proust, *A propos du « style » de Flaubert*, in *Chroniques*, Gallimard, s.d.
- J. P. Richard, in : *Littérature et Sensation*, Éd. du Seuil, 1954 (remarquable essai sur le sens humain et littéraire de la création flaubertienne).
- N. Sarraute, *Flaubert le précurseur*, *Preuves*, février 1965.
- J. P. Sartre, in : *Situations* II, Gallimard, 1948; in : *Critique de la Raison dialectique*, Gallimard, 1960, pp. 45-49, 71, 89- 101; in : *Les Temps Modernes*, mai, août, septembre, octobre 1966.
- M. Shaw, *Further Notes on Flaubert's Realism*, *Modern Language Review*, avril 1957.
- A. Thorlby, *Flaubert and the Art of Realism*, Londres, Bowes, 1956.
- S. Ullmann, in : *Style in the French Novel*, Cambridge, University Press, 1957.
- P. M. Wetherill, *Flaubert et la Création Littéraire*, Nizet, 1964.

BIBLIOGRAPHIES SE RÉFÉRANT AUX CHAPITRES

Chap. I, II, III : Flaubert avant *Madame Bovary*

- J. Bruneau, *Les débuts littéraires de Gustave Flaubert* (1831-1845), Colin, 1962 (étude fondamentale, sur laquelle je me suis souvent appuyé et qui doit être consultée pour toute cette période).
- G. M. Mason, *Les écrits de jeunesse de Flaubert*, Nizet, 1961.
- J. Seznec, *Les sources de l'épisode des Dieux dans la Tentation de Saint Antoine* (1re version, 1849), Vrin, 1940.

Chap. IV : *Madame Bovary*

1. Textes des scénarios et des brouillons

- G. Leleu, *Madame Bovary. Ébauches et fragments inédits recueillis d'après les manuscrits*, 2 vol., Conard, 1936.
- J. Pommier et G. Leleu, *Madame Bovary*, Nouvelle version précédée des scénarios inédits, Corti, 1949.

2. Genèse

- Les deux articles de J. Pommier et G. Leleu, *Du Nouveau sur « Madame Bovary »*, I Critique préalable, II Une source inconnue de « *Madame Bovary* », le document Pradier, parus dans la *Revue d'Histoire littéraire de la France* (juillet-septembre 1947) ont marqué un progrès considérable de la recherche ; je dois beaucoup au premier, modèle d'érudition et de perspicacité. Le livre de C. Gothot-Mersch, *La Genèse de Madame Bovary*, Corti, 1966, très soigneusement documenté, présente une excellente vue d'ensemble sur la question.

3. Études diverses

- Sur l'œuvre elle-même on recommandera d'abord l'étude précise et intelligente d'A. Fairlie, *Madame Bovary*, Londres, Arnold, 1962.
- Sur les rapports entre la « réalité » et sa transposition littéraire *cf.* entre autres les bulletins 11, 12 et 15 des *Amis de Flaubert* (1957, 1958 et 1959) et en particulier les articles où G. Bosquet a consigné les intéressants résultats de ses *Recherches sur quelques prototypes traditionnels de Madame Bovary*, et sur les variantes des manuscrits. Le livre de R. Herval, *Les véritables origines de « Madame Bovary »*,

Nizet, 1957, fournit un bon exemple d'enquête sur les sources locales ; les conclusions m'en paraissent discutables.

- Sur les rapports littéraires avec d'autres romans de l'époque, *cf.* dans *L'Année balzacienne* (1961) l'article de J. Pommier, « *La Muse du Département* » *et le thème de la femme mal mariée chez Balzac, Mérimée et Flaubert.*

- Sur les thèmes et la composition du roman, cf. S. Cigada, *Genesi e Struttura tematica di Emma Bovary*, in : *Contributi del Seminario di filologia moderna dell'Universita Cattolica del Sacro Cuore di Milano*, Serie francese, Milan, 1959.

- Sur la technique romanesque, on recommandera l'étude de J. Rousset, « *Madame Bovary* » *ou le Livre sur Rien*, in : *Forme et Signification*, Corti, 1962.

Cf. aussi B. F. Bart, *Aesthetic Distance in « Madame Bovary »*, in : *Publications of the Modern Language Association*, vol. 69, 1954.

- Sur le mot et la notion de Réalisme, *cf.* l'article de G. Robert, *Le réalisme devant la critique littéraire de 1851 à 1861*, *Revue des Sciences Humaines*, janvier-mars 1953.

Chap. V : *Salammbô*

- Le travail le plus complet et le meilleur sur ce roman demeure celui de L. F. Benedetto, *Le Origini di « Salammbô »* Florence, 1920, qui doit être consulté tant pour l'abondance de la documentation rassemblée que pour l'interprétation qu'il propose ; mon chapitre V lui doit beaucoup.

- Pour une vue actuelle des problèmes archéologiques soulevés *cf.* G. et C. Charles-Picard, *La Vie quotidienne à Carthage*, Hachette, 1958, dont j'ai adopté les conclusions.

- *Cf.* aussi A. Dupuy, *En marge de Salammbô*, Nizet, 1954.

Chap. VI : *L'Éducation Sentimentale*

- *Cf.* d'abord l'excellent Cours de Sorbonne, *Flaubert, L'Éducation Sentimentale*, par P.-G. Castex, Centre de Documentation Universitaire, 1959.

- Un certain nombre d'articles, tous parus dans la *Revue d'Histoire littéraire de la France*, donneront aperçus et précisions indispensables à l'étude de ce roman :

- P. Vial, *Flaubert, émule et disciple émancipé de Balzac : « L'Éducation Sentimentale »* (juillet-septembre 1948) et *De « Volupté » à « L'Éducation Sentimentale »* (janvier-mars et avril-juin 1957).

- Le n° de janvier-mars 1953 avec les articles de Ch. Bau-
chard, *Sur les traces de Flaubert et de Mme Schlésinger;*
d'A. François, *Gustave Flaubert, Maxime Du Camp et
la Révolution de 1848;* de J. Pinatel, *Notes vétilleuses sur
la chronologie de « L'Éducation Sentimentale ».*
- G. Guisan, *Flaubert et la Révolution de 1848* (avril-
juin 1958).
- S. Buck, *Sources historiques et technique romanesque
dans « L'Éducation Sentimentale »,* (octobre-décembre 1963).

cf. en outre :

- S. Buck, *The chronology of the « Education Sentimentale »,
Modern Language Notes,* février 1952.
- A. Cento, *Flaubert e la Rivoluzione di Febbraio, Rivista
di Letterature moderne e comparate,* décembre 1962 et
mars 1963.
- P. M. Wetherill, *Le dernier stade de la composition de
« L'Éducation Sentimentale »,* Zeitschrift für französische
Sprache und Literatur,* juillet 1968.

Chap. VII : *La Tentation de Saint Antoine*

- J. Seznec, *Nouvelles Études sur La Tentation de Saint
Antoine,* Londres, The Warburg Institute, 1949, en parti-
culier sur les sources et la documentation de Flaubert.
- *cf.* aussi sur les mêmes questions : F. J. Carmody, *Further
Sources of « La Tentation de Saint Antoine »,* The Romanic
Review,* vol. 49, 1958.
- M. Milner, in : *Le Diable dans la littérature française de
Cazotte à Baudelaire,* Corti, 1960 (Tome 2, pp. 213 et
suivantes).
- A. Pantke, *Gustav Flauberts «Tentation de saint Antoine».
Ein Vergleich der drei Fassungen,* Leipzig, Vogel, 1936 (la
comparaison la plus précise des trois versions).
- P. Valéry, *La Tentation de (Saint) Flaubert,* in : *Variété
V,* Gallimard, 1948.

Chap. VIII : *Trois Contes*

Sur l'ouvrage dans son ensemble voir le substantiel article
de C. A. Burns : *The manuscripts of Flaubert's « Trois
Contes »,* French Studies,* octobre 1954 et la très intéressante
explication de R. Jasinski, *Le sens des « Trois Contes »,* à
paraître in : *Mélanges L. Solano.*

1. Sur Un Cœur simple

- A. CENTO, *Il « plan » primitivo di « Un Cœur simple »,* Studi francesi, janvier-avril 1961, auquel je me suis référé.
- Étude stylistique par S. JOHANSEN, *Écritures d' « Un Cœur simple »,* Revue Romane, publiée par les Instituts d'Études romanes au Danemark, t. II, 1967.

2. Sur la Légende de saint Julien l'Hospitalier

Le problème des sources de ce conte a été souvent traité et a suscité des discussions. *Cf.* à ce sujet :
- R. JASINSKI, *Sur le « Saint Julien l'Hospitalier » de Flaubert,* Revue d'Histoire de la Philosophie et d'Histoire Générale de la Civilisation, 15 avril 1935, où sont précisément relevées les concordances d'expression entre l'adaptation de LECOIN-TRE-DUPONT et le texte de Flaubert.
- A. W. RAITT, *The Composition of Flaubert's « Saint Julien l'Hospitalier »,* French Studies, octobre 1965; utile mise au point et excellente étude.
- *cf.* en outre S. CIGADA, *L'Episodio del Lebbroso in « Saint Julien l'Hospitalier » di Flaubert,* Aevum 31 (1957).

3. Sur Hérodias

cf. J. H. CANNON, *Flaubert's Documentation for « Hérodias »* French Studies, t. 14, 1960.

Chap. IX : *Bouvard et Pécuchet*

- R. DESCHARMES, *Autour de Bouvard et Pécuchet, Études documentaires et critiques,* Librairie de France, 1921.
- D.-L. DEMOREST, *A travers les plans, manuscrits et dossiers de Bouvard et Pécuchet,* Conard, 1931.
- NEUENSCHWANDER-NAEF, *Vorstellungswelt und Realität in Flauberts « Bouvard et Pécuchet »,* Winterthur, Keller, 1959 (des interprétations et des rapprochements intéressants; certaines conclusions me paraissent discutables).
- M.-J. DURRY et J. BRUNEAU, *Lectures de Flaubert et de « Bouvard et Pécuchet »,* Rivista di Letterature moderne e comparate, 15, 1962.

CONCLUSION

- Quelques pages très denses de J. DELAY (*La jeunesse d'André Gide*, Tome I, Gallimard, 1956, pp. 577-583) proposent une remarquable analyse de la personnalité de Flaubert.

On recommandera enfin la lecture du Bulletin *Les Amis de Flaubert* qui apporte nombre de renseignements utiles et tient au courant des dernières publications consacrées à Flaubert.

TABLE DES MATIÈRES

IMPRIMERIE BERGER-LEVRAULT, NANCY — 778927-3-1970
DÉPOT LÉGAL : n° 3040 — 3ᵉ TRIMESTRE 1972